ANTITERRE

Du même auteur

Mémoires d'outre-tonneau, roman, Montréal, Estérel, 1968 ; Trois-Pistoles, Éditions Trois-Pistoles, 1995.

La nuitte de Malcomm Hudd, roman, Montréal, Éditions du Jour, 1969 ; Montréal, VLB éditeur, 1979 ; Montréal, Alain Stanké, 1986 ; Trois-Pistoles, Éditions Trois-Pistoles, 1995 ; Montréal, Typo, 2000.

Race de monde, roman, Montréal, Éditions du Jour, 1969 ; Montréal, VLB éditeur, 1979 ; Montréal, Alain Stanké, 1986 ; Trois-Pistoles, Éditions Trois-Pistoles, 1996 ; Montréal, Typo, 2000.

Jos Connaissant, roman, Montréal, Éditions du Jour, 1970 ; Montréal, VLB éditeur, 1978 ; Montréal, Alain Stanké, 1986 ; Trois-Pistoles, Éditions Trois-Pistoles, 1996 ; Montréal, Typo, 2001.

Les grands-pères, roman, Montréal, Éditions du Jour, 1971 ; Paris, Robert Laffont, 1973 ; Montréal, VLB éditeur, 1979, Grand Prix littéraire de la Ville de Montréal ; Montréal, Alain Stanké, 1986 ; Trois-Pistoles, Éditions Trois-Pistoles, 1996 ; Montréal, Typo, 2000.

Pour saluer Victor Hugo, essai, Montréal, Éditions du Jour, 1971 ; Montréal, Alain Stanké, 1985 ; Trois-Pistoles, Éditions Trois-Pistoles, 1996.

Jack Kérouac, essai-poulet, Montréal, Éditions du Jour, 1972 ; Paris, l'Herne, 1973 ; Montréal, Alain Stanké, 1987 ; Trois-Pistoles, Éditions Trois-Pistoles, 1996 ; Montréal, Typo, 2003.

Un rêve québécois, roman, Montréal, Éditions du Jour, 1972 ; Montréal, VLB éditeur, 1977 ; Trois-Pistoles, Éditions Trois-Pistoles, 1996.

Oh Miami Miami Miami, roman, Montréal, Éditions du Jour, 1973 ; Trois-Pistoles, Éditions Trois-Pistoles, 1995.

Don Quichotte de la Démanche, roman, Montréal, l'Aurore, coll. « L'Amélanchier », 1974 ; Paris, Flammarion, 1978, Prix du Gouverneur général du Canada ; Paris, Flammarion, 1979 ; Montréal, Alain Stanké, 1988 ; Trois-Pistoles, Éditions Trois-Pistoles, 1998 ; Montréal, Typo, 2002.

En attendant Trudot, théâtre, Montréal, l'Aurore, 1974 ; *En attendant Trudot* suivi de *Y'avait beaucoup de Lacasse heureux*, Trois-Pistoles, Éditions Trois-Pistoles, 1998.

Manuel de la petite littérature du Québec, anthologie, Montréal, l'Aurore, 1974 ; Trois-Pistoles, Éditions Trois-Pistoles, 1998.

Blanche forcée, récit, Montréal, VLB éditeur, 1976 ; Paris, Flammarion, 1978 ; Trois-Pistoles, Éditions Trois-Pistoles, 1997 ; Montréal, Boréal Compact, 2010.

Suite à la fin de l'ouvrage.

Victor-Lévy Beaulieu

Antiterre

UTOPIUM

ÉDITIONS TROIS-PISTOLES

Éditions Trois-Pistoles
31, route Nationale Est
Paroisse Notre-Dame-des-Neiges
G0L 4K0
Téléphone : 418-851-8888
Télécopieur : 418-851-8888
C. élect. : vlb2000@bellnet.ca

Saisie : Martine R. Aubut
Conception graphique, montage et couverture : Roger Des Roches
Révision : André Morin

Les Éditions Trois-Pistoles bénéficient des programmes d'aide à la publication du Conseil des Arts du Canada, du gouvernement du Canada, par l'entremise du Fonds du livre du Canada, de la Société de développement des entreprises culturelles du Québec (SODEC) et du programme de crédit d'impôt pour l'édition de livres du gouvernement du Québec (gestion Sodec).

En Europe (comptoir de ventes)
Librairie du Québec
30, rue Gay-Lussac
75005 Paris, France
Téléphone : 43 54 49 02
Télécopieur : 43 54 39 15

ISBN 978-2-89583-241-6
Dépôt légal : Bibliothèque et Archives nationales du Québec, 2011
Dépôt légal : Bibliothèque et Archives Canada, 2011

On croit créer
ce qu'on nomme.

MARCEL PROUST

*A*llongé sous une grande épinette noire, dite à corneilles, je ne voyais du Soleil que ce qui passait entre les branches. On était dans le plein de l'été, j'étrennais pour ainsi dire cette maison que j'avais achetée à Trois-Pistoles. C'était si calme tout alentour de moi que le mot* Antiterre *me vint à l'esprit. Je me souvins que c'était là une invention de Pythagore pour qui la décade était le nombre parfait ; or, comme le système solaire ne comptait que neuf planètes, Pythagore en inventa une dixième, invisible aux yeux grecs et qu'il nomma* Antiterre.

Depuis que je suis tombé sur ce mot-là, il m'arrive, par moments, d'être obsédé par cette Antiterre *de Pythagore, dont je voudrais mieux comprendre la théorie qui lui a donné naissance. Aussi, je cherche dans l'*Histoire de la philosophie antique *de Theodor Gomperz ce qui aurait pu m'échapper quand j'en ai fait la lecture il y a plusieurs années.*

La cosmogonie selon Pythagore est fondée entièrement sur la musique, sur sa simplicité, sa symétrie et son harmonie. Pour le penseur grec, « le fait de croire que les différences de vitesse dans les mouvements des astres étaient capables de produire non seulement des sons de différentes hauteurs, mais encore un ensemble harmonieux, était fantaisie pure. En cela, l'imagination artistique de Pythagore pouvait d'autant plus donner libre carrière que les pythagoriciens déterminaient assez approximativement les arcs de cercle parcourus par les planètes dans des temps donnés, mais qu'ils étaient absolument hors d'état de calculer les distances des planètes et les vitesses absolues qui en découlent ».

Mais il y a plus étrange encore dans la théorie de Pythagore : le feu primordial, qui animait tout l'Univers, n'avait aucun rapport avec le Soleil qu'on considérait comme « un corps à la fois poreux et vitreux, de façon à pouvoir rassembler en soi et projeter au loin les rayons lumineux ». Le Soleil était en quelque sorte une grosse Lune dont la seule qualité était de réfléchir le rayonnement du feu primordial. Mais ce feu primordial, comment se faisait-il qu'on ne pouvait pas le voir puisqu'il éclairait tout le cosmos, et la Terre en premier lieu ?

La théorie de Pythagore et de ses disciples sur l'Antiterre tint le coup jusqu'au moment des grandes découvertes géographiques :

« Lorsqu'on obtint des renseignements plus exacts sur le grand voyage d'exploration du carthaginois Hannon, et qu'on apprit

qu'il avait dépassé les colonnes d'Héraclès (Gibraltar) et franchi la limite occidentale de la Terre, jusque-là considérée comme infranchissable ; lorsque, peu après, la configuration de l'Asie prit des contours plus précis, grâce à l'expédition d'Alexandre en Inde, le sol, sur lequel s'étaient échafaudées les hypothèses pythagoriciennes, commença à vaciller. On était pour ainsi dire monté sur la plate-forme de laquelle on aurait dû voir la prétendue Antiterre. Et comme on ne la voyait pas plus que le feu central, cette partie-là de la cosmogonie pythagoricienne s'écroula. »

Je ne pense pas tout à fait comme Theodor Gomperz, puisque la science avance maintenant que le cosmos est constitué de quatre-vingt-dix pour cent de matière noire qu'on n'est pas encore en mesure de qualifier avec précision. Je trouve fabuleux que Pythagore, malgré l'usage qu'il en fit, ait eu le premier l'intuition que la matière blanche n'est qu'une face de l'Univers et qu'elle en compte au moins une autre, celle de la matière noire. Cette intuition, c'est ce qu'on appelle l'utopie ; et l'utopie c'est ce qui, toujours, finit par métaphoriser la réalité. Quand on en est là triomphe la surréalité, c'est-à-dire la vie poussée aux confins de son vouloir faire, dans sa beauté toute nudique, toute ludique.

1

DE L'ÉMERGENCE DE LA LUMIÈRE NOIRE

CRI

je vois de la lumière noire mais l'opacité est telle entre le monde et moi que je crie pour rien je vois de la lumière noire – pas de flamme, pas d'embrasement, nulle chaleur – le frette ! – le frette de cette lumière noire qui m'enveloppe – inexorable c'est, mon corps écartelé au centre d'une pelote de fils noirs qui ne cesse pas d'enfler ! – ma peur, ma peur, ma grande peur ! –

ŒILSTANT

je vois de la lumière noire mais je ne sais pas si c'est bien ou si c'est mal que j'en aie autant dans les yeux, que j'en aie autant ailleurs aussi – mon corps s'est modifié, ni bonne ni malhumeur en ses viscères : nerfs, muscles et sang pétrifiés aussi dur que le sont les dogmes – seul mon œil reste vivant, seul mon œil résiste à l'araignée-monde qui tisse ses fils de lumière noire sur mon corps : ils ont beau s'ajouter les uns aux autres, ils ne parviennent pas jusqu'aux bâtonnets de la rétine – je sens rien, je ressens rien, je vois l'antiterre que je suis en train de devenir, en cette zone de conscience du cosmos où les mots, constitués d'antimatière, ne se réduisent pas en voyelles ni en consonnes – c'est là pourtant, ça se laisse voir au mitan même de l'abstraction, figures géométriques sans formes, ni pourtours ni entours, ni masse ni espace : au-delà de toute description, de toute métaphore, de toute poésie – trop imprévisible c'est –

FUITE

je cesse brusquement de crier je vois de la lumière noire : l'araignée-monde détisse tous ses fils, je retrouve mon corps, je retrouve la sensation dans mon corps : les premières s'imposent mes mains, mais seulement du bout des doigts – et ce n'est pas sur moi qu'elles se portent, mais sur le panneau de bois au-dessus duquel je me tiens allongé ! – du moins je m'imagine ainsi puisque rien ne me revient en l'œil depuis qu'a fui la lumière noire –

COMA

où suis-je ? – je crie pour rien, mes mâchoires trop contractées pour que les sons parviennent jusqu'à mes oreilles – et cette main toute moite se posant sur mon avant-bras, le tapotant comme s'il était un instrument de musique, un tamtam africassé sans doute, dont j'entends les harmonies au travers de ma peau. et ce que ça dit, c'est que je vais bientôt sortir du coma comme d'un trou de ver, par petites secousses sismiques, par brusques contractions, pareilles à celles qu'ont les animals avant de mettre bas – et ce bruit infect, que font au fond de la bassine sous mes fesses, les étrons qui me sortent du trou du culte ! –

GÎTANT

quel est mon âge ? – ces odeurs pourries d'hôpital qui se déjettent loin de moi par derrière – quand ? – est-ce maintenant ou cette fois-là que je n'avais pas encore vingt ans, que je gisais, gîtais, giguais sur un panneau de bois, des sacs de sable ancrés aux genoux, des cure-dents fixés à mes paupières pour que je puisse garder les yeux ouverts – et voir ces ergothérapeutes nazis se préparer à me torturer, si tristes, si seuls sont les corps dénaturés ! – et si vieux, si décomposables, si putrescents les corps malusés ! –

TAMTEMPS

pourquoi ai-je si mal ? – mon corps comme poulet embroché, qu'on fait tourner, y plantant par grappes ces énormes arêtes de hareng sourd – comme si j'avais demandé qu'on fasse de moi un porc-épique ! – de tous les animals de la création, le moins aimable: se tiennent, dans les crochets au bout des aiguilles, armées, des multitudes de bactéries prêtes à rendre pourrissants les muscles, les nerfs, le sang – pour mieux se rendre jusqu'au cœur et le forcer à éclater ! –

ce silence, combien de tamtemps encore ? – et moi nageant dedans, très vite, même s'il n'y a pas d'eau là où ça me trouve – de l'air, rien d'autre ! – par bulles innombrables, si petites qu'elles passent au travers de mes yeux sans que je m'en rende compte vraiment, ou si grosses qu'elles m'attirent vers elles, et ce sont mes yeux qui les traversent, dur comme le fer ça se présente, et pourtant je les pénètre comme si je m'affalais dans du beurre très mou –

va savoir, va donc savoir pourquoi, tout en éprouvant le plus grand mal dans mes muscles, mes nerfs et mon sang, mon corps me paraît comme enceint d'une si singulière jouissance que je ne demande pas mieux que de le voir s'embraser à jamais ! – va savoir, va donc savoir quand il fait nuit noire aux pourtours du corps, au mitan du corps, dedans la matière grise du corps ! – va, va, va donc savoir, esti ! –

ah – ça cesse enfin cette navigation dans le cosmos, dans le corps dur du cosmos: mes oreilles redeviennent sensibles aux bruits de fond, aux mots qui s'en échappent – mes yeux n'ont plus besoin de cure-dents pour rester ouverts, il n'y a plus de bassine sous mes fesses, tout a été chié, pollution nocturne du cosmos ! – tout a été uriné, pollution diurne du cosmos ! – de cette chambre aux murs ocrés, se dégage un filet mignon de chaleur jusque sous cette couverture, ocrée aussi, qui m'abrille – ça devait être ainsi quand mon corps se formait dans le ventre de ma mère, tout couleuré d'ocre, même ces eaux au mitan desquelles je saumurais – et long, très long ce cordon ombilical qui me reliait déjà à la lumière noire du cosmos ! –

VOIR

le médecin qui s'est assis au pied de mon lit –

ODEURS

le bloc qu'il tient à la main – fait semblant de le consulter en clignotant de l'œil gauche, à cause de cette verrue sans doute, logée sur son arcade sourcilière, un petit pois aussi noir que l'est le charbon de bois, aussi mou que le sont les sables bitumineux de l'alberta – face rubiconde, yeux de poisson mort sous le front bombé – j'aguis tous les médecins : des acheveurs de chevals, des mangeurs de poissons des chenaux, une gagne d'estis ! –

– De bonnes nouvelles malgré tout. Vous avez échappé à la malaria. Un exploit en soi quand on voyage en Afrique nègre comme si on rendait visite à sa famille en Gaspésie.

ne l'ai pas vraiment entendue, la fin de la phrase du médecin – odeurs qui entrent par la fenêtre ouverte de la chambre, rien de l'afrique nègre dedans – celles du grand morial, cosmopolitaines, marbrées de noir et de blanc comme l'est parfois la crème glacée molle : odeurs des dessous de bras italiens, sueur des fessiers callipyges haïtiens, sang des femmes battues musulmanes, épices vulveuses espagnoles, arômes de fonds de chaudron grecs, faisandage des viandes chinoises, usure des huiles américaines, moisissure des pains français, parfum finfinaud des petites pousses de sapin des kebekois de souche –

MÉMOIRE

quand ça, l'afrique nègre ? – où ça, l'afrique nègre ? – pourquoi ça, l'afrique nègre ? – tout à fait inapproprié ce continent-là pour un quelqu'un pareil à moi que la poliomyélite a rendu en ses nerfs, ses muscles et son sang trop vulnérable aux changements climatiques – le mauvais air que chante la malaria me donne mal aux poumons, à l'épaule, au bras gauche, me met plein de frémilles dans les jambes dès que le ciel se fait bas de plafond et que crèvent les nuages noirs enceints de suie, de suif, de suicide –

– Un petit effort quelque part dans le trou de votre mémoire, quelques souvenirs au moins de votre séjour au Gabon et en Éthiopie. Non ?

– Non. Je n'ai jamais mis les pieds par ce là-bas-là de toute ma vie.

– Judith, Abé Abebé, Calixthe Béyala, ça ne fait pas sonner de clochettes et de clochetons dans votre remembrance ?

– Les souvenirs, c'est toujours par devant, jamais par derrière. Faut beaucoup dormir avant, et rêver, et mourir peut-être aussi.

– Pourtant, c'est grâce à Calixthe Béyala si vous n'êtes pas mort au fin fond de l'Éthiopie. Elle vous a sorti de là et ramené à Libreville et travaillé fort pour qu'on vous rapatrie ici, dans le Grand Morial.

un roman ! – on a dû croire que j'étais aveuglé et on a fait venir à mon chevet cet acteur, ce comédien, ce clown au faux et gros nez rougeaud, chargé de me raconter une histoire – pour que je cesse d'être cette flèche brisée condamnée à se perdre dans la lumière noire, loin de ma meson, loin de mes bâtiments, loin de mes quelques arpents de terre, loin de mes animals sagaces qui paissent près de l'étang – ce médecin famélique au pied de mon lit : voudrait me rendre semblable à ce qu'il est – n'invente pas les mots, invente des objets, des êtres, des événements, invente des sentiments, invente le témoignage, tient à ce que je sois aussi réel que lui, aussi sensible que lui –

– Vous en faites pas. Les trous de mémoire sont fréquents quand on sort du coma parce que le syndrome post-poliomyélite vous a atteint. Trop de surmenage, de fatigue, d'usure. Le corps ne génère plus suffisamment d'énergie pour rester à flot. L'alcool aussi. C'est le facteur cheval prédominant qui facilite l'apparition du syndrome post-poliomyélite.

le médecin se ferme enfin le mâche-patates, ne cesse pas toutefois de me tapoter le gras de jambe, et me regarde, son œil droit clignotant toujours – un miroir de phare qui passe continuellement du jour à la nuit et de la nuit au jour – et moi, je ne veux pas fermer les yeux, ma peur, ma très grande peur de ne plus pouvoir les rouvrir – trop besoin de ne pas m'ensommeiller, de ne pas penser, de ne pas me retrouver, étranger, dans le monde de la lumière noire, mon corps trop fractal, comme autant de petits icebergs qui s'entrechoquent en glissant vers la mer océane, sans se lier jamais – même glaçons et pourtant ça se meut si indifférents les uns par-devers les autres – ainsi vogue et vogue lentement mon corps équivoque, rendant traînant mon esprit, tortillards mes muscles, fragmentables à l'infini mes maux – halluciné, mais sans fureur à cause de cet opium qu'on m'injecte par intraveineuse : ce dérèglement de la logique jusqu'à l'absurde, disait l'éluard, mi-huard, mi-épaulard, bête mythologique, centaure automatiste, un pied au ciel, une aile dans la mer : on a faim quand on est chambré, c'est vrai ! –

BING

moi quand je rêve et me rêve, c'est que la Table de pommier a pris possession de mon corps – ce n'est pas une Table de pommier ordinaire que celle qui trône au milieu de la plus grande des pièces de ma meson de trois pistoles : cette Table-là de pommier tourne et se meut au travers de la lumière noire parce que l'habite l'esprit frappeur de victor hugo, surtout quand elle s'ennuie de moi, se languit de moi, se meurt de moi – ou n'est-ce pas plutôt : quand je m'ennuie d'elle, me languis d'elle, me meurs d'elle ? –

dans la lumière noire, les persans voyageaient sur des tapis volants et les pharaons égyptiens ne mourraient jamais : au mitan de leur chambre mortuaire, au centre de la pyramide, l'esprit frappeur se faisait entendre pour que les pharaons montent dans leurs barques funèbres et naviguent entre les grosses pierres de lumière noire jusqu'au soleil – ainsi restaient-ils vivants bien que morts, pleins de l'énergie du jour bien que désemplis de toute énergie qualifiable et quantifiable : assieds-toi aux tables des heureux puisque tu es mort-vivant ! –

ma Table, ma bien-aimée Table de pommier – certaines naissent de la loi, d'autres de l'esprit sain, d'autres de la vierge mariée, d'autres d'une image formée par le hasard – ma Table de pommier à moi est venue au monde sous les mains habiles d'une religieuse ébéniste, au fond d'un couvent de louiseville, une longue table de réfectoire – y mangeaient en silence les bonnes sœurs – de longues générations, qui empêchaient la Table de pommier de frapper, son esprit emprisonné dans le bois – puis le vent, la tornade, le typhon, l'œcuménisme, qui ont emporté dedans le diable vauvert les capines et les robes noires – et ce couvent vendu à un bâtisseur de centres commerciaux, et tous les biens meubles mis aux enchères – achetée par un cultivateur de saint cuthbert, la Table de pommier, en même temps que les huit chaises qui lui tenaient compagnie – mais le cultivateur n'avait pas besoin de chaises et il les refila à un voisin en échange de quatre pneus cloutés à neige ! –

ma Table, ma bien-aimée Table de pommier ! – se retrouva au fond de cet appentis jouxtant la grange, en ce là-bas où le cultivateur élevait des coqs à chair : dans des cages d'un pied carré, c'était nourri aux antibiotiques et aux hormones de croissance sous la forme de moulée animale ! – des lampes allumées tout le temps (qui dort dîne) ! – quand les poulets étaient gros et gras au point de ne plus tenir sur leurs pattes, on sortait la Table de pommier de l'appentis, on y amenait les coqs l'un après l'autre – cou coupé ne court pas toujours, corps plumé ne hurle pas toujours à la lune, entrailles arrachées ne font pas toujours couler le fiel – odeurs écœurantes de boucherie, ce poing sur la réalité bien pleine, disait la guitare endormie –

l'abattage, le plumage et l'éviscération terminés, le cultivateur arrosait d'eau chaude la Table, mais entre les joints le sang avait eu le temps de s'immiscer, colorant ainsi le bois, lui donnant ce rouge sombre aux joues, aux côtes et aux jambes – la Table ne frappait pas encore, la Table ne tournait pas encore, mais le sang versé des poulets finirait par faire son œuvre : l'esprit de meurtre, la réalité du meurtre ne peuvent devenir que l'esprit, que la réalité de la métaphore – c'est parfois long, surtout quand on est une Table de pommier et que, remisée au fin fond d'un appentis, on reste là, bonne à rien, d'un automne à l'autre, sans même porter de lunettes noires, car l'a dit l'éluard : s'il n'y avait pas de rêve, il n'y aurait pas de lunettes noires ! –

des années se passent, se dépassent, trépassent ainsi, qu'on ne voie guère, car l'espace-temps est mal assis entre deux chaises, et c'est pire s'il se glisse dans un tiroir, piégé par les odeurs de sang séché, la moisissure, les champignons, la crasse et tout ce qui pourrit, matière noire des décompositions – ça n'incite pas à frapper comme aiment le faire les tables tournantes, et la Table de pommier n'y arrivait pas – cognait ses clous machinalement en rêvant parfois au temps où elle était ce grand arbre au milieu de la forêt : aurait pu alors manger une tarte sur la tête de tous ses semblables – ce n'était pas une consolation, juste un peu de vent se pourmenant dans l'air –

vint enfin cette année-là que les coqs à chair, mal servis par la moulée animale, n'engraissèrent pas bien vite : leur mort, souvent différée, eut lieu tandis que tombait la première neigeante neige, et le cultivateur de saint cuthbert en garda le souvenir mauvais : à cause des chicots restés dans la chair des coqs, il dut se servir d'une pince à sourcils pour les en déparer ! – c'est fini, les estis de poulets ! que dit le cultivateur à sa femme – et la Table ? – c'est vieux, ça sent les dessous de bras des chiens sales qui meurent, je vais découper en tranches la Table avec ma tronçonneuse, et faire du bois d'allumage avec ! – les uns ont inventé l'ennui, d'autres la tire de la sainte catherine, d'autres la scie mécanique ! –

muni d'une grosse lime, aiguisant les dents de sa tronçonneuse quand, par le plus grand des hasards, c'est-à-dire par coïncidence, j'arrivai chez l'habitant, tel un cheveu sur la soupe – sortir de la grosse station-wagon que je conduisais : un véritable char d'assaut, une nécessité en ce jeune temps-là, mon moi haïssable et sauvage se métamorphosant en éditeur dès que l'hiver de force ducharmien se présentait, fale haute, panse pleine, à déverser au travers de la matière noire pour que blanchissent la déraison et le dérèglement – des foires du livre, tous les mois ! – un continent à traverser chaque fois, trente caisses de livres à l'aller et vingt-neuf au retour parce que gnan, gnan, gnan, les canadiens sont là ! – parce que gnan, gnan, gnan, le hockey est l'opium du peuple, les clubs des danseuses nues et les cages aux sports aussi ! – esti d'hiver ! – esti de déluge de neige, à forcer dans sa résistance six mois par année ! –

j'ai examiné la Table, même dans ses dessous – juste à la toucher, j'en tombai amoureux : cette Table-là avait été bâtie pour moi, je lui appartenais, elle me possédait, je ne pouvais pas la laisser là pour qu'elle devienne du bois d'allumage, j'en avais besoin – douceur de son bois, autant que de la peau de fille nègre – ventre plat, petit nombril saillant au milieu autant que ceux des jeunes filles nègres, jambes longiformes aux mollets gracieusement tournés des jeunes filles nègres – et toute cette matière noire qu'il devait y avoir en fond de tiroirs, coincée là-dedans par les intempéries ! –

rue sherbrooke, j'y habitais alors – y amenai la Table, l'installai au mitan du salon double, achetai quatre vieilles chaises dont les sièges étaient faits de lanières de babiche entrecroisées – dès quatre heures le matin, me voilà installé sur l'une d'elles, toujours la même, et décapuchonne de suite le stylo feutre – des mots viennent, des phrases viennent, des métaphores viennent, ce qui m'arrivait au point de rosée, comme l'a écrit l'éluard : plus rien ne me tient aux pieds ni le sol ni le soleil et c'est un léger martyr, une vague liberté – la forêt à tête de chien chasse le jour et mord la plaine – les feuilles vives sont à l'aube ce que l'ombre est à la fraîcheur – il est midi, il est minuit : les gouttes de pluie deviennent des oiseaux ! –

assis sur cette chaise, la Table de pommier devenue mer océane – métamorphose, métaphore, mythe, ça sortait de sous les vagues comme les gigantesques rorquals bleus quand ils s'élancent du milieu des eaux, bondissent hors d'elles, trombes de sang bleu jaillissant de leurs évents, queue prodigieuse frappant le vague ! – la Table me parlait jusqu'à tard le soir, et je buvais du whisky pour pas que j'en perde un mot, moi son scribe, moi son scripteur, moi son scribouillard, moi son homme de main gauche –

B'ABEL

dix ans que ça a duré – dix ans pour ce livre b'abel qui est resté à jamais coincé entre les cuisses malanguilleuses de la mère porc-épique ! – dix ans, esti ! –

CAHOT

mon corps – je tourne au-dessus de lui, souffrant mais l'ignorant à cause de l'opium – le cordon d'argent qui me relie à lui au travers de la lumière noire – me voilà devant la forteresse de louisbourg, à regarder la mer océane – je cherche juste à retrouver mon souffle qui s'est en allé dans le mauvais whisky que j'ai bu, ces longues heures d'écriture, perdues, puisque pas une seule fois je n'ai été capable de danser comme danse le samare – dans l'œil, cette eau à perte de vue, ces vagues fulgurantes, ce soleil incandescent qui les embrase ! – en dessous, cette profondeur, ces abysses secrètes – de la matière noire peut-être, plus dense encore que celle qui lie ensemble les fragments du cosmos – me rendre au creux de cette profondeur-là, au cœur de ces abysses-là – de l'obsession pure, plus moyen de m'en défaire, plus jamais ! –

sur le chemin de mon détour vers le grand morial, je cherche à garer ma voiture, j'entre dans cette cour aux longues herbes – au milieu : cette meson abandonnée, comme celle des hauts du hurle-vent, ou ce château de fosse-amérique de kafka, ou cette chambre-monde de mille milles et de châteauguay – piteux l'état du bien immeuble, déménagé sans cérémonie dans les longues herbes et les grosses pierres – galeries gisant par terre, portes sorties de leurs gonds, carreaux brisés des fenêtres, faucons, corbeaux, corneilles en sortant ou y entrant – pas de porte au soubassement, des pentures rouillées, une gueule de loup dans laquelle s'amusaient rats, ratons laveurs, ratons musqués, siffleux, bêtes puantes, écureuils, suisses antipapistes ! – pas d'électricité, pas de puits, pas d'égouts – et derrière la meson, une swampe servant de dépotoir : déglingués moteurs de voiture, cabossés réfrigérateurs, machines aratoires édentées et rouillantes, matelas pourris, chiens, veaux, cochons noirs se décomposant dans la vase – le monde-monstre comme putréfaction ! –

l'ai pourtant achetée la vieille meson, à cause de la mer océane qui m'avait subjugué devant la forteresse de louisbourg – l'idée de l'eau, le besoin de l'eau, l'esprit de l'eau : cette source jaillissant de la terre dans le soubassement de la vieille meson – en ferai un château d'amérique, en ferai la carapace totem-tortue de mon corps –

j'y ai passé un premier hiver, n'habitant que la plus grande des pièces : une berçante dedans, un gros poêle à bois à deux ponts, un maigue matelas devant la large bavette et la Table de pommier – nous étions le même corps et le même esprit nous réchauffait – quand la chaleur devenait aussi dense que le brouillard sur la mer océane, me déshabillais, me couchais à plat ventre sur la Table de pommier, laissant mon sexuel y déverser le trop-plein du désir – énamouré, les yeux purs, la tête inerte, disait l'éluard – aucune angoisse, aucune impétuosité maternelle, disait le michaux – que le bon vieux vous bénisse, que le bon vieux vous bénisse, la paille au cul et le feu dedans, disait le jarry ! –

TRANSFIGURATION

du dedans comme du dehors s'est rapidement métamorphosé l'ancien manoir – enterrée la swampe ! – furent plantés deux cents arbustes et autant d'arbres ! – souvent redessinées ces ébauches de jardins ! – agrandi le territoire, clôturé le pacage, bâtie l'étable ! – bonjour, folie joyeuse des animals : cacassez-moi l'infini, beuglez-moi le non mesurable, bêlez-moi l'inqualifiable, miaulez-moi l'éperdu, jappez-moi les trembleterres tandis que s'habille l'intérieur de la meson, par biblelots des patenteux, des gosseux, des décrochisseurs, des formagiers, des mesureux, des tire-la-babiche ! – et beaucoup de tables aussi, au moins deux en chacun des êtres, sauf celui occupé par la Table de pommier : n'avait besoin que de mon moi-même comme je n'avais besoin que d'elle – l'oubliant parfois, prenant au salon la plus petite des tables, la mettant entre le gros poêle à bois à deux ponts et la Table de pommier, pour le cas que l'ennui s'y prendrait en ses dessous de pieds – se languir de quelqu'un, c'est avoir des ailes de chauve-souris qui sans cesse te battent au visage, a dit le michaux ! –

VERTIGE

vingt-cinq ans en ce nouvel ainsi-là –

vingt-cinq ans à aspirer avec une paille l'eau de la mer océane et, grâce au stylo feutre bleu, à faire de chaque gouttelette un mot – des pages et des pages s'écrivant à la verticale – tour de b'abel destinée à crever l'œil de la voie lactée, là-haut, là-haut la très-haute aux confins de l'extra monde : fini l'espace ! – dépassé le temps ! – que la plénitude du vertige ! – que le tonitruant mot de l'empremier giclant de la lumière noire ! –

DÉPOUILLAGE

puis, brutalement, ce grand changement, peut-être parce que, si haute la très-haute, l'oxygène vient toujours à manquer – suffit d'un prétexte pour que l'œil crevé de la voie lactée vous crache vers la terre – cette lettre de judith, cette invitation à courir après elle jusqu'au bout du monde ! – brûlé le manuscrit inachevé, vendu tout ce qu'il y avait dans la meson, les biens meubles, les bibliothèques, les trophées de bowling, les médailles pour chien sale d'écriture, la literie et même mon déguenillé linge de corps – n'ai gardé que le maigue matelas devant le gros poêle à bois, l'antique fauteuil roulant donné par cette comédienne qui avait joué une vieille femme infirme à ras de plancher dans une pièce de tchékhov – et la longue Table de pommier ! – aussi : cette première édition de bouvard et pécuchet de flaubert et l'œuvre de nietzsche

– les ai empilés sous des boîtes à chaussures italiennes au fond du garde-guenilles, allez donc savoir pourquoi, esti ! – n'avais pourtant pas besoin de vider la meson de tous ses biens meubles pour entreprendre ma voyagerie aux quatre coins du monde : je n'aimais pas ma mère, mais elle m'avait au moins appris comment économiser, pas comme un pingre, genre wolfgang goethe : le soir, il allait à la cuisine peser le sel et le sucre que ses domestiques avaient utilisés, ravi de les sermonner et de diminuer leurs gages chaque fois qu'ils en consommaient davantage que la part qui leur était allouée – riche comme césar pourtant, ce crésus, auteur infernal d'un faust unijambiste !) –

curieux ce qui se parle en moi quand je m'assoupis sous l'effet de l'opium – curieux que je me languisse à ce point d'une Table de pommier, curieux que l'esprit frappeur fasse bing, fasse bang ! –

HÉ !

j'ouvre à moitié les yeux, tourne légèrement la tête vers la fenêtre – je ne veux pas voir l'œil clignotant du médecin –

HÉ !

ce n'est pas lui qui est là au pied de mon lit, mais une collègue sûrement juive : cheveux noirs, comme des fils de fer barbelés sur le crâne, se terminant en gros chignon par derrière, front sillonné de rides profondes comme si un tracteur avait labouré dedans, de petites oreilles de chat, un grotesque nez en embuscade, dessous des yeux porcins, et trois grosses verrues à la mâchoire, entourées de longs poils follets – et neurologue, le docteur goldameir, ce qu'elle n'avait pas besoin de me dire : le sont, neurologues, toutes les femmes juives – l'effet einstein, l'affliction des atomes, la friction des courbures du cosmos, tout dans leur tête c'est, tout dans quelques-unes de la centaine de milliards des cellules qui conditionnent leur manière grise, foudre et foutre y dansant la danse du saint guy ! –

– Afrique nègre, Gabon, Cameroun, Ouganda, Éthiopie, vallée de l'Omo : quels sens ont pour vous ces mots-là ?

– Le trou dut être maçonné par de véritables canailles.

– Vous plaisantez. Pourquoi, quand vous savez que la plaisanterie est un aveu ? Un aveu de ce qu'on a perdu ?

– Mes fœtus sont partis. Pas de témoins suspects.

– Vous refusez de me répondre. Serait-ce parce que je suis juive ?

– Chut, des gens parlent et passent et un enfant sautille deux par deux les marches descendantes de l'escalier.

– Êtes-vous cet enfant-là ?

– Je suis l'homme à la Pince et aux Tenailles qui déclouèrent le Corps de l'Univers.

– Faites-vous allusion à Judith pour qui vous avez fait le tour du monde ?

– Elle n'est peut-être pas morte encore, tandis que moi je suis déjà à moitié morsuré, à moitié cannibalisé, de toutes parts. Je vais allumer le feu en attendant que vous apportiez du bois.

– Parlez-moi des yeux de Judith.

– Inoffensifs, bien qu'ils soient le nombre, parce qu'ils combattent contre l'intelligence.

– Aimer n'a pas grand-chose à voir avec l'intelligence.

– Juifs errants de Norvège, dites-moi plutôt la neige, dites-moi plutôt la mer aglaçante.

– De qui sont toutes ces bribes de phrases derrière lesquelles vous vous cachez ?

– Du sommeil. Laissez-moi encore dormir.

– Une dernière question.

– Non. Je vous dis adieu. Regardez vers la fenêtre : moi, j'entrevois déjà, perpendiculairement au soleil, la croix au centre bleu, les houppes rouges vers le nadir et le zénith, et l'or horizontal des queues de renards.

– Est-ce là la poésie de l'Afrique nègre telle qu'on vous l'a chantée dans la vallée de l'Omo ?

– Ces braves gens, je les adore.

– Même Abé Abebé ?

– Une combinaison de munitions, empoisonnées, explosives.

– Même Calixthe Béyala ?

– Cette rosée noire brûle de fleurir.

– Vous plaisantez et vous simulez. Ne s'agit pas seulement d'aveu, mais de culpabilité et de remords.

– La joue droite souillée, tendez la joue gauche.

– Quel besoin avez-vous ?

– Du jour et de la nuit, ce qu'on appelle vie et mort, de l'action dans le sommeil. J'ai besoin d'opium pour que ça se rendorme.

– Bien.

– Mal, docteur Goldameir. Bien mal. *Je* ne sors jamais qu'en couple avec moi-même. Bien et mal. L'esprit frappeur est un jet, un jeu sans doute aussi, mais il n'est jamais *je*. *Je* est un hôte.

elle passe sa main rugueuse sur ma jambe: ces petites ampoules sèches qu'elle a à fleur de paume sont celles d'une jardinière: toutes les femmes juives cultivent des fleurs – pour ne pas voir ce mur de la honte qui les isole des femmes palestiniennes ? – j'aimerais m'occuper surtout des pivoines, parce qu'elles sont si fragiles – et ce lilas au soleil, avez-vous un instant, regardez le lilas plus frais que le matin ! – montre-moi le glaïeul, il est trop mince pour être avec les autres, l'épine rouge est trop cachée, trop dans l'ombre ! – oui, le lilas c'est merveilleux, il voit en mourant, il se saoule encore ! – de l'autre côté du mur de la honte, les enfants-fleurs du hezbola creusent la terre, y cherchant, devenus rares, les cailloux-lapidation ! –

TOMATAQUIN

c'est sans doute l'effet de l'opium – ce que je perçois comme un écoulement très lent du temps est, tout au contraire, d'une vélocité forcenée – moi qui croyais m'être endormi aussitôt le docteur goldameir sortie de la chambre, pour des heures et des heures à me reposer dans la lumière noire du cosmos, voilà déjà le médecin qui me dit :

– Juste une petite heure peut-être. Je suis allé rendre visite à un patient à l'étage en dessous. Pas le bout du monde, et surtout pas celui dont vous venez. Heureux de constater que les brumes africaines commencent à se dissiper. Quelques jours encore et vous pourrez rentrer chez vous.

– Je préférerais que ce soit maintenant.

– Vous êtes moins malin que le syndrome post-poliomyélite. Saint Thomas n'a qu'à faire bouger son épaule, son bras et sa jambe gauches, s'il tient à tout prix à s'en rendre compte par lui-même.

– Je ferai ça quand je serai de retour dans mon chez moi.

– Il vous faut un nouvel attelage.

– J'en ai déjà un !

– Disons plutôt que vous en aviez un. Quand on vous a accueilli ici, vous étiez nu comme un ver. Votre vieil attelage, on a dû vous le voler en Éthiopie. Il ne devait plus valoir grand-chose si je m'en remets à ce que je sais. Vous le portiez depuis des décennies. Ça devait être plein de laisser-aller dessous.

– J'ai appris à le bricoler, à le rembourrer, à lui souder ses armatures. Ça faisait son affaire. La mienne aussi.

– Et le médecin ? Vous n'avez pas consulté de médecin depuis des décennies aussi.

– Pourquoi l'aurais-je fait ? Les médecins ne s'occupent bien que des gens en santé. J'ai un ami vétérinaire, c'est de suffisance.

– Vous faites de l'humour. Bon signe.

– Vous n'êtes pas vétérinaire pour en juger. Dites-moi plutôt : mon nouvel attelage, quand sera-t-il prêt ?

– D'ici une journée ou deux.

– Demain. Il faut que je l'aie demain, parce que c'est demain que je décabanne vers mon chez moi.

– Votre colonne vertébrale a besoin de soin. Elle ressemble à un S majuscule. Ça s'appelle la scoliose. Pour en freiner la détérioration, il vous faudrait porter un corset. Autrement, vous allez vous mettre à pencher par devant et vous aurez de graves troubles d'équilibre. Vous finirez par devoir vous déplacer en fauteuil roulant.

– J'en possède déjà un, que m'a donné une actrice qui a joué dans une pièce de Tchékhov. Une fernale machine. Il n'y aurait pour moi rien de salopant à finir mes jours dedans.

fait les gros yeux en me regardant sans clignoter, le médecin – n'est pas certain si je plaisante ou si je suis sérieux – j'aime pincer sans rire quand on m'incite à converser pour rien, je ne suis pas à prendre ou à laisser, les mots des autres sont inadéquats quand je vogue et vague dans la lumière noire – comme des spermatozoïdes sans vigueur et se mouvant, trop lents, entre les trous de vers du cosmos et la lumière noire qui en protège les entrées et les sorties – les mots ! – ça meurt en chemin avant d'atteindre la matière grise, ça se déforme avant d'atteindre la matière grise, ça se démotte avant d'atteindre la matière grise, ça dit le n'importe quoi, de l'ubuesque surtout : je veux être bon pour les passants, être utile aux passants, travailler pour les passants, puisque nous sommes dans le pays où la liberté est égale à la fraternité, laquelle n'est comparable qu'à l'égalité de la légalité, et que je ne suis pas capable de faire comme tout le monde et que cela m'est égal d'être égal à tout le monde puisque c'est encore moi qui finirai par tuer tout le monde ! –

– Dites-moi encore : vous visez quoi en étant aussi dur pour votre corps ?

– J'ai fait comme ma mère, même si je ne l'aimais pas. Elle n'était pas de très bonne santé, mais elle l'a toujours nié. Une vaillante que le corps passait après son vouloir. N'a jamais consulté un médecin, ce qui lui a permis de vivre quatre-vingt-dix ans et de mourir dans son lit tandis qu'elle dormait.

– Elle n'avait tout de même pas eu la polio, votre si vaillante mère.

– Mais une méningite qui lui a donné de graves maux de tête toute sa vie et une phlébite chronique à une jambe. Elle se faisait déplacer sur une chaise à mancherons pour besogner dans la meson. Ça la faisait pleurer ? Non. Elle disait en riant qu'elle était la grande prêtresse du monde des enfermités.

– Ouais.

– Ne dites plus jamais ouais devant moi.

– Pourquoi donc ?

– C'est le mot le plus pitoyable que je connaisse.

– Vous me faites là réponse d'écrivain.

– Les écrivains, je m'en esti toasté des deux bords ! Les mots, je m'en esti ! Apportez-moi mes vêtements plutôt. Le pyjama que je porte est ocré, comme les murs de cette chambre, et de toutes les couleurs, l'ocre est la seule qui me lève le cœur.

– Le pyjama, c'est votre beau-frère qui vous l'a apporté. Il s'appelle Jim, je crois.

– Jim n'est pas mon beau-frère, mais le frère de Judith. Il a fui aux États-Unis alors qu'il n'avait pas vingt ans. Je doute que ce soit ce Jim-là qui m'ait apporté le pyjama.

– Nous avons soigné sa sœur. Pour un cancer. Vous le saviez ? Je veux dire : que sa sœur se meurt d'un cancer ?

– Qu'avez-vous fait de ses grands yeux violets ?

– Je ne comprends pas votre question. De quoi parlez-vous exactement ?

– Pas d'importance. Demandez plutôt à une préposée qu'elle me rende mon linge.

– Vous n'en avez plus. La valise qui vous a suivi jusqu'ici, Jim l'a prise avec lui. Il a dit qu'il vous ferait livrer du linge neuf.

me tapote la cheville, puis s'en va le médecin, tandis que la sirène d'une ambulance se fait stridente dans mes oreilles – en recouvrir le bruit enlarmé en hurlant – mes mâchoires si contractées que c'est de la grosse peine perdue de vouloir m'égosiller dans l'éperdu – jim ! – ce déserteur de jim ! – a laissé derrière lui la califournie gay, son commerce de films pornographiques, ses éphèbes grecs, son trafic de stupéfiants, pour quoi au juste ? – parce que judith se meurt d'un cancer ? – et qu'il voudrait que j'en porte la signature bouchère ? – s'est trompé de personne, pas pour moi la culpabilité et le remords, surtout pas quand je me souviens de tout ce temps perdu à courir éperdument après judith aux quatre coins du monde ! – a failli avoir ma peau, c'est bien assez ! – le cancer, tout le monde finit par s'y frotter, les cellules du corps sont celles de la terre, et la terre est devenue une maladie insoignable ! – rien ne peut arrêter la prolifération quand celle-ci se lâche lousse dans sa folie : le cannibalisme est le seul moteur de l'évolution du cosmos, car lui seul protège l'idée de nature, son équilibre et sa santé ! – qu'il le fasse plus efficacement par la décimation n'est pas un paradoxe : pas de paradoxe lorsque l'humanité n'est plus qu'une pourriture en dehors comme en dedans ! – que jim aille au diable et qu'il y emmène avec lui sa sœur ! – je ne suis plus là où ils sont, dans de l'inutile remembrance, avec un grand soleil par-dessus, qui parlait de jeunesse avide de tous les dérèglements du corps, pour simplement en jouir, en jouir, en jouir – puis la mer s'en est allée avec le soleil, dit le rimbaud, et depuis on ne peut plus tendre des cordes de clocher à clocher, des guirlandes de fenêtre à fenêtre, des chaînes d'or d'étoile à étoile, pour simplement danser ! –

CHAGRIN

une nuit encore à passer en cet hôpital, dans le plein cœur du grand morial – que j'aguis donc ça ! – que j'aguis donc ça ! – heureusement qu'il y a l'opium qui me protège des menaces de l'afrique nègre, car rien de plus hallucinant que de revivre en conscience la surréalité fiévreuse : ce risque très grand de se voir tel qu'on a été, lâche et veule, impuissant à connecter entre elles les choses sans qu'elles n'éclatent en mille blessures – comme ces balles à fragmentation qui atteignent partout le corps, le corps des autres et son propre corps, l'effet ricochet, l'effet pinochet – oui, heureusement qu'il y a l'opium : je suis un huard au plumage si dru et si bien huilé que l'horreur m'effleure à peine le bout des palmes et le dessus, huppé, de la tête – lentement, lentement ! – redevenir sans m'y presser ce que j'ai toujours tété : ce territoire sur lequel je n'ai qu'à pisser, d'un point cardinal à l'autre, pour que rien ne puisse y pénétrer à corps offensant – ma meson, mes bâtiments, mes jardins, mes champs, mes animals, ma Table de pommier – mon égoïsme, ma solitude, mes muscles, mes nerfs, mon sang : quelle importance si mon égoïsme retrouvé, si ma solitude retrouvée, si mon corps retrouvé se fassent chicaniers et que ça s'en aille clopin-clopant, à cloche-pied, à la clocharde, avec ou sans nouvel attelage encombrant, avec ou sans neuves baleines pour mieux me corseter ? – pas beaucoup d'avantages à être un homme vieillissant, sinon celui de constater que le monde, jadis si vaste, se réduit en espace-temps – de la peau de chat-chagrin – grosseur d'un petit pois vert, ainsi finissent par se contracter les galaxies, et la terre une toute petite cellule dont n'importe quel corps de l'univers peut faire l'économie : tant de mondes lointains explosent, implosent, sans que le chaos n'en soit affecté – ni naissance ni mort, que de l'entre-deux en forme de spirale cannibale : quand ça semble monter, ça descend ; quand ça paraît descendre, ça s'entortille vers le haut – poussière d'étoiles, pollution cosmique – et l'envoie jusqu'à fond de gosier la gueule béante, si béate de la matière noire, coureuse des graves et des grèves de l'espace-temps – quand ? – hier peut-être, et sans qu'on le sache encore, puisque le cosmos a tous les talents : extase, cauchemar, sommeil dans un nid de flammes, a dit le rimbaud –

dormir
rêver
mourir, certainement
la lettre de la nuit est le Z majuscule
(zygote fort et de suite, esti !) –

2

De la relativité restreinte

INSTABLE

toute la nuit, m'en allant me promener dans les rues de libreville – frappant à toutes sortes de portes, dans l'espoir que calixthe béyala m'ouvre enfin, mais pourquoi l'aurait-elle fait ? – m'a sauvé de la lumière noire aux confins de la vallée de l'omo, m'a fait voyager de l'éthiopie au gabon, est restée à mon chevet tout ce temps-là que j'ai passé, comateux, avant que je puisse, cendré, cendreux, aboutir dans le ventre du grand morial – me semble bien que je n'ai pas cessé de crier après elle, moi le chanteur de bêtises, moi le rocker d'insanités, moi le gueulard d'invectimations – du délire, à cause de cette fièvre qui me barbouillait l'esprit et le corps, me faisant voir calixthe béyala comme si je l'aurais tété pareil à une mer peu vaguante, mère si reptilienne même dans la générosité de ses presque teutons tétons – ai refusé qu'elle m'accompagne à l'aéroport de libreville, ai laissé sur ce siège, près du quai d'embarquement, la lettre qu'elle m'a écrite, les livres qu'elle m'a offerts, les odeurs nègres de son corps ! –

tout en morceaux comme je l'étais, je jalousais la resplendissante, saine et sainte beauté de calixthe béyala – si déterminante, si courageuse, si tout ça même que la vallée de l'omo avait tué en moi – pas digne de calixthe béyala, indigne par-devers toute femme – et c'est ce qu'à l'hôpital de libreville je voulais qu'elle entende pour qu'elle n'ait plus jamais à faire souffrance à cause de moi ! –

se passent toujours ainsi les choses quand la relativité restreinte cimente ses briques tout autour de ton corps : comment ça se pourrait-il penser vraiment quand l'espace-temps est aussi rapetisseur ? – muscles, nerfs, sang ! – devenus si lourds que les forces faibles et fortes de la gravité n'exercent plus aucune attraction sur eux autres – forcé à rester immobile, pris à serre par ces centaines de milliards d'amas de mots que toute chaleur a désaccompagnés, que toute distance entre eux a déserté – magma de gélivures, crêpe-métastases, tarte-mélanomes ! – à rendre horrifié, horrifiant, le peu de pensée sensée grâce à quoi ça se survit ! –

cette longue nuit donc et dong et dong ! – ai appelé à l'aide l'esprit frappeur de la Table de pommier, mais ce fut sans réponse, sinon par ces mots du rimbaud : roule aux blessures, par l'air, le taire et la mer ! – aux supplices, par le tarissement des eaux et de l'espace meurtriers ! – ô tortures qui rient dans leur silence atrocement houleux ! – si fatiguée de se languir de moi, la Table de pommier : contrairement à ce qui se pense, l'esprit frappeur est peu résistant à la réalité de l'absence, ça s'épuise rapidement quand la Table qui le meut perd son gras de jambe au mitan d'un espace-temps qui s'est rapetissé tout en se durcissant comme glace de patinoire – ça ne passe pas au travers, ça rebondit dessus pour que dans le choc ça se perde – matière très noire de la mémoire ! – un souffle disperse les limites du foyer, disait le rimbaud ! –

RADOUBEMENT

assis sur ce panneau de bois me servant de lit, je fouette âprement la jument de la nuit pour qu'elle se dételle en quelque part sur la mer océane – de ses fers martelant furieusement l'asphalte, puis le bruit de ça s'estompe, remplacé par celui que font, en souliers ferrés, ces petits paspaspas provenant du corridor – je lève les yeux vers la porte de la chambre : s'y encadrent le médecin et deux infirmiers, l'air des rois-mages bibliques, chacun en devanture portant une boîte – les déposent au pied de mon lit, tandis que s'ajoute une préposée aux malades et le linge de corps qu'elle tient à bout de bras fatigués – enfile slip et camisole, pantalon et chemise, chaussettes et souliers italiens, leurs bouts aussi pointus que ceux que fabriquait jadis victor téoli dans l'arrière-boutique de sa librairie-cordonnerie rue monselet à morial mort ! –

le premier des infirmiers sort de sa caisse ma neuve prothèse – des pièces de cuir dont la couleur tire vers l'ocre, sur une armature qui ressemble à des barreaux de chaise, à des os aussi, mais qu'on aurait passés sous la grande limeuse afin de les affiner, afin de les affirmer, afin de les confirmer ! – l'infirmier demande l'aide du médecin pour installer la prothèse à ma jambe gauche, puis ces trois petits tours dans la chambre, vite faits, sans même que j'aie besoin de me servir de ma canne – me rassois au bord du lit, regardant le deuxième infirmier exhumant de sa boîte de pandore ce corset fabriqué avec d'authentiques fanions de baleine – mon corps ceinturé ! – mon corps corseté ! – mon corps radoubé ! – plus vrai que jamais : mon corps est un hôte, mi-mammifère marin, mi-mammifère terrestre ! – les baleines du corset me marquent déjà la peau, y faisant chuinter une déversée de gouttelettes, mince couche laquée, salée, pour que les mots, mortifiés sous la chair, reprennent vie ! –

– J'ai dû faire presque toutes les boutiques du Grand Morial avec votre beau-frère Jim avant de trouver le genre de complet que vous affectionnez.

– Jim n'est pas mon beau-frère, esti ! Quand allez-vous cesser de m'écœurer avec cette hérésie-là ?

j'enfile tout de même chemise blanche, pantalon et veston, puis jaillit d'une nouvelle boîte de pandore le neuf attelage que je vais porter désormais – fait lui aussi de cuir tirant sur l'ocre – le médecin m'en recouvre l'épaule et le bras gauches – à hauteur de poignet, ce petit crochet que je peux arrimer à l'anneau doré qu'il y a sur le devant de l'attelage : quand j'aurai le bras mort, je n'aurai qu'à glisser le crochet dans l'anneau et je serai comme un cosmonaute qui défie les lois de l'apesanteur – que c'est beau, la haute technologie ! – fait de n'importe qui un invincible rambo, un pissant terminator tel le très-haut, ce templier adoubé et radoubé, guerrier pire que le djiaille joe, capable d'exterminer en même temps petits et gros animals de la création – cet instinct du tueur que toute armure réveille en son soi-même – seule exception, ces tortues aux dures carapaces, de tous les animals les plus sagaces : depuis des millions d'années, porteuses de ces mesons que leur génie créateur a créées, parfaites – et dedans, une telle sécurité que l'espace-temps, sa fulgurance, son attrait pour l'éphémère, n'existent pas : lenteur extrême, et pourtant ça voyage d'une mer océane à l'autre, ça se vit au-delà de l'usure des âges : juste de l'instinct ou une intelligence qui n'a pas besoin qu'on la comprenne, si totalisante que la tortue n'a pas besoin non plus ni de partage ni de violence ni de la solidarité des autres ni même de celle de son espèce – pond ses œufs dans le sable, ne les couve pas, n'attend pas qu'ils éclosent : dès sa naissance, la tortue est seule face au monde cannibale – solitude jouissante et liberté agissante ! – une simple tortue pourtant, mais la seule créature sur la terre pour laquelle la relativité restreinte n'existe pas – à cause de cette dure carapace : s'enfermer dedans, c'est se réjouir au mitan de la matière noire de l'univers ! –

– Levez-vous maintenant, dit le médecin. Nous allons vérifier si ça fonctionne comme il faut.

je fais ce qu'on me demande – malgré que le cuir de mon attelage soit neuf, je peux sans déplaisir plier la jambe gauche, me tenir aussi dessus, et sans qu'elle se montre traînante par-devers la droite – c'est pareil pour le nouvel attirail qui m'assujettit l'épaule et le bras : peut-être est-ce le fait que j'en ai porté un depuis quarante ans, mais le peu de temps que j'ai passé sans être attelé m'a paru pire que de vivre avec nerfs et muscles atrophiés : l'attelage n'est plus un accessoire, il fait partie de mon corps, le cuir et le métal dont il est armé sont ma peau, mes nerfs et mes muscles ! – le corset aux fanions de baleine me comprime trop le ventre, proéminent en sa forme poireuse, prédominant en sa norme foireuse – n'en ferai pas remarque au médecin : réajuster le corset ça prendrait du temps et je ne veux pas passer une journée de plus dans cet hôpital ! – quenon, queneau, esti ! –

– Tout est beau ? dit le médecin.

– Beau rare ! Me voilà redevenu mutant. Me reste plus qu'à reconquérir le plat net des dingues !

– Vous allez quand même devoir vous attendre un peu. Quelques jours. Le temps d'expérimenter l'attelage. Il se pourrait qu'on doive y effectuer des ajustements.

passer, trépasser quelques heures de plus à l'hôpital, je ne le pourrais pas – si je le dis au médecin, ça n'en finira plus : palabres, palabres ! – aussi bien jouer à l'innocent aux mains pleines ! – à l'escroc politicien, au cheuf de gouvernement retors, au contribuable travaillant au noir pour ne pas avoir à s'imposer ! –

– Donnez-moi l'autorisation d'aller où je veux dans l'hôpital, le petit parc qu'il y a devant, et je devrais pouvoir patienter.

– Accordée.

– De suite, ma première démarche.

– Pas si vite ! Une pièce manque à votre équipement.

il ouvre la dernière boîte de pandore et, sous la forme d'un chapeau, exhibe le lapin qui s'y trouvait ! – me le met sur la tête, hirsute celle-là :

– Authentique Borsalino, dit-il. Acheté en Sicile pour l'offrir à mon père, mais il est mort avant que je rentre. Il avait une grosse tête comme la vôtre et n'en faisait qu'à elle. Considérez le Borsalino comme si c'était un prix littéraire dont je vous coifferais.

applaudissent les infirmiers – puis sortent de la chambre, entraînés par le médecin – je marchandouille jusqu'à la fenêtre, n'y vois pas grand-chose de ce qui déambule, roule, s'envole dehors, m'obstruant la vue cette grosse branche d'olivier – rester ainsi penché par devant, à respirer ce qui se meut, s'émeut dans le fond de l'air : herbe fraîchement coupée, odeur de pomme mêlée à cette puanterie que jettent les pots d'échappement des voitures si rugissantes devant l'hôpital – rien qui ne sente vrai : bête fauve, pisse de jument, crottin de mouton, lait caillé de chèvre, patchouli de bouc, sueur d'entrecuisses de cheval après une course effrénée à travers champs ! – et rien non plus des odeurs salines de la mer océane s'entraînant pour les grandes marées d'automne qui, bientôt, vont l'envaguer : à hauteur des chalets mal bâtis en descente de grève ! –

je pense à jim : pourquoi est-il venu à l'hôpital tandis que je vaguais dans le noir coma ? – pourquoi m'avoir acheté ces vêtements neufs que je porte ? – et pourquoi s'est-il rendu jusqu'à ma meson à trois pistoles pour lui remettre mes bagages rescapés par calixthe béyala aux confins de la vallée de l'omo ? –

me suis assis à nouveau au bord du lit – observe donc le paysage dont l'intérieur de ton corps est plein, observe le pays, devant, de côté, de tous les côtés, comme le faisait le michaux : étrange, le même et pas le même et où que je pose le regard, et n'importe où je le poserai – comment cela se fait-il ? – c'est ce qu'il me faut trouver ! – c'est mon problème avant que je m'en aille de l'hôpital : ce pays dans l'accalmie corruptrice, pas de bombes chez les hells angels, pas de blanchiment d'argent chez les chevaliers de l'industrie, pas de scandales véreux chez les gras-durs de la gouvernance, même le ru, la rivière, la mer océane sont gelés bien que le monde soit caniculaire – fait-il vraiment jour ou est-ce le pessoa qui a raison : en vain, en vain, et le ciel vire au bleu en teintes vertes sur fond de gris grisonnant – qu'est-ce que mon âme sent ? – ni cela, que non, ni moi, en cette nuit qui se perd ! –

BEAUFRÈRE

petit amas de pilules ! –

petit amas de pilules de toutes espèces que je n'ai pas consommées quand me les apportait la préposée aux malades – contre la douleur, contre la fébrilité, contre l'angoisse ! – les ai dissimulées dans le pot de confiture vide pour quand la chienne me prendrait si l'opium venait à me manquer, marquer, démancher – je vais en avaler quelques-unes pour rendre plus efficace mon vouloir quand je m'enfuirai de l'hôpital en faisant le passe-muraille – homme invisible, prends possession de mon corps sans t'y traîner ! – pas de lambinage ce jourd'hui, homme indivisible ! –

le vouloir ne suffit pas toujours quand on n'a aucune idée des médecines qu'on avale : plutôt que de propulser mon corps vers le corridor de l'hôpital, les voilà qui m'ancrent à mon lit et font resurgir de ma mémoire ce filet de lumière noire – ça prend rapidement la forme de jim – que me veut-il du fond fin de cette réalité restreinte qui me détient ? – quel message a-t-il à me livrer, alors qu'il ne se trouve pas de paroles, aucune parole en aucune langue, pour que ça puisse se dire ? – bien dire, mal dire, non dire : sous les couvertures les mots ont pris forme de poux de baleine, suceurs de sang, de nerfs et de muscles – mélanomes se gorgeant de l'épiderme, safrement, par grandes enguelades de requin marteau ! –

dans la pensée caviardée, quelques images de jim – le connais si peu ! – quelques virées faites à boston, buffalo, chicago, détroit et new york – nous dormions ensemble – chambres crasseuses des ymca, dans le même lit (si peu d'argent nous avions !), l'un avec l'autre aux douches communes parce que je ne voulais pas m'y rendre seul : ces gros nègres renfrognés qui ne cessaient pas, tout en se caressant le sexuel, de nous manger tout rond des yeux : nous enviaient ? – nous haïssaient à mort ? – voulaient nous agresser ? – n'osaient pas nous dire qu'ils nous trouvaient beaux et qu'ils auraient beaucoup de plaisir à nous enculer de leurs grosses bites nègres ? – va donc savoir quand l'amérique ségrégationniste brûle, que le ku du ku klux klan fait vendetta toutes les nuits chez les afro-affreux, quand ça viole et lynche sous le nez et la barbe des anciens cotonniers ! – pensée esclavagiste, comme une veste inretournable ! –

en ce temps-là, jim rêvait de devenir pharmacien comme l'était le gros amant pégreux de sa mère – fréquentait une camarade universitaire – ô ! – ce laideron, cette peau aussi velue que celle d'une mère ourse ! – l'aimait bien, la mère de jim, parce que sa maîtresse était inoffensive, si peu de beauté se couchant devant la sienne ! – jim indétachable du corps sulfureux de sa mère, attaché à lui comme l'amarre à sa bitte : le cordon ombilical jamais ne serait coupable : comment se résoudre à perdre ce qui est votre propre salut et celui du monde ? – dis à tes yeux d'être aveugles désormais, fuis dans l'ombre obscure, te haïssant pour ta noirceur, ô chien voleur, ô chien voleur ! –

des garçons que fréquentait jim, je ne me souviens que d'un seul : cette longiforme échalote dont la mère faisait putain – ne buvait que du café, ne mangeait que des beignes, et vendait de porte en porte des abonnements au reader's digest : voulait acheter une rutilante camaro turbo-jet, des dizaines et des dizaines de milliers de dollars que ça coûtait, cette camaro turbo-jet ! – quand la longue échalote put se la procurer enfin, il couchait dedans la nuit : quel soulagement, lui qui, en sa tête dérangée, croyait que l'appartement de sa mère était infesté de rats, de ratons, de râteaux aux dents félines – regardait dans les garde-guenilles, les dessous de lit, dans les armoires, le réfrigérateur ! – gardait jour et nuit allumées toutes les lampes de la meson ! – conduisait pieds nus sa camaro turbo-jet parce qu'il ne voulait pas en râper les pédales, portait gants de chevreau pour que ne s'use pas le volant !

– toujours un chamois à la main : la camaro turbo-jet devait tout le temps reluire, rutiler, pas de saleté, pas de poussière dedans, dehors ! –

plus de quarante ans quand ça se passait, se passionnait sur les autoroutes d'amérique, à cent milles à l'heure ! – ne reconnaîtrais sans doute pas plus la longue échalote dans sa camaro turbo-jet, comme je ne reconnaîtrais pas jim non plus – seul son nez épaté de boxeur trop tapoché m'est resté en mémoire lointaine, parce que j'étais là quand il se l'ait fait casser par cet anglais raciste de morial mort ! – se l'ait fait arranger, son nez, par un chirurgien, jim voulant devenir danseur nu en ce cabaret gai du grand morial – puis a reçu cette offre qui l'a mené tout droit à san francisco – a joué de sa grosse queue dans des films pornographiques, en a produit aussi quelques-uns tout en faisant le trafic des stupéfiants ! – l'ai perdue la judith à cause de jim : ne pouvait pas vivre longtemps sans lui : ce besoin qu'elle avait de la beauté du corps de jim, comment aurais-je pu m'y opposer, moi l'athlétique jeune homme devenu de l'infirme matière noire ! – restreint, sans relativité ! – difforme, si difforme ! – s'en souvenir fait toujours mal ! – va savoir, va donc savoir, esti ! –

ROUTE

me suis allongé sur mon lit : le bref recours au passé simple m'a fatigué : flancs mous, baleines du corset me meurtrissant la chair, épaule gauche en train de brûlasser sous le cuir de l'attelage – n'irai pas très long, surtout ce jourd'hui, et surtout pas à trois pistoles si je ne fais pas un ulysse de mon moi-même : être retors, rusé, ratoureux, par requinben et quantasoi quantique ! – feindre le grand ramollissement de son esprit et de son corps pour qu'on m'injecte cette forte dose d'opium, et faire de suite après semblant de dormir – attendre, éplanché, qu'infirmiers et médecins sortent de la chambre, puis me redresser, puis caler sur ma tête le borsalino, puis empoigner la canne au pied de mon lit, puis quitter à jamais cette chambre aux murs ocrés ! – va maintenant, marche le long du corridor, main droite prête à y toucher pour le cas que ça ferait faux pas avant d'arriver au poste de garde – va toujours, et demande à l'infirmière-chef derrière le comptoir si le médecin a signé ton congé de l'hôpital, s'il a rempli l'ordonnance pour l'opium que tu devras encore prendre pour un certain temps, à doses déclinantes afin que tu te libères sans accrocs des effets irréligieux de la dépendance –

– Votre congé n'est prévu que dans deux jours, dit l'infirmière-chef. Quant à l'ordonnance, je doute fort que vous en obteniez une pour de l'opium.

– C'est pourtant ce qu'on m'a prescrit depuis que je suis ici-dedans.

– Un dérivé, pas de l'opium vraiment.

– Ça s'appelle comment, ce dérivé ?

– Posez la question à votre médecin.

je n'insiste pas, urgent besoin d'avaler, fraîche, une grande bolée d'air ! – ça ne sent que le désinfectant ici-dedans, ma gorge toute sèche à force d'en avaler les émanations – personne dans l'ascenseur quand j'y entre – et lorsque j'en sors, le concierge n'est pas là, à son bureau au mitan du hall de l'hôpital – grouille ! – franchis au plus sacrant cette satanique porte sans embarrassement ! – je jette un coup d'œil vers le jardin encombré de glaïeuls, je me demande pourquoi on fait pousser là ces fleurs dont on fait se recueillir les morts dans les salons funèbres –

gros nuages nègres, bas de plafond, qui obstruent le ciel et font mauvais signe : ça va pleuvoir à boire debout dans pas grand-temps : des clous, de longs clous à tête carrée, des clous affreusement anglaisés comme tout ce qui tombe désormais sur le grand morial : c'est arabe, mais anglaisé ! – c'est grec, italien, colombien, juif, allemand, parfois même français, mais anglaisé ! – ouate de phoque ! – ouatche le fuck ! disait le rémillard en ses mots de dérision – déréliction ! – ce premier chauffeur de taxi qui s'arrête devant l'hôpital, incapable de dire un seul mot dans ma langue, l'esti toasté des deux bords ! – l'envoie chier parce que je n'ai pas de grenade à la main ! – boum ! – et le chien sale anglaisé serait mort ! –

cette autre voiture-taxi qui s'arrête à ma hauteur, un nègre au volant, sûrement d'haïti, large sourire qui lui fend la bouche jusqu'aux oreilles – lui faire signe de m'attendre – et m'appuyant à cette rampe fabriquée pour les infirmités, je vais aussi vite que ça est possible – sorti de sa voiture-taxi, le chauffeur nègre m'ouvre la portière arrière, me tend la main, si noire le dessus, si rose le dedans, comme celle de calixthe béyala quand, éjouissement si doux, je la retournais comme un gant –

– C'est du plaisir, monsieur Beauchemin. Ma femme et moi, nous étions maniaques de vos téléromans. Mais vos bagages ? Sont restés dans le hall, je me l'imagine ?

– Pas de valises. Pourquoi en aurais-je quand tous les mots le sont devenus ?

difficile de m'asseoir sur la banquette arrière parce que ma jambe gauche suit, s'essuie mal au ras du plancher – ne peux la plier autant que ça voudrait – dois me forcer pour prendre place de travers, mon épaule et mon bras gauches coincés entre la portière et le dossier de la banquette – écoute les genoux au coude sur le fauteuil sonore, disait le jarry ! – pourquoi ta main s'abaisse-t-elle comme une feuille de marronnier ? disait-il aussi –

– Je vous emmène où ? demande le chauffeur nègre, ses grosses babineries joyeuses.

quand je lui réponds que je m'en vais en mon chez moi de trois pistoles, il ne peut s'empêcher de me truismer que c'est loin et que ça va me coûter cher – autrement dit : avez-vous suffisamment d'argent sur vous pour payer une aussi longue déroute ? – je rassure le chauffeur nègre : j'ai à trois pistoles un homme engagé, viking et gardien d'un chaudron de fer celte assez bien rempli pour répondre au coût de n'importe quelle voyagerie ! –

– Je vous accorde confiance, dit le chauffeur nègre. Pour ma femme et moi, vous êtes un héros. Les héros ne trompent jamais le monde, même quand le bon Vieux les fait naître nègres.

me pince les lèvres – cul de poule si petit qu'aucun œuf en écaillures de mots ne peut s'en sortir – en aurais pourtant long à mal dire sur les héros, nègres ou kebekois, qui ne l'ont été que pour escroquer leurs peuples : les ont vendus aux puissances d'argent pour bien mener leur cupidité ! – élites trahisseuses, comme vieux chevals, vieilles picasses anglaisées, pour mieux disloquer l'esprit de la nation, sa sagacité, sa sagamité ! – de quoi leur faire manger à tous un chiard de marde, voleurs, valets, victimaires ! – j'irai cracher sur vos tombes tout ce fumier chié par hommes, et femmes à quatre pattes, et bêtes à manger même ce mauvais foin que ça pisse sur le peuple émacié en son corpuscule, son esprit, sa mémoire moutonneuse ! –

shit ! – ferme les yeux, fais semblant de somnoler – ne pas lier conversation, l'haïti est à l'autre bout de mon monde ce jourd'hui, pas de popa doc dedans, pas de bebé doc dedans, pas de grand-popa doc dedans – ce simple désir de me rapprocher de mon chez moi – terre ! – jardins ! – meson ! – animals ! – n'écoute pas le chauffeur nègre te parler de sa fille et de son garçon, qui rêvent d'acter, de cascader, de chanter du nez américain ! – ne connaissent personne du milieu des images : un petit coup de pouce de ma part ferait donc bon signe (quand bien même je dirais au chauffeur nègre qu'il y a des lustres et des lunes déjà que j'ai coupé tous les ponts qui mènent aux pontifes de l'écran, je ne serais pas entendu, je passerais pour un quelqu'un qui refuse d'aider son prochain black) – ma ruse de faire semblant de dormir ne trompe pas le chauffeur nègre, et il s'en venge en ouvrant la radio – tel est le volume de la bruyanteur que je suis bien forcé de l'entendre même si j'ai baissé la vitre de la portière, espérant que l'air frette venant de l'extérieur repousserait les sons loin par devant – comme je déteste tout ce qu'on appelle chanson, ce grand amour qu'on a perdu, qu'on supplie de revenir à la meson, tandis que la musique s'enfle comme la grenouille du sieur la fontaine, puis : tintamarre qui ne laisse rien à s'éjouir dedans ! –

n'avoir rien à penser, pas davantage à ce qui m'attend à trois pistoles qu'à ce qui s'est vécu dans l'africassée, même ce court termède passé avec calixthe béyala – elle enfermait sa forme nue derrière l'universel barreau du cristal dur, à la bascule du miroir, la dalle horizontale, tombeau de l'eau sa forme nue, a dit le jarry – à l'oubliette ! – ne veux pas me mettre à m'ennuyer de calixthe béyala, ce que nous avons partagé pour le plaisir primaire des odeurs que le désir faisait émaner de nous, sur nos corps de tout petits bouquets de saveurs quantiques ! – joyeuse cette main effleurant la peau nègre de calixthe béyala, joyeux aussi ces longs doigts d'elle se promenant au ras des poils de mon bras et de mon épaule gauches – une telle surréalité ! – j'aurais pu ne faire que m'y rêver, comme je n'ai fait sans doute que me rêver quand est survenue cette scène ultime du festival de théâtre de l'africassée – pourtant, ces terrifiantes orbites de judith, comme de béantes galeries menant loin sous le crâne – et ces grands yeux violets dans le coffret de bois de santal ! –

DÉSERT

tandis que ça roule dans le grand morial vers le pont jacques cartier, je constate : sous son couvercle de smog, cette ville est bien triste si je pense à libreville, yaoundé ou addis-abeba – partout le gris sale du béton des gratte-ciel, le brun délavé des mesons briquelées, le bleu éteint des escaliers et des galeries, le blanc décru des voitures poussiéreuses, les pâles piétons qui semblent tous avoir acheté leurs pâles vêtements chez le même pâle marchand de guenilles ! – ici, pas d'édifices peinturés de couleurs flamboyantes, rien qui bariole, rien qui ruisselle, rien qui surabonde, sinon les embouteillages, et les faces de carême zigzaguant sur les trottoirs – troupeau, cette vision anonyme du monde vu de là où je suis, a dit le pessoa –

je ferme les yeux une fois le pont jacques cartier traversé : fuir la laideur de ces banlieues que de hauts murs de béton isolent du fleuve : les contours d'une prison dont on ne peut s'échapper que par ces quelques passerelles au-dessus de l'autoroute – et pour voir quoi ? – des usines qui se ressemblent toutes à cause de la paresse des architectes, du peu de vouloir de leur imagination, du peu de pouvoir de leur créativité : ça bâtit comme si ça ne croyait plus à la pérennité des choses, juste pour vingt ou trente ans –

après, ça démolira et ça érigera d'autres bâtisses aussi laideronnes, aussi éphémerdiques ! – c'est plaisir que de laisser derrière soi ces symboles du capitalisme sauvage, même les champs de blé d'inde désormais transgénique – est passé depuis long le temps des vraies récoltes : feuilles naguère si vertes ne sont plus que scorbutiques tiges fanées – tristes, si tristes ces totems désacralisés ! –

plus rien à voir, même pas ces rivières par-dessus lesquelles nous passons, que de hauts parapets de ciment rendent invisibles ! –

traversée du désert jusqu'à kebek, cette longue, très longue traversée du désert jusqu'à kebek ! –

VIKING

cognent les clous dans ma tête, très fortement, pour que l'esprit frappeur de la Table de pommier puisse faire voir ses jambes – bing, bing, bing, bang ! – faire passer le courant entre la Table et moi, rejoindre, joindre les mains, écarter les pieds ! – sinon je ne pourrais pas devenir cette branche de coudrier qui fait de moi un sourcier : capable de lire les signes qui voyagent dans les ondes, cette infinité de vibrations qu'il suffit de laisser pénétrer en son soi-même sans leur opposer de résistance – tout devient alors un film qui ne demande qu'à se laisser voir en-deçà, au-delà du miroir – le disait déjà le rimbaud : maintenant, je m'encrapule le plus possible et, pourquoi donc ? – je veux être poète, et je travaille à me rendre voyant : vous ne comprenez pas du tout, et je ne saurais presque vous expliquer ! –

le viking, l'esprit frappeur de la Table de pommier me le donne à voir, aussi parfait que s'il était devant mon moi-même – grand jeune homme en fin de trentaine porteur d'une énorme moustache et, tout pareil aux cheveux, c'est roux comme les blés en fin d'automne – port de tête du viking, esprit du viking : insoumission, rébellion, aventures décapantes en continent américain ! – était barman quand je l'ai connu – à l'hôtel de la gare, vétuste à en tomber en morceaux ! – on n'y louait plus de chambres à cause des planchers manquants – sous les combles, une colonie de chinchillas – petites bêtes à fourrure gris-perle qu'on tuait pour les scalper – quand venait le temps de les abattre, le viking prenait congé : trop sensible, incapable d'assister aux odeurs de sang des animals, même quand ils sont aussi peu aimables que le sont les chinchillas ! –

ai fréquenté l'hôtel de la gare malgré sa mauvaise réputation : les frères bastarache, hommes de main de la pègre du grand morial, que poursuivaient toutes les polices d'amérique, venaient s'y réfugier, se dopant à la cocaïne, à l'héroïne, au crack – ça les rendait enragés comme des dobermans entraînés à tuer (une vieille femme qui passait devant l'hôtel fut attaquée à coups de queue de billard par l'un des deux frères, pour le malaucœureux plaisir qu'il prenait à voir le sang gicler) – je n'avais pas peur des deux frères bastarache : quand j'avais un verre dans le nez, mister hyde se métamorphosait en docteur jekyll, baveux et répondant à toutes les provocations qu'on lui faisait – des gros bras, les frères bastarache, mais la tête de la grosseur d'un petit pois ! – voulaient me casser la gueule parce que, pour eux, j'étais un impérialiste du grand morial, un étrange dont ils ne voulaient pas, un voleur de squaws et le propriétaire d'un vieux manoir que je n'aurais pas dû acheter : ça leur appartenait de droit divin même s'ils l'avaient laissé tomber en ruines, décombré, portes abattues, cheminées de belles pierres démembrées, planchers brûlés par les mégots des joints qu'ils y écrasaient – et derrière l'habitation, y enterrant carcasses de voitures volées, restants de larcins, peut-être même un doigt coupé, une oreille arrachée, un nez sectionné ! – dureté du pays, à l'image des innombrables digues de roches encerclant les maigues terres incultivables ! –

puis l'hôtel de la gare a passé au feu, les frères bastarache ont été menés en prison et mon viking est devenu chauffeur de taxi, une excellente couverture pour un fournisseur de drogues : tu peux prendre n'importe qui à bord de ta machine, virailler aux alentours de la ville, vendre ta dope et faire débarquer l'acheteur n'importe où ! – pour donner le change aux chiens policiers, tu te fais voir dans ton taxi avec de vieilles femmes à conduire à l'hôpital, avec des notables au-dessus de toute soupçonnerie, tu participes aux opérations nez rouge, aux campagnes publicitaires sur la sécurité routière, tu te fais couper les cheveux à ras de tête pour contribuer au financement du calendrier annuel des pompiers, pompistes, pomologues ! – les chiens policiers te considèrent alors comme un allié, ils ne leur viendraient pas à l'esprit que tu te sers surtout de ton taxi pour fournir à tes clients ce que tu appelles la quintessence de la civilisation afghane ! – le pessoa a écrit, nul rapport : ce n'est rien, mais c'est différent de l'ombre où se trouve la nuit ! – se désouvenir vaguement ! –

vie belle pour le viking recyclé ! – quand s'épivarder devenait de l'urgence non différable, il prenait l'avion, s'en allant passer trois semaines en république des dominicains, comme vacancier ayant travaillé d'arrache-pied toute l'année pour s'éjouir quelques jours en festivités : de jeunes négresses à déflorer dans les odeurs fortes du cannabis, cubes de lsd en dégel dans les verres, cocktails extasy faisant de toute inhibition un dérèglement éperdu – carbonisation des corps couleur de café ! – carbonisation de la matière grise couleur de terre ocrante ! – pendant ce temps du sexuel enraidi, les chiens policiers viraient à l'envers le logement du viking en guevalle – ne trouvaient rien : cette moitié de garde-guenilles transformée en chambre forte, avec un coffre en acier trempé dedans, dissimulé derrière une série de panneaux ingénieusement entrecroisés et impossibles à ouvrir si on n'en connaissait pas le fonctionnement complexe ! – l'œuvre de l'oncle ébéniste du viking ! – qui perdit son emploi, se mit en ravaude et cavale puis, à court d'argent, alla vendre aux chiens policiers ce qu'il savait sur son neveu ! – famille, estie de famille sale ! – partager ses secrets avec la famille, c'est rendre féconde l'idée de trahison ! – à son retour de la république des dominicains, le viking au sexuel flapissé s'est fait coffrer – perdu son permis de taxi ! – six mois en prison ! – quand on l'a relaxé, une méchante surprise l'attendait, le viking : son oncle avait acheté son permis de taxi et c'était lui qui, désormais, fournissait en quintessence de la civilisation afghane les clients incendiaires de l'hôtel de la gare ! –

écœuré par cette trahison, meurtri, son sexuel tout débandé, le viking s'en est allé ramasser de pleins tombereaux de patates aux confins du nouveau brunswick, là où ça caracaouette le cadien chiard de goélette ! – tout juste de quoi acheter une minoune pour rentrer au pays, louer un logement grand comme deux paires de fesses, même pas nègres et callipyges ! – informé que je cherchais un homme engagé parce que mes triples vies d'écrivain, d'éditeur et de polémiste ne me laissaient guère de loisirs, le viking est venu me voir – connaissait rien ni des animals ni des fleurs ni des arbres ni de la simplette culture d'un potager : avait pourtant été élevé sur une ferme, mais son père ! – toujours saoul, menant sa trâlée à coups de pied au cul, à coups de poing dans la face ! – se défendre de la violence des autres en devenant virulent soi-même ! – l'ai pourtant embauché ce viking-là, rien d'une tête à papineau et rien non plus d'un jos connaissant ! – lui ai tout appris : comment soigner correctement les animals, comment différencier une terre saline d'une autre qui ne l'est pas, comment discerner un faux tremble d'un vrai, un iris d'une hémérocalle, un bulbe d'un rhizome ! – comment aussi organiser un jardin, par massifs étagés pour que, tout l'été, ça ne manque pas de plantes fleurifleurantes ! – lui ai enseigné, cerise sur le gâteau, la flore indigène, la queue-de-renard, l'herbe à dinde ! – et l'onagre ! – et la vipérine ! – et le roseau des marais ! – et le pembina ! – et l'amélanchier ! – et le poison-à-couleuvre ! –

CRUAUTÉ

le père du viking ! – ce père honni et marâtre dont il ne cessait pas de parler même quand personne ne l'écoutait :

battait ses animals à coups de fourche et faisait boucherie comme un cas d'inde que les odeurs du sang frais rendent fou braque ! – m'a dit, mon viking : enfoncer un long couteau dans la gorge d'un cochon qui s'égosillait à l'épouvante, ça mon père en jouissait long ! – ouvrir le ventre d'un bœuf palenté sur le fenil de la grange, lui couper les testicules, lui sortir d'entre les tripes son sexe rouge carotte et nous frapper avec, ça mon père en jouissait long ! – moi, ça me virait le cœur en son envers et j'allais me cacher sous les veilloches de foin et je braillais, je chialais, je me vidangeais par trou de bouche et trou du cul ! – cette sensibilité à fleur de nerfs, mon viking n'a jamais pu s'en défaire : si je dois vendre un animal, il s'arrange pour ne pas être là lorsqu'on vient me le prendre : sinon, ça fuit, renard épeuré, vers le sous-bois derrière la grange et ça bêle comme une agnelle que la tête s'est prise entre deux fils de fer barbelés, barbants ! – incapable aussi d'assister à la naissance ni de l'agnelle ni de la chevrette : des fois, ça vient si difficilement que je dois jouer au sagehomme– entrer ma main dans le fondement d'une chèvre pour décoincer son petit mal pris, patte coincée, derrière par devant, tête d'hydrocéphale – se dérobe le viking et vomit, son corps en forme de clou anglais crochi par le déplaisir ! –

le viking n'entre jamais dans la meson quand je m'y trouve : t'as affaire à mon moi-même ? – frappe à cette porte dont les larges lamelles du store sont toujours en marée basse, puis éloigne-toi au plus sacrant ! – je vais sortir sur la galerie et je vais régler là le problème – ne veux plus de meubles dans ma meson, plus de tableaux, plus de photographies sur les murs, plus de grands vases de fleurs séchées, plus de livres, et c'est pareil pour le monde : mon vouloir a de moins en moins besoin de paroles, de musique, peut-être aussi de lumière, même noire et restreinte ! – mon vouloir est celui du michaux aux prises avec ses troupeaux de moutons : ces moutons que je repousse, qui viennent vers moi, je ne m'occupe que d'eux et j'ai à faire, car il en vient, il en vient, des mentons – des vagues de mentons qui seulement voudraient approcher davantage et le feraient sûrement si je n'étais là pour les en empêcher ! – mentons ! – relativité restreinte des mentons ! – du rêve écrivisse, très nègre ! –

PONTLEVIS

à l'horizontale se profile le vieux pont de fer de kebek et l'esprit frappeur de la Table de pommier se tait : tous ces pylônes ça s'entrecroise, ça porte d'innombrables fils électriques sous haute tension, ça perturbe l'espace-temps entre la Table de pommier et moi – impossible pour l'esprit frappeur de passer au travers, impossible pour mon vouloir de passer au travers même de travers – sur les panneaux qui font signaux, ne voir que ces noms de pays comme jetés pêle-mêle en fond de paysage : charny, saint romuald, chemin du monseigneur bourget, l'auberivière et ! – assez, esti ! – nommer, c'est rarement créer ! – basta ! – attendre que le paysage sorte de lui-même de sa platitude, là-bas, sur les hauteurs de la pointe lévy – métempsycose, résurrection, transmigration : surgissantes petites montagnes, regard se portant enfin vers le fleuve – admire l'œil violet de l'île d'orléans ! – compte ces amas de pans de roc nègres pareils à de gros icebergs au mitan de la veine-mère de l'eau ! – fais corps avec cette outardienne beauté, puisque le retour au pays natal est renaissance en l'esprit du corps, en le corps de l'esprit – ce poing sur la réalité bien pleine, disait le reverdy ! –

CONTREDANSE

interminables travaux autoroutiers dessus, dessous, par bâbord et par tribord, depuis que le kebek a élu un grand voyer comme premier ministre : démolitions de viaducs, réfections des bretelles, goudronnage par ici, asphaltage par là-bas, même le portefeuille de crésus ne suffirait pas à défrayer le coût de pareils travaux, surtout que du bas en haut de l'échelle, du simple entrepreneur au grand voyer lui-même, chacun prend plus que sa part – impunément ! – le chaos ! – les cahots ! – ces bandits de longs chemins asphaltés qui ne les utilisent que pour se rendre à leurs jets privés, à leurs yachts de croisière, à leurs villas de provence, de monaco, d'île caïmanesque, de beverley hill en botox ! – des voleurs, des escrocs, des trous du cul devenus politiciens ! – le chaos ! – les cahots ! – pour quand les cachots ? –

déprimant ! – trop ! – oublie que ton corps se fait brasser la cage, ferme les yeux ! – reste assoupi, inassouvi, jusqu'à trois pistoles, cogne tes clous par pleins barils, t'occupe pas de ce filet de bave qui coule sur ton menton : les vampires sont assoiffés de sang, les esprits frappeurs aiment bien quand on salive après eux ! – bing, bing, bing, bang ! – la Table de pommier s'est remise à tourner pour que, l'une après l'autre, ses jambes me préparent à ce qui m'attend quand j'arriverai enfin dans l'arrière-pays ! –

je vais grincher des dents, c'est certain : matou en allé, dansantes souris ! – regarde, me dit l'esprit frappeur de la Table de pommier ! – vois tel qu'il est le viking que t'as engagé ! – depuis des mois, en pleine désobéissance civile ! – a mis un lit dans l'une des chambres de la meson, un téléviseur, un lecteur dévédé aussi ! – au lieu de travailler aux jardins et aux champs, ça passe la journée évaché en fumant un joint et à visionner des films pornographiques ! – le soir, vient le rejoindre la blonde du viking: jambes en l'air, cavale la guevalle ! – et ta beretta Z-26, crois-tu vraiment que le viking ne s'en sert que pour faire les courses comme tu le lui as demandé ? – ça transporte de la dope dedans, ça la vend, jusqu'aux confins du pays basque ! – parce que c'est sensé besogner pour toi, les chiens policiers le laissent tranquille, s'imaginant comme toi que t'en as fait un homme différent ! – souviens-toi de ce que te disait l'oncle phil: qui a bu boira et dedans sa vieille peau, il mourra, l'esti de crapotte sale ! –

je dis au chauffeur de taxi nègre :

– Plus vite ! Je ne veux pas arriver à Trois-Pistoles en même temps que la nuit ! Elle tombe en hypocrite à ce temps-ci de l'année, l'estie de nuit !

CHAT

cette décharge d'adrénaline quand on franchit enfin le vieux pont de fer de tobune à l'entrée de trois pistoles ! – ma fatigue s'ennègre dedans, usure de mes nerfs, de mes muscles, de mon sang, s'ennègre dedans, ma pensée traîneuse et traînante s'ennègre dedans ! – l'esprit frappeur de la Table de pommier ne se trompe jamais, l'esprit tournant de la Table de pommier donne toujours l'heure juste quand mon corps sourcier se laisse envahir par ses vibrations – flèche zen traversant l'espace-temps comme s'il était fait de beurre mou ! – fini le voltage atroce ! disait le michaux –

s'arrête la voiture-taxi devant l'ancien manoir de notre dame de la neige et j'en descends aussitôt, si endolori mon corps que je dois me tenir à la portière pour ne pas perdre l'équilibre – le jardin devant la meson, du chiendent partout, de la chianlitte ! – ça n'a pas été désherbé depuis des semaines ! – le lierre sauvage recouvrant les anémones d'automne, les sédums mal tuteurés ! – gigantesques fleurs gisant par terre, d'énormes faux bourdons, leurs ventres trop pleins, collés dessus, incapables de s'envoler ! –

– Attendez-moi ici, je dis au chauffeur de taxi. Je reviens de suite.

je trottine vers la galerie, en monte les marches, serrant fort ma canne en ma main gauche – alerté par le bruit du moteur de la voiture-taxi, mon viking sort de la meson, se montre, tout roux, sur la galerie – la falle lui tombe quand il me voit : ce joint qu'il voudrait dissimuler derrière son dos ! –

– T'as dix minutes pour sortir de la meson ce que tu y as entré pendant mon absence, je dis. Mets ça dans ton vieux pick-up et va voir ailleurs si j'y suis !

– Faut que je t'explique !

– Va d'abord payer le chauffeur de taxi.

je m'appuie au gros poteau tourné et tout plein de golurures sur ses pourtours – ah ! – respire profond, esti, pour que l'esprit de fâcherie ne lâche pas dans ton corps ses chiens en rage : tu pourrais te mettre à frapper de ta canne le viking jusqu'à ce que ça s'écroule, démembré, sang pissant de la caboche fricassée ! –

tandis que disparaît sur la route la voiture-taxi, le viking revient vers moi, son corps penché par devant – contrition, mon œil, esti ! –

– Vide ton sac et fais ça bref, je dis.

– C'était pas mon intention d'entrer dans la meson, encore moins de m'y installer. Mais il y a cet événement qui est survenu, et ça m'a obligé, forcé, exigé. C'est quand ton beau-frère Jim s'est pointé de par icitte-là. Tu voulais pas que la porte de ta meson soit barrée jamais. Ton beau-frère Jim est entré avec ces deux valises à roulettes qu'il traînait par derrière lui. M'a dit que c'étaient les tiennes. M'a dit aussi que t'étais à l'hôpital, que tu y resterais à cause de la marée très basse que tu gîtais dedans. J'ai pensé de suite que tes valises, si elles arrivaient par icitte-dedans avant toi, ça devait avoir de la grande importance, que je devais m'en faire le gardien. Autrement, pourquoi j'aurais mis un lit dans la chambre ? Fallait ben que je veille sur les valises !

– En fumant des joints, avec ta blonde pour t'envoyer en l'air !

– Même pas une seule fois ! Je veux dire : sauf pour faire la cuisine.

– Me prends pas pour un gniochon, esti ! Ça sent le cul même ici devant la meson ! Dix minutes pour sortir ton barda ! Dix minutes pour décrisser, esti !

entre dans la meson, le viking, son long corps si penché par devant que ses bras touchent presque le plancher de la galerie – un enmoutonné, de cette espèce dont darwin n'a pas tenu compte pour sa théorie de l'évolution : les gènes ne sont pas toujours mutants, il leur arrive de régresser jusqu'aux limites de ce que peut être la vie animalière primitive : instinct simple de la survie en y mettant le moins d'énergie possible – ça ne pense pas vraiment parce que penser vraiment ça demande beaucoup de mémoire, et les enmoutonnés n'en ont guère, ça ne fait même pas le petit pois sous leur crâne frisé, ça ne s'épelle ni ne se rappelle, tous les jours même jour : je bois, je mange, je rumine, je défèque ! – des mots, insignifiants ! – seule vérité : le sentiment de présence, écrivait le michaux, ou le rené char, ou le paul éluard, peut-être les trois, étant donnable et adonné que dans la relativité restreinte tout un chacun marche sur les mêmes mots –

sorti de la meson le lit du viking, et le téléviseur, et les gros sacs verts à vidanges remplis de linge, et les deux caisses de boîtes de conserve ! – tout ça s'empile dans la boîte du vieux pick-up ! – le viking qui n'est plus mon homme engagé n'a qu'à embarquer dans sa maudite machine et qu'à déguidiner, esti ! – mais il revient, l'animal, monte les marches et s'arrête à la barrière que j'ai fermée – tient à me montrer qu'il braille avant de baisser la tête :

– Une faveur à demander, il dit.

– Tu la demanderais pour rien : j'en ai plus une seule à t'accorder.

– J'ai apprivoisé une poule comme tu m'as montré à le faire. S'endort dessus mon bras quand je lui caresse ses dessous d'ailes. Me suit partout comme un petit chien. Je voudrais l'emmener avec moi.

– Oublie ça : c'est non !

– Elle va mourir d'ennuyance sans moi !

– C'est non, esti !

reste là, accoté à la barrière, tête baissée, et chiale, et pisse dans son pantalon en même temps – tandis que le soleil s'envole vers le ciel comme un très blanc obus, aux dires du jarry –

– Va chialer ailleurs ! Déguidine ! Décrisse !

il finit par descendre les marches à reculons et se rend ainsi jusqu'au vieux pick-up puis, se prenant pour le pape, s'agenouille et embrasse la terre avant de se redresser :

– Mange un chiard de marde ! crie le viking qui n'est plus mon homme engagé. Tu vaux pas mieux que mon père, crisse d'écœurant !

je hurle comme le font mes chiens quand passe le train sur la voie ferrée et mes oies se mettent aussitôt à cancaner – plus d'adrénaline sous l'épi terne, l'usure, de l'extrême fatigue ! – mais il faut quand même que je rende visite à mes animals ! – si peu de mémoire pour les lieux, les choses ! – quand je regarde, même la familiarité, c'est comme si j'y portais les yeux pour la première fois : faudrait que les lieux, les choses, les animals soient des mots et non de complexes bêtes, chevrotant, cancanant, piaillant, piaffant ! – d'infimes métaphores, avec peu de graisse, de suif, de tirasse ! – inoubliables seraient leurs formes, inoubliable serait l'esprit qu'il y a dans ces formes-là – et les animalistes métaphores se constitueraient alors en longues phrases et je me rappelle toujours les longues phrases une fois que je me laisse m'y lire ! –

ANIMALS

je descends l'escalier et siffle : une gamme de cinq notes répétée plusieurs fois, parce que je veux entendre mes oies : je ne peux pas les voir à cause des épinettes, des sapins, des érables, qui escamotent l'enclos devant la grange – ces cinq notes, c'est l'abécé du langage palmé, suffit de savoir les moduler selon le message qu'on veut faire entendre – là, ce que je siffle c'est : je sais que vous êtes là, je vous salue mes oies, mes oies, pleines de grâce, ô mes oies ! – elles vont mettre leur temps à me répondre – des animals méfiants ! – n'agissent jamais que de façon considérée, même quand elles prennent leur bain – ne retirent jamais leurs gants pleins de sang, ne retirent jamais leurs chemises pleines de sang ! – laissez-nous nager dans les mûres ! – puis, sans sourdine, l'éclatement : ça criaille, ça cacarde joyeusement dès que je me fais proche, ça volette, ça fait semblance de plongeon, juste parce que c'est content de me voir, revoir ! – ne me demandent pas où c'est que je m'en fuis allé, ne me demandent pas ce que j'ai fait et si ce fut malamain ! – me beckette les doigts, moi leur mère, toutes petites toujours par-devers moi leur mère ! –

puis l'entrée de jeu en l'étable – mon vieux schnoque de bouc monté sur ses pattes de devant, se servant des dormants de la mangeoire comme appui – bouts cassés des cornes, œil gauche crevé par cette vis à la tête anglaise trop désencarrée, me ressemble, nos airs de ne plus aller qu'en se grandpérissant ! – dents manquantes, dents branlantes, dents malusées ! – barbes hirsutes, poils d'animalité, poils d'humanité ne poussant plus que par plaques, paupières s'affaissant, ventres gros, graisseux, grammatiques ! – me suis assis sur cette souche dans l'enclos, le bouc enfonçant la tête entre mes jambières, me frottant les cuisses de ses cornes – c'est très parlant les cornes d'un bouc, suffit de savoir leur langue pour comprendre ce que disent toutes les sortes de frottements, comme de petits airs joués à la contrebasse c'est, comme de petites envolées de musique à bouche c'est, comme de petites montées d'émoi qui percussionnent c'est ! – ennuyance, joyeuseté, placidité, douceur, amitié sans nulle doutance ! –

après le vieux schnoque de bouc, ce sont les petits chevals à qui je semble avoir été le plus manquant – amaigris, poils délustrés, crins entremêlés et secs, tristes yeux de lumière noire ! – mettre de l'avoine plein leur mangeoire, pisser dessus pour que les petits chevals comprennent que je suis revenu pour tout de bon et que, dès matin de demain, nous allons nous amuser plein la musette comme avant (jadis les grands yeux violets de judith n'étaient même pas de toutes petites taches surréalistes au mitan de la relativité restreinte) –

bonnes odeurs dans l'étable, à respirer par grandes bolées – fauves sont les vraies odeurs de la vie, de la patience, de la persévérance, de l'énergie – je vous salue et vous dis bien le bonsoir, mes animals bien-aimés ! – me répondent tous, sauf les oies qui vont m'environner jusqu'à la barrière de l'enclos avant de se faire aller le cancan –

la fraîche sourd du fond de la mer océane en même temps que, par gros paquets mal ficelés, tombe la nuit : on sera bientôt en découpe d'octobre, ciel bas de plafond, sombre comme le sont les voix lactées – fortes gelées blanches, et cette neigeante neige s'ostinant en forme de déluge, l'estie ! – disparaîtront pagées de clôture, massifs de fleurs, crans de tuf, quenouilles dans les étangs ! – à moi maintenant de rêver d'un cimetière ardent ! –

j'entre enfin dans la meson – cette pénombre faisant distraction à la relativité restreinte : une simple Table de pommier, un gros poêle à bois à deux ponts, un matelas devant la bavette du gros poêle à bois, un très ancien fauteuil roulant près de la porte – pour personne d'autre que moi sujet, moi verbe, moi complément d'objet, disait le michaux : je déverse sur le plancher, qui devient une grande cour herbeuse, je déverse les animals qui m'emplissent – il s'en répand par terre une masse considérable et fuyante, comme si c'était des lemmings, mais ils sont plus grands, presque des marcassins – c'est par ma poitrine herbeuse qu'ils s'écoulent, ma poitrine qui pourrait habiter des sentiments, s'ouvrir à des sentiments, mais l'habitude est prise ! –

langueur dans ma poitrine, ce sont des animals remuant en mon moi-même, et sans doute il faut qu'ils sortent afin qu'ensuite je me retrouve tel que je suis, avec sang frette et sang seul ! –

3

De la relativité générale

CAHA

ne vois pas grand-chose une fois entré en mesonée tellement la nuit est vite venue – me suis laissé tomber dans le fauteuil roulant près de la porte, laissant le temps à mes yeux de s'habituer à l'obscurité, laissant le temps à mon corps de reconnaître les odeurs de pin rouge, de braises cendreuses – mes chiens me manquent : avant de partir vers l'africassée, les ai mis en pension chez mon ami le vétérinaire qui en élève pour le plaisir qu'il prend à chasser le petit gibier – sans moi leur chef de meute, ils se seraient ennuyés à mort comme c'est arrivé au chien d'ulysse en l'odyssée d'homère – lui téléphonerai tantôt, à mon ami le vétérinaire, pour qu'il me ramène mes animals –

plus grand-chose de mes odeurs en la meson, à cause de celles du viking qui les a souillées des siennes, malaucœurantes – je respire de grands pieds sales, des bottes en dessous de semelles emmerdés, des chemises transpirotantes, des bouteilles de bière qu'on a éteint dedans mégots de cigarette, des bourgaux désenvalés, du blanc-mange pourri, des cretons vert-de-grisés – de l'obtus se fixe, se visse en moi ! – tout ça dans le monde rance d'un chiard au lard salé cuit en chaudronnée sur le gros poêle à bois ! –

puis se dessinent lentement les formes de la Table de pommier – d'habitude, quand je m'emmesone après une longue absence, je vais droit vers elle, je m'y allonge, je colle ma bouche sur son seul nœud, en belle forme de cœur, qu'il y a au mitan de la plus large des planches – sinon, l'esprit frappeur manifeste son mécontentement : je n'avais plus mes jambes quand je suis sorti de l'étable, mon épaule et mon bras gauches se démanchaient comme si, mangeurs de chair malusée, les estis de virus y faisaient carnage – pareil pour mon dos ! – tant de baleines de corset entrées profond dans la chair pour y tirer le peu d'eau qui s'y trouve encore – déganser l'attelage, dénouer les lacets du corset – mon corps mou à formance de guenille, ployant par devant, pour me faire voir quoi ? – juste la raison pourquoi l'esprit frappeur ne s'est pas manifesté : sous la Table de pommier, deux valises – sur la Table de pommier, ce coffret en bois de santal que judith m'a remis aux confins de la vallée de l'omo, quand la jument de la nuit nègre a pris le mors aux dents, jambes à mon cou ! – mais la cuisine épaisse comme du goudron que tu viens d'avaler t'oblige à soigner ton ventre, l'a dit le michaud, puisque les bonnes paroles ne suffisent pas : son ventre, il faut le rentrer, il faut l'emmesoner avant tous les autres débris, tous les autres restants ! – hurler à la lune, je devrais m'y canonner, mais mon hébétude est telle que j'en reste là, béat, mes yeux poignés par le fixe, béat, mes nerfs et mes muscles poignés par le fixe, béant ! –

le plus épouvantable ce n'est jamais la souffrance qu'on a pu avoir : celle-ci, tôt ou tard, ne devient plus, en trou de mémoire, qu'un infime point, intime, instable, sans virgule, sans qualité ni mesure – le plus épouvantable, ce sont ces choses qui vous attaquent de l'extérieur, sournoisement, pour que tout se remette à vaciller dans un espace-temps intemporel, sans fuite possible, pas davantage par devant que par derrière ! – le souvenir n'en est plus un : en refaisant brutalement surface, l'infime point, intime, instable, sans virgule, sans qualité ni mesure, devient à lui seul toute une constellation de spirales s'encorsetant les unes aux autres et comprimant le corps avec tant de tensité qu'on ne sait même plus comment bouger, comment penser, comment s'y panser : trop d'imans-photons bombardent ton désordre ! – ça mue en désastre, ça remue en dégastrie, que c'est chiant, esti, ce tronc-étron mou ! –

à cause de jim, ce corps-mort-là, le mien, en déliquescence ! – à cause de jim, l'esprit frappeur de la Table de pommier restant muet ! – à cause des deux valises entre ses jambes, alors que je ne sais même pas ce qui s'y pandore ! – à cause de ce coffret en bois de santal et dedans deux grands yeux violets coulés sous verre ! – à cause de jim, mon atterrement, mon manque d'odeurs, mon manque de couleurs, mon manque de nerfs, mon manque de muscles, mon manque de sangs, mon manque de saveurs ! –

comme le chat catastrophe de schrödinger je resterais ainsi, vivant bien que mort, mort bien que vivant, en entre-deux de cri et de silence, mitan des déchirures, mitemps des blessures, si je n'entendais pas, surgissant là-bas, loin dans la ténèbre, les aboiements de mes chiens – vite ! – allume une lampe pour qu'ils trouvent tes pieds, te lichent les mains, te montent sur les cuisses pour te coupdelanguer visage, oreilles, cheveux ras-le-bol ! –

– J'ai pensé que ça te ferait du bien de les avoir avec toi pour la nuit, le Viking dit. Je m'excuse des saloperies que je t'ai bêtisées tantôt. Ça a sorti sans que je cache.

l'hypocrite ! – est allé chercher mes chiens pour que je cède à l'idée de lui donner l'estie de poule qu'il a débauchée, pour que j'intercède auprès de mon moi-même buté, butor, busé, pour que je le reprenne comme homme engagé ! – ça ferait le pitre, l'impie, le quichotte preneur de moutons comme moulins à vent, ça se couperait un doigt de pied, un bout d'oreille, pour m'en convaincre ! – se prend pour panurge et pourrait comme lui me dire : ô compère, mon antique zami, vous voyez la complexité de mon esprit, et vous sçavez tant de bons remèdes ! – me sçauriez-vous secourir ! –

– Dans trois jours, pas avant, je dis. Dans trois jours, je téléphonerai chez toi et je te dirai ce que j'aurai décidé pour la poule et pour l'ouvrage. Maintenant, fends l'air !

VALISERIES

mes chiens sont difficiles à calmer, à colmater, comme toutes les fois que je m'absente de la meson, que ce soit pour une heure, une journée, une semaine ou un mois ! – là, de suite, ils voudraient que je m'en aille avec eux dehors : faisons le tour du territoire, suivons les pistes qu'a tracées le petit gibier dans les sous-bois, pissons généreusement aux quatre coins cardinaux ! – juste une petite virée en notre chez nous – mais moi, trop fatigué pour seulement me rendre jusqu'à la galerie derrière la meson – juste débarquer de l'antique fauteuil roulant me demande toute ma synergie ! – je fais trois pas, mes jambes me lâchent et je tombe à genoux, frappant de la tête les deux valises qui sont sous la Table de pommier – aussi bien me libérer, me délivrer de ce qu'elles contiennent – allez, mon esti ! – ouvre-les et déverse sur le plancher de pin rouge ce qu'elles détiennent : le complet que je portais en l'africassée, comme celui que le consul exhibait dans au-dessous du volcan, une dizaine de romans gabonais, camerounais, ougandais, gogoliens (je n'en ai pourtant acheté aucun) ! – et ces rouleaux de tissus fort bariolés que je n'ai pas achetés non plus ! – un cadeau d'abé abebé ? – de calixthe béyala ? – va savoir, va donc savoir, esti ! –

sur mes quatre pattes, me traîne jusqu'à la porte du salon, puis mets la main à la poignée – j'hésite ! – s'il fallait que judith s'y trouve, assise à l'indienne à même le plancher, son crâne rasé et sans ses grands yeux violets, ni ses seins cannibalisés par le cancer nègre ! – respire par le nez, ne deviens pas paranoïaque parce que tu n'as presque plus d'opium dans ton corps – pousse simplement la porte, demande à tes chiens de charroyer de dessous la Table de pommier les débris exhumés des valises, demande aussi qu'ils te débarrassent des esties de valises ! – ça les amuse, mes chiens, ça leur fait oublier ma longue absence, ce qu'ils ont souffri à cause d'elle – cette qualité première des animals : leur vouloir, qui les fait rapidement passer de la relativité restreinte à la relativité générale qui efface, gomme, escamote les manquements au réel : de la joyeuseté avant toute autre chose ! – mais disait aussi le prévert amouraché : la vie des plantes, des hommes et des animals est faite de réalité, mais aussi de merveilles secrètes et de vérités inventées ! –

ŒILS

le coffret en bois de santal maintenant ! – je n'ose pas m'approcher de lui, encore moins mettre ma main dessus :

s'il devenait un clou de six pouces s'enfonçant de luimême dans le gras de ma paume pour me crucifier comme l'ont fait les romains au flic de l'homme ? – harmonise tes détériorations, mais pas au début, pas prématurément et jamais définitivement, a dit le michaux ! – n'ouvre surtout pas le coffret, ne cours pas ce risque-là, trop de fatigue en ton toi-même : épaule, bras, jambe gauches, si douloureux ! – tu ne saurais pas comment agir ni réagir, la jument noire de l'africassée à tes trousses, pour que l'atout s'emballe en épaisseur d'épouvante, ta meson, tes bâtiments, tes animals, tes champs, tes jardins et ce qu'il y a encore d'espace-temps tout autour, en cette relativité générale, rien d'autre que ce qui s'expansionne jusqu'aux limites du cosmos, au-delà même, puisqu'y penser c'est l'indéfinir ! –

je demande plutôt au plus grand de mes chiens d'ouvrir grand les mâchoires, de prendre entre ses crocs le coffret de bois de santal et d'aller le porter au salon avec les autres débris de l'africassée – puis je referme la porte, me traîne encore à quatre pattes jusqu'à la Table de pommier, y monte, colle mon corps aux planches du dessus – – j'y reçois mes chiens s'allongeant de chaque bord de mes hanches – ce flux de vibrations apaisantes, cette chaleur qui, je ne sais pas jusqu'à quand, va me faire oublier que mon corps manque d'opium ! – va ! – va donc, vadrouille ! – vampirise tes alentours ! – du vouloir, esti ! – il faut que tu puisses revisiter sans déplaisir les êtres de la meson : cette chambre du sud dans laquelle est mort ton père, un petit mouton noir couché entre ses jambes ! – la chambre du milieu que hante toujours le gros corps reptilien de ta mère ! – et cette autre chambre, tout au bout du corridor, pleine de livres jadis, ressemblant à un iglou, les multiples ouvrages empilés comme des blocs de neige durcie pour que la forme presque carrée de la chambre devienne cercle ! – et ces gros dictionnaires devant lesquels tu t'assoyais, bouddha gras et immobile, et pourtant flèche zen et fleur de lotus ! –

l'oreille collée à la Table de pommier, je laisse venir les vibrations qui sourdent comme de brèves secousses sismiques de dessous la porte du garde-guenilles près de l'entrée – là sont flaubert et nietzsche, bouvard et pécuchet, l'origine de la tragédie grecque, le crépuscule des idoles, le gai savoir et l'antéchrist – et si ça se trouve dans le garde-guenilles et non ailleurs, c'est par esprit de loyauté : flaubert et nietzsche, dieux parfaits, dieux hilares de l'enfermitoire ! – les laisser là-dedans écrire car ils sont loin d'avoir encore tout dit : le jour du jugement dernier de mon moi-même, la porte du garde-guenilles sera soufflée par une incandescente explosion de l'espace-temps en sa relativité générale, puis flaubert et nietzsche, puis le zarathoustra, puis le bouvard et le pécuchet achevés, ça sera la fin du monde horizontal de l'écriture en son irréalité restreinte et générale – au mitan du chaos d'origine, au mitan de la cellule-souche première, comme une toupie tournant plus rapide que la lumière, plus véloce que la pensée – pas de mots là-dedans ! – que le feu primordial ! – que l'embraisement primondial ! –

OPIUM

je devrais dormir maintenant, si las mes nerfs, mes muscles, mon sang ! – décomposé, si fractal mon corps malusé ! – de l'utopie ? – de l'opium ? – mon corps manque des deux et je ne tiens pas à savoir ce qu'il adviendra de lui quand il se trouvera tout à fait en état de manque ! – l'esprit frappeur de la Table de pommier m'insuffle juste ce qu'il me faut d'énergie pour que je puisse m'asseoir sur la chaise bancale, devant ce tiroir que j'entrouvre – non ! – ne pas prendre de suite le petit appareil téléphonique que j'y ai dissimulé et auquel j'ai enlevé la sonnerie pour être certain de ne pas avoir à répondre quand ça sonne : j'aguis ça en esti qu'on m'appelle pour prendre de mes nouvelles ou parce qu'on veut m'en donner : toutes les nouvelles sont déjà arrivées, disait le paul de tarse en son chemin des prunes de damas ! –

les chiens placent comme il faut le matelas devant la bavette du gros poêle à bois, puis replacent comme il faut l'oreiller et les deux couvertures sous lesquelles je m'abrille quand je me force pour dormir – pas envie de m'ensommeiller maintenant ! – ce manque d'opium en mon corps ! – ne tiens pas à savoir ce qu'il adviendra de lui quand il se trouvera tout à fait désinvesti ! – je vais vers la Table de pommier, j'ouvre une autre fois le tiroir qu'il y a à son extrême gauche (c'est devant que je me suis toujours assis pour écrire), j'en retire le petit appareil téléphonique, je compose le numéro de stan bastarache et j'attends patiemment qu'il réponde, ce qu'il ne fait jamais qu'à la neuvième sonnerie : se méfie, bastarache, des policiers qui l'ont à l'œil ! – même s'il n'a aucune goutte de sang amérindien dans les veines, bastarache fait partie de la petite communauté malécite du vieux cacouna et dit travailler comme charpentier – la boîte de sa camionnette est pleine d'outils de menuisier, mais je sais bien que s'il s'en sert parfois, ça n'a pas grand-chose à voir avec la nécessité de gagner sa vie ! – ces quelques fois que je l'ai embauché pour réparer les enclos démolis par le vieux bouc, il a fallu que je lui prête assistance pour que ça soit fait convenablement ! – autour d'une érablière abandonnée, aux confins de la réserve sauvage de whitworth, bastarache cultive la marijuana et le pavot ! – une fois mon magot fait, m'a-t-il dit, je déguédine en amérique du sud, je m'installe au bord de la mer et je joue aux fesses avec les négresses qui sont les plus fourreuses femmes au monde ! –

– J'ai besoin d'une pipe et d'opium, je dis. C'est urgent. Tu peux m'apporter ça dans l'heure qui vient ?

– Pas de problème.

je n'ai jamais fumé d'opium, mais les lectures servent parfois à quelque chose – me suis intéressé à baudelaire pour ses paradis artificiels parce qu'il a écrit son ouvrage sous l'effet de l'opium, comme antonin artaud a fait paraître ses premiers écrits après avoir consommé les champignons hallucinogènes du mexique, et michaux qui a fait l'expérience de toutes les drogues quand il se colletaillait parce que ses nuits remuaient trop ! – et thomas wolfe qui se défonçait chaque fois que l'idée d'un romanichel lui venait ! – les poètes en tomates d'amérique de la beat generation détripant à l'héroïne et à la cocaïne pour que poussent mieux leurs poils d'humanité ! – le kebek, une vraie table tournante pour l'opium vendu en l'amérique, conséquence de notre assujettissement à l'empire britannique qui en contrôlait les marches, le marché, le mâché ! – ces estis de puritains cupides, pires que talibans ! –

j'ai chaud et frette en même temps, les extrémités de mes mains tressautent ! – je ne serai pas capable d'attendre bastarache bien long encore : mon corps en train de s'effriter, prodigieux trembleterre en tout mon moi-même – heureusement que le vieil homme a appris la ruse : au fond de cette poche de mon veston, un petit flacon qu'à l'hôpital du grand morial j'ai fourré aux analgésiques ! –

m'en mets un tas en bouche, mâchouille en sécrétant le plus de salive que je peux, puis j'avale ! – cul sec ! –

quelle bienfaisance ! – ne sens déjà plus le mal en mes nerfs et mes muscles du côté gauche de mon corps, extrémités de mains et de pieds cessant de tressaillir, à peine, peinarde, une risette sur la mer océane – étalé, encalminé, le vent de la panique qui me sifflait du marteau à l'enclume ! – si apaisant ! – je peux me remettre à ramer, pensées en formes de vagues, à peine ondulatoires, plus rien de ce qui menace, en l'esprit et le corps, comme si je n'avais jamais quitté cette chambre d'hôtel de libreville, quand calixthe béyala s'est allongée auprès de moi – épanchement dans la tendresse, chemin énamourant dans mes nerfs, mes muscles, mon sang ! – jamais rien vécu de semblable, pas une seule fois en toute ma vie, avec aucune des jeunes femmes qui m'ont fréquenté – sans doute parce que toutes ces jeunes femmes-là avaient l'esprit de judith, leur vouloir surréel, surréaliste, survolté : les attiraient ma placidité, mon apathie, ma sagacité, ma sagamité – et le fait que je m'enivrais sur ou sans demande ! – loin de les faire fuir, ça les rendait encore plus dépendantes de mon moi-même : ça réveillait cette partie d'elles, si maternelle, si reptilienne, qu'elles ne me considéraient pas comme un homme trop égoïste pour partager vraiment quoique ce soit, mais comme un enfant arriéré qu'il fallait rebaigner dans la saumure primale ! – rien de cette sollicitude reptilienne chez calixthe béyala – et voilà pourquoi je me dépense à cause d'elle : éclair chargé de douce lumière, furtif l'éclair, mais haut paradoxe sans fugacité ! – l'écrivait ainsi l'éluard : en les parages de son lit rampe la terre et les bêtes de la terre et les hommes de la terre – en les parages de son lit il n'y a que champs de blé, vignes et champs de pensées ! – l'écrivait aussi le michaux : le bouillon de mon sang lequel je partage est mon chantre, ma laine, mes femmes, il est sans croûte, il s'enchante, il s'épand, il m'emplit de vitres, de granites, de tessons, il me déchire : je vis dans les éclats ! – nous vivions d'amour et d'eau fraîche, nous nous aimions dans la misère, nous mangions notre linge sale en famille et sur la nappe de sable noir tintait la vaisselle du soleil : vêtue puis revêtue, à quoi rêvais-tu dévêtue ? disait le prévert –

MESURES

stan bastarache a fait si peu de bruit en entrant dans la meson que mes chiens, couchés sous la Table de pommier, ne l'ont pas entendu – quand ça se rend compte de son arrivée, ça détale, dévale après lui et bastarache sort aussitôt – peur morbifique des chiens quand il n'a pas sniffé de cocaïne, mais tout son contraire dès que son nez se barbouille de poudre blanche : se laisse alors licher la face, et caresseux, serre les chiens de contre son lui-même ! – pourrait alors jouer avec eux autres jusqu'au septuple, jusqu'au centuple ! –

je calme les chiens qui reprennent place sous la Table de pommier, puis fais rentrer bastarache : grande gaillardise haute en jambes, cheveux rasés courts sur les temples, à la mohawk, carré moustachu sous le nez, à la hitler, anneau doré en l'oreille droite, et cette grosse bague, réplique de celles qu'on donne aux joueurs de hockey des canadiens du grand morial quand ils gagnent la coupe du lord stanley – s'habille chez les nazis de san francisco, bastarache, acoquiné c'est aussi avec cette enseignante de cégep, follette, mollette, pas laitte, qui aime la voyagerie :

ça permet à bastarache de faire ses affaires en toute impunissabilité partout où il se trouve, découvre, recouvre avec elle ! –

je regarde les boulettes d'opium, j'examine la pipe, je paie mon dû à bastarache :

– C'est du pur afghan, il dit. Ça combat l'ennemi mieux qu'une kalachnikov !

– J'aurais un autre service à te demander. Il y a au salon un coffret qui ne m'appartient pas et que je veux rendre à son propriétaire de Morial Mort.

– Tu tombes bien : je dois me rendre par là-bas pour mes affaires.

– Entrouvre la porte du garde-guenilles, tu vas y trouver ce sac dont je me servais pour transporter ma boule quand je jouais au bowling. Tandis que tu vas aller au salon y mettre le coffret, je t'écris sur un bout de papier l'adresse où c'est que la marchandise doit être livrée.

– Pas de problème.

– Combien c'est ?

– On verra ça quand je serai revenu.

un simple coup de vent, bastarache déjà en allé, mon moi-même à nouveau seul avec la Table de pommier, mes chiens, la pipe et les boulettes d'opium, grosses comme des crottes de mouton – pas un expert en l'art de la tabagie, mais sais à peu près comment m'y prendre : quand je faisais jouer du théâtre dans le grand morial, cette dope préférée de mes amis comédiens après une représentation – moi j'en restais à l'alcool : william faulkner, john steinbeck, malcolm lowry, ça se défonçait au whisky, pas en pavotant sur l'orient ! – j'aimais comme eux autres l'alcool parce que je pouvais en ingurgiter beaucoup, que ça me portait peu vers la parole, aux plaisirs dont on s'éjouit quand on fait partie d'une meute éphémère – deux fois peut-être, j'ai succombé à l'intention : l'opium me rendait légèrement phorique, ça refoulait loin dans mon corps la grande fâcherie qui m'opposait au monde : trop jeune, trop plein d'énergie vitale pour devenir amas de coussins, à inhaler cette fumée me détachant des choses, me gardant en suspens au-dessus d'elles ! – maintenant je suis un vieil homme, avec plus rien d'enragé, de belliqueux, de méchamment jaseur, jaspineux, jappeur, jésuite ! – me conviennent dans leur ainsi les propriétés analgésiques de l'opium ! –

installé sur le fauteuil roulant derrière la Table de pommier, quelques lampes à l'huile chassant juste ce qu'il y a de trop dans la ténèbre, l'odeur du chiard salé s'estompant à mesure que ça se refrédit en la chaudronnée de fer sur le gros poêle à bois, je bourre la pipe, l'allume – asbire de buite la bumée par betites bouffées – ça calme mes nerfs, mes muscles, mon sang presque instantanément, ça s'affiche, ça s'enfiche, repoussant loin en l'espace-temps la brûlante jument de la nuit et ses grands yeux violets – quel vouloir plaisant en retirer ! – rabelaisien ! – ce qui se crie, s'écrie ainsi : ce mesmes jour, passa pantacruel les deux isles de tohu et bohu, esquelles ne trouvasmes que frire : bringuenarilles, le gland géant, avoit toutes les paelles, paellons, chauldrons, coquasses, liche frites et marmites du pays avallé, en faulte de moulins à vent, desquels volontairement il se repaissoit ! –

CONTRACTION

quand c'est que je m'enfume, ma mémoire de rabelais me revient : en mon ordinaire, en l'ordinaire du monde strangulé par les mots plissés, palissés, policiés, ceux du rabelais s'entonnent, si joyeux ! – en ce temps que la langue ne collait pas encore au palais, se disait mais jamais mêmement ! – éjouisante dérive, si librement consentante : qu'ainsi soit, contemplez la forme d'un homme attentif à quelque estude ; vous voirez en luy toutes les artères du cerveau bendés comme la chorde d'une arbaleste pour luy fournir dextrement espritz suffisant à emplir les ventricules du sens commun, de l'imagination et appréhension, de la ratiocination et résolution, de la mémoire et recordation, et agilement courir de l'un à l'autre par les conduictz manifestes en anatomie sus la fin du retz admirable onquel se terminent les artères, esquelles de la senestre armoire du cœur prenoient leur origine et les esprits vitaux affinoient en long ambages pour être faictz animaulx ! –

vieille musique, y fus origine bien que loin désormais cette relativité générale du dict ! – m'y retrouver, alaisé, allégé, aléatoire, quelle plaisance, sans quotidienne banalité et usure ! – que le virolet trotte ! – autrement j'en appelle ! – au beuf sallé ! – à la nonaine sœur fessue ! – à la dame engroissée, follastre ! – puis m'en ferai rire en gualloppant ! –

me revois en compagnie de calixthe béyala dans sa librairie de libreville, me revois en ce bâtiment où c'est qu'elle élève la famille qu'elle a adoptée, me revois dans cette chambre d'hôtel, nos corps s'effleurant à peine ! – obscurité ! – odeurs de fruits suintant de la peau humide toute cuivrée et douce ! –

je prends un bout de papier dans le tiroir, je décapuchonne mon stylo feutre bleu : juste écrire quelques mots et les faire parvenir par télégramme à calixthe béyala : suis de retour chez moi ! – pense à vous, à vos enfants, libreville !

– donnez-moi de vos nouvelles ! – ma tendresse ! – entre les murs tant d'absence ! a écrit l'éluard –

n'aime pas les mots que j'ai écrits, pâte molle que je serais impuissant à remodeler même si j'y travaillais pendant des heures ! – pas entré assez loin en fumée d'opium, rabelais trop heureux de me panurger, de me bruncher, de me charreter tout son pataclan, toutes ses bolivoles ! – aussi bien faire la mort jusqu'à demain matin quand l'aurore aux doigts de rose viendra, par longs rectangles de lumière, couleurer ma maigue pensée – mais d'ici à là-bas, quoi c'est donc faire ? – depuis qu'il a cessé de mijoter, le chiard au lard salé sent bon, sauf que je n'ai pas faim ! – et bien que je bâille par escousses, je n'ai pas envie de dormir ! – même si mes chiens ne demanderaient pas mieux que je joue avec eux à la lanterne chinoise, ça ne me tente pas, c'est à peine de l'attente, esti ! –

MALNOTES

ouvrir une autre fois le tiroir de la Table de pommier, en retirer ce paquet de feuilles inégales sur lesquelles, avant de me mettre à la poursuite de judith, j'ai nomenclaturé les travaux que j'aimerais rendre en leurs grosseurs avant de désemplir le monde une fois pour toutes : il y en aurait assez pour me tenir préoccupé jusqu'à l'âge éteint par mathusalem tellement tout reste toujours à dire ! – monde qui n'a plus d'yeux ni d'oreilles sinon pour le voyeurisme et l'obscénité marchandable – je sais ! – quelques livres en trop ou en moins n'ajoutent ni ne retranchent quoi que ce soit au sens de l'univers tel qu'il se décontracte, se détend, se désemplit, se désassemble : galaxies en fuite vers les confins du cosmos ! – alors que sur la terre, tout tend au contraire à se contracter, tendre, remplir, rassembler ! – villes surpeuplées, terres brûlées, morts, des tas de morts, des montaignes de morts ! – incontrôlable la vie comme hystérie collective : ce qui est déraisonné ne fait que se fuir ! – ici, là-bas, partout, la démesure de l'univers se joue à l'envers : la terre rapetisse, rien d'autre qu'une colonie concentrationnaire en motifs pervers – peur, angoisse, effroi : eau manquant partout, déserts s'agrandissant, ça chauffe, ça s'échauffe, ça se réchauffe – une loupe que traverse le soleil, mettant partout le feu, sans ombrage – alors que c'est justement de ça dont on rêvasse, de l'ombre arctique ! – la terre ne peut plus s'écrire au pluriel ! – l'idée de nature, cette variété des espèces de toutes sortes, la voici mutilée, la voilà assassinée pour le seul profit de l'instant, ce prêt-à-vivre – sous-réalisme comme moteur de nos dérèglements, même pas de pensée unique, mais ce corps de l'humanité pétri dans la même pâte avariée pour le pain-fesse du touriste sexuel ! – liquidation de l'individualité, post mortem à la diversité : tous pareils, tous maladifs, tous ingouvernés, tout ingouvernable, sans-cœurs de la disparition, tous et tout ! –

ces malnotes jetées sur des bouts de papier, un moment de fort déconfortement sans doute, et ça devrait me déprimer – pas le cas pourtant : rien n'est fixé ni fixable en l'univers né de l'idée du chaos et conditionné depuis par l'idée du chaos : tôt ou tard, implosion ! – nous tous et tout, que des restants, de la poussière d'étoiles, minuscules bactéries qui n'agissent pas autrement que le chaos même : quérir, conquérir, reconquérir ! – de l'intelligence là-dedans ? – l'intelligence, esti ! – une invention de l'homme pour ne pas voir ce qu'il est, de sa naissance jusqu'à son jugement dernier, un hasard de nature, impuissant comme tous les hasards de nature à changer quoi que ce soit au noyau primordial dont c'est venu – totalitarisme que la finitude est programmée dedans : bouddha a dit que l'invention du monde est une illusion, rien d'autre qu'un jeu d'alluvions, d'allusions : si dieu existait, il jouerait aux dés contrairement à ce que prétendait einstein – les dés, qu'on les jette ou non en l'air, n'abolissent jamais le hasard ! – le hasard n'est pas enjeu, mais mise à feu, embrasement, incendie fulgurant, incompressible coulée de larves ! –

basta ! – à dieu vat ! – zassez ! – que les morts se lèvent et viennent au jugement, a dit le jarry ! – hallélulah ! –

MATINAGE

assez fumé d'opium pour me sentir bien et le faire savoir à la Table de pommier – la caresse de mes deux mains en décrivant des cercles dessus, des rectangles et des carrés – je liche le bois au goût de pommette d'api, je l'embrasse, puis je me mets debout et je m'onanise : quand le blancmange va jaillir vers la Table, je ferai avec l'amas de sperme d'autres cercles, d'autres rectangles et d'autres carrés : il n'y aura pas d'esprit frappeur cette nuit, les jambes de la Table ne bougeront pas, ce ne sera que du silence à perte de vie ! –

j'ai laissé le fauteuil roulant, je marche sans anicroches vers le gros poêle à bois, les chiens se frottant à mes jambes – comme moi, les chiens ont faim – le couvercle du chaudron de fonte enlevé, mettre la main droite dans le chiard, en prendre une poignée et me l'emboucher, puis viendra le tour des chiens – j'aime me nourrir ainsi à la sauvage, tandis que bronche la nuit sur ses pieds, vacille et paraît s'effondrer en découpe de petits morceaux par échappées de lumière le long de la courbure de l'espace-temps – naissance géométrique du monde, beauté silencieuse, porteuse d'un matinage qui sera soleilleux – de l'été encore ! – au beau mitan de l'automne, ces petites bouffées de chaleur explosant du fond de l'air ! – j'en profiterai pour faire le tour de mes clôtures, je cueillerai les derniers légumes du potager, j'inspecterai les jardins ! – dans ce pacage qu'il y a le long de la voie ferrée, je jouerai avec mes animals comme le ferait un mongol au pays de gengis khan en bordure du désert de gobi – moi si sédentaire, j'aime les peuples nomades parce qu'ils ont le courage d'aller là où se trouve la vie, parce qu'ils ont le courage de tourner le dos à leurs morts – peuples nomades, vous recréez le monde chaque fois que meurt la nuit ! –

sustenté, je me rassois à la Table de pommier, mettant devant moi une treizaine de feuilles, décapuchonnant mon stylo feutre, comme je le fais depuis bientôt cinquante ans : des centaines de milliards de mots comme autant d'amas de galaxies éparses dans le cosmos – à rapailler, à ordonner, à orienter, à rendre vivants ! – jamais les mots n'ont manqué, tant la source est profonde et force le geyser au jaillissement ! –

je reste là pourtant, mon stylo feutre pointé vers le ciel, à regarder la feuille blanche comme si elle était déjà chargée de métaphores – comme ma pipe, sur le coin de la Table, l'est d'opium ! – je ne l'allumerai pas, comme je n'écrirai pas une seule phrase : pas le goût, pas le besoin pour la première fois depuis des siècles, pas le goût, pas le besoin de coucher quoi que ce soit sur le papier ! – survivre à l'africassée, à la jument de la nuit montée à l'aveugle par judith et par abé abebé ! – peut-être suis-je encore trop habité par les odeurs de calixthe béyala et qu'à cause d'elles je ne ressemble plus guère à l'homme vieillissant que j'étais hier : penser autrement, voir autrement, agir autrement bien que j'ignore ce que ça peut signifier que de penser, voir et agir autrement que je l'ai toujours fait, au mitan du labyrinthe du langage, m'y trouvant tout à la fois dédale, icare et le minotaure forcené qui mugit et meugle sans même s'en faire ! – car mugir et meugler sans arrêt, voilà le destin du minotaure forcené ! – pourquoi tant de hargne ? – le michaux aurait-il raison d'écrire : dans le chant de ma colère il y a un œuf, et dans cet œuf il y a ma mère, mon père et mes enfants, et dans ce tout il y a joie et tristesse mêlées, et vie – grosses tempêtes qui m'avez secouru, beau soleil qui m'a contrecarré, il y a la haine en moi, forte et de date ancienne, et pour la beauté on verra plus tard ! – je ne suis devenu dur que par lamelles : si l'on savait comme je suis resté moelleux au fond ! – je suis gong et ouate et chant neigeux, je le dis et j'en suis sûr ! –

tourne la tête vers le garde-guenilles ! me dit l'esprit frappeur de la Table de pommier – comme si j'avais besoin de regarder quand, sous la porte, se glissent les odeurs qu'ont les vieux papiers, comme un ramassis de framboises en train de moisir ! – ouvre la porte du garde-guenilles ! me dit encore l'esprit frappeur de la Table de pommier : flaubert et nietzsche se languissent de toi ! – pas question que je le fasse, ce n'est pas le bon moment pour que flaubert transforme ma meson en gueuloir, ce n'est pas le bon moment pour que nietzsche, attaché de force sur sa chaise drette, sorte de son hébétude et se mette à crier : nions, nous devons nier, puisque quelque chose en nous veut vivre et s'affirmer, quelque chose que peut-être nous ignorons, que nous ne voyons pas encore ! –

laissant le fauteuil roulant, je mets sur la Table de pommier une lampe à l'huile allumée : l'esprit frappeur ne se manifeste jamais quand se trouve une langue de feu au-dessus de lui : il prend son trou et il y reste tant et aussi longtemps que brûle la mèche ! – mon moi-même veut simplement dormir, sans que le rêve, surtout l'inoffensif, le harcèle ! – mon esprit s'y éjarrerait, s'y écartillerait, mon corps s'y démembrerait, privé de toute relativité, restreinte ou générale : avec gravité ça aurait la forme de l'espace-temps, si courbée, si recourbée, si courbaturée ! – même le minotaure en perdrait la face comme dans cette histoire de prévert : le taureau ne dit rien, il est debout sur ses pattes de derrière, une de ses pattes de devant frappant le dessus du gros poêle à bois – la nuit passée, il a rêvé de bagages et de rôti de veau et d'une vache belle comme le jour ! –

je prends place sur le matelas devant le gros poêle à bois, une bûche d'érable embraisée dedans – les chiens m'ont rejoint, s'assoient, l'un à ma gauche et l'autre à ma droite, leurs têtes tournées vers la porte – deux cerbères tout blancs qui vont veiller sur mon sommeil ! – comme dirait l'éluard en son détournement : je ne veux plus avoir une ombre, je ne veux plus avoir un corps : ils ne sont ni le jour ni la nuit, encore moins les mains du cosmos ! –

ANGÉLISME

j'aurais dû ! – avant de m'allonger sur le matelas devant le gros poêle à bois, j'aurais donc dû vérifier l'état de la lampe à l'huile : ainsi aurais-je vu qu'elle avait la mèche courte et que sa langue de feu ne pourrait pas durer jusqu'aux matines ! – c'est pareil pour la bûche d'érable que j'ai mise dans la cuvette du poêle : elle s'est embrasée de l'intérieur, les fourmis charpentières lui ayant vidé l'encœurité de toute sève et cannibalisé tout son bois, le dévorant anneau après anneau ! – résultat : l'esprit frappeur de la Table de pommier s'est libéré, ça a fait bing, bing, bing, bang en mes neurones et synapses de tête, et la révision de l'ange je l'ai eue de suite au travers des yeux, forçant calixthe béyala à prendre possession de mon corps ! – l'a emporté, transporté, déporté là où c'est que le sommeil se peuple de mots pareils à de toutes petites lucioles de feu ! –

regarde-moi ! dit l'angélique calixthe Béyala – regarde où c'est que j'en suis maintenant à cause de ton égoïsme ! – regarde ! – juste le fait de mettre mes pieds sur le sol herbu me demande un effort infini ! – me rendre à la librairie pour y travailler comme avant n'est plus un plaisir ! – préparer le prochain festival de théâtre nègre de l'africassée exige trop de mon corps outragé, et l'énergie s'y manque, et la passion s'y manque aussi ! – regarde ! – même mes enfants, je m'occupe mal maintenant de leur abandon ! – défaite, toute de fragments épars, sans capacité pour les lier les uns aux autres ! – éperdue, me vois, me vis ainsi ! – manquée, manquante, comme ces vaches dans la vallée de l'omo dont on saigne trop souvent la veine jugulaire parce qu'il y a sécheresse, qu'on a soif, si soif ! – m'écoute ! – coûte que coûte, m'écoute ! – ce jour-là, où c'est que tu es revenu d'éthiopie, tu te tenais allongé sur cette civière, gansé, garrotté, délirant, tonitruant ! – à l'hôpital, on a été forcé de te ficeler sur ton lit : tu voulais tout le temps te lever pour aller te frapper la tête sur un mur, ou te jeter dans ton vide en fonçant tout droit vers la fenêtre ouverte ! – tu disais qu'on t'avait tailladé la main gauche afin d'y loger, en ta chair ouverte, un coffret en bois de santal! – dedans, tu prétendais qu'il y avait deux grands yeux violets! – j'ai regardé tes bagages: rien! – tu souffrais, si près de la mort c'était! – j'ai mis ma main sur la tienne, comme cette nuit-là en ta chambre d'hôtel de libreville! – acte de complicité, exquis! – acte d'émotion, tout doucereux! – comme ça arrive aux bêtes quand, après avoir brouté ensemble tout leur content de fourrage, elles se couchent l'une contre l'autre et, de leurs langues, se lèchent museau, plaque frontale et entre-cornes! – ces bêtes très bonnes, très belles, qui font la joie et la santé! – ah! – ne ralentis pas leurs flammes, hurlais-tu, si délirant! –

tu n'as pas voulu de ma main, tu as failli la broyer dans la tienne! – tu criais aussi: lâche-moi! – relâche-moi! – je ne veux personne à mes côtés! – j'ai besoin de personne pour flairer mon corps! – pas de mère reptilienne! – pas de femmes reptiliennes! – loin! – le plus loin possible de moi! – va-t-en! – va ailleurs, en marais boueux, en marais bouseux, dévorer un autre corps! –

et moi me forçant quand même à rester dans le corridor de l'hôpital, assise, malassise sur cette chaise, à attendre! – à attendre que tu sortes du cauchemar! – anéantie! – quelque part en moi, le monde s'était effondré: minces lamelles de bois de santal perçant mes viscères, me blessurant, me donnant la nausée! – mon sang! – mon sang coulant, s'écoulant tout partout en mon corps! – devenue cette vache en vallée de l'omo, saignée trop de fois, tairante, tarie, terreuse! – siphonnant les moments de beauté vécus avec toi! – cette beauté qui me manquait depuis si longtemps, depuis que le soleil du cameroun m'avait brûlée, depuis que la guerre d'éthiopie avait aussi brûlé l'homme que j'aimais! – là, l'ici n'est plus bon à rien ! – je suis ectoplasme ! – désâmée ! – zigzaguante au ras de la terre ! – passant au travers des choses sans que la matière dont elles sont faites ne l'arrête ! – passant au travers de ses enfants sans que la matière dont ils sont faits ne l'arrête ! – pas de pensée possible ! – pas de pensée possible quand le soleil te brûle autant ! – de la peau carbonisée collée sur les os ! – de la vie trahie ! – je voudrais tant que se résorbent dans mon corps tous ces éclats de bois de santal ! – que ça cesse de saigner ! – que ça cesse de tout rendre malpropre ! – épuisée, comme on les voit, comme on les voit, les désemparements ! –

quand le médecin m'a assurée que l'opium t'avait enfin accalmi, je me suis retrouvée à ton chevet ! – les membres du côté gauche de ton corps tressaillaient, cette épaule et ce biceps nécrosés, ces maigres muscles, si désarmés ! – me retenir ! – ne pas m'allonger sur toi ! – cette envie qui me poussait vers ton corps, impossible de la combattre ! – j'ai mis mes lèvres au ras de ton épaule découverte, au ras de ton biceps nu ! – ta main a empoigné ma chevelure, et c'était la main de la fureur, celle qui scalpe quand les infirmiers n'ont pas le temps d'intervenir ! – tu criais : allez-vous-z'en, mère, femme, fille reptiliennes, sortez de mon corps, sortez de ma vie, esti ! – je vous hais, depuis le commencement du monde je vous hais si tant, esti ! –

j'ai cru pouvoir retrouver refuge et petites bouffées de paix ultime auprès de mes enfants, surtout werewere ! – et moi qui l'appelais abel depuis cette nuit-là passée en ta chambre d'hôtel ! – je n'aurais pas dû ! – je n'aurais pas dû non plus chercher réconfort auprès de lui ! – si sensible est werewere ! – si forte en lui l'idée de la trahison ! – sait par instinct la débusquer, même quand ça se terre et se tait au plus profond de l'autre ! – il aurait fallu que je parle, il aurait fallu que je raconte tout à werewere ! – mais les mots ne me venaient pas, ou quand ils me venaient, se montraient trop sous forme trop molle pour que ça puisse se dire ! – réaction de mon fils : le mal s'est remis en ses nerfs, ses muscles et son sang ! – cette fièvre, comme si la poliomyélite le frappait une deuxième fois ! – je ne pouvais pas le conduire à l'hôpital de libreville ! – ça aurait été pire que de l'enterrer vivant au cœur d'un mausolée en train de s'effondrer ! – pour qu'il puisse guérir, je devais d'abord guérir moi-même ! – guérir de cette nuit passée en ta chambre d'hôtel ! – mais tant d'aspérités, de brutales coupures, d'enfoncements, de défoncements, mon corps devenu cette matière déformée, difforme, si distendue ! – j'étais ainsi ! – comment m'en sauver ? – comment en sauver werewere ? – c'est le soleil qui m'a brûlée, le soleil de la trahison d'amérique, si noir, si noir, si totalement noir ! – je ne veux pas que meure werewere ! – je ne veux pas mourir non plus ! – mutilée, scarifiée, excisée ! – juste renifler comme avant les odeurs de fruits s'effluvant de mon corps ! – mon corps, ce simple plaisir d'en avoir un qui ne soit pas un amas de fragments hostiles ! – tu ne m'entends pas, abel ! – tu ne m'écoutes pas, abel ! – peut-être n'existes-tu pas vraiment, abel ! – mon invention gabonaise, ma folie gabonaise, mon utopique folie gabonaise : rien que le désir d'un tout petit peu de joie ! –

ne regarde plus ! – ne me regarde plus ! – dors ! – et rêve autrement, rêve qu'en toi-même le soleil ne peut pas te brûler autant ! –

LOTUS

j'ouvre les yeux, je m'assois à l'indienne sur le matelas devant le gros poêle à bois, j'enserre la tête de mes chiens en mes dessous de bras ! – des pommes pourrissent sur le comptoir de la cuisine, doucereuses, amèreuses ces odeurs de fruits en train de blettir ! – je bâille, je m'étire, je tends les muscles : pas de courbatures ! – j'ai dû dormir si profond que même ma mémoire s'est noyée en trou noir ! – je tourne la tête vers la Table de pommier : le bout de la mèche est tombé dans l'huile de la lampe, comme un bout d'aile dorée de papillon c'est – le soleil en son lever ! – ne pas filer jarnilaine, profiter de la réalité quiète, paresser, être celui que décrivait le michaux : sur une haute étrave, fendant une mer sans flot, un être debout penché vers l'avant ! – pas de porte ! – ports inconnus ! –

POULAILLERIE

les oies jacassent joyeusement au mitan de leur enclos : elles ont hâte que j'aille les soigner – de la tendresse dans leurs mots, déjà ! – redresse-toi donc, enfile le corset aux innombrables baleines, harnache la prothèse à ta jambe, ganse l'attelage à ton épaule et à ton bras, fais quelques pas pour que se désengourdisse le cuir, puis va vers la porte, puis sors, les chiens derrière toi – cette première gelée blanche – dans les mares, mince couche de glace qui craque et cède sous le pied – beauté baroque des entre-saisons, pureté et innocence dans ce qui n'est pas tout à fait achevé et n'est pas tout à fait commencé ! – sous l'allée des grands érables dont les branches chatoyantes font charmille, le pick-up du viking tourne au ralenti : la charrette des morts de la nuit, toute bosselée, toute enrouillée, toute boueuse, toute bouseuse ! – je prends à peine le temps de saluer les oies, puis j'entre dans l'étable : placides sont les animals en train de manger, déjà soignés, déjà nettoyés ! – la petite porte du poulailler est ouverte et seul le coq s'y trouve, monté haut sur ses ergots pour mieux chanter – je traverse la remise à fumier : le viking, appuyé au mur de l'enclos, tient une poule dans ses bras, la caresse sous ses plumes – et pleure, le viking, morue échouée, en grave et grève ! –

– Hier, je t'ai dit que je te téléphonerais d'ici trois jours, je dis. Trois jours, c'est ni une nuit ni un matin, même maigue !

– La poule.

– Quoi donc, la poule ?

– Je veux l'emmener, avec un peu de grain et de fleurs de trèfle. Elle m'aime. Moi aussi, je l'aime, la poule.

– Elle reste ici-dedans le poulailler. Et toi, tu t'en vas vers ton vieux pick-up, tu y montes et tu fends l'air avec, esti !

se penche, met la poule par terre, sort de l'enclos – un enfant que son popa a battu et rabattu ! – un innocent aux mains vides, qui simule un vieux chagrin parce qu'il veut que je le reprenne en pitié ! – la pitié ! – se chauffe du même mauvais bois que la piété ! – je t'en prie, seigneur ! – je t'en supplie, seigneur ! – je t'en conjure, seigneur ! – que je les aguis ces sentiments-là, esti que je les aguis donc ! – et ces gros nuages qui cachent maintenant le soleil ! – il m'en faudrait beaucoup pour descendre l'allée jusqu'au pacage qu'il y a le long de la voie ferrée, mes animals me suivant par derrière – un rien me fatigue, surtout quand il est du bord de la contrariété : presque plus d'adrénaline parce que j'ai chanté bêtises au viking en démanche ! – l'opium manque dans mon corps ! – rentrer à la meson avant que ne me pogne la panique, avant que mon esprit ne fasse venir ce déluge de neige, ce vent à écorner les bœufs, cette poudrerie forcenée dans laquelle je m'égarerais, décrivant ces cercles de plus en plus petits avant de devenir statue de glace jusqu'au grand dégel ! – vite ! – vers la meson ! – vite ! – vers l'opium ! – vite, mes chiens, vitement, vitement ! –

ÉTALON

ouf ! – enfin arrivé à la meson, me tenant à la Table de pommier pour que mon respir ne joue plus aux grandes orgues de l'église notre dame de la neige ! – m'assois ensuite dans le fauteuil roulant, bourre la pipe d'opium et me mets à fumer : l'un après l'autre s'effacent les cercles de neige et se ré-encornent les bœufs et se calme la poudrerie forcenée ! – je crie : je suis vivant, je suis toujours vivant ! – nietzsche faisait pareil quand, après une nuit d'insomnie et de mal de tête qui annihilaient tout son vouloir, il se jetait à corps éperdu sous les grands arbres bordant la mer de venise et que le chant des oiseaux, et que le chant des vagues, et que le chant des feuilles analgésiaient sa douleur : je suis vivant ! – je suis toujours vivant ! –

à la porte, des coups sont frappés – je ne réponds pas et fais signal à mes chiens pour qu'ils ne jappent pas – je ne veux voir personne ! – je désire simplement profiter des bienfaits que l'opium, par petites grappes fruiteuses, distribue dans mon corps – ce doux égoïsme, si calmant ! – ce doux égoïsme, si nécessaire pour que s'ouvre vraiment le champ de la conscience ! –

cessent les coups à la porte – victoire sur l'intrus, triomphe du soleil d'opium ! – me laisser haler vers lui : c'est au beau milieu du feu que s'élargit le champ de la conscience, que s'embrasent les idées neuves : d'autres images et d'autres mers ! disait le michaux – et d'autres arrivages et d'autres départs ! – au loin, au loin, dans des étendues sans fin ! – par la conscience immense qui loin, au-delà même du plus loin, énorme à jamais, parvenir enfin à une vue satisfaisante de l'univers ! – en perçant le mystère des infiniment petits ! – ma conscience, inconnue, la rue de la transcendance, en tous sens, sans obstacle en un temps et un espace désobstrués ! – pour quelle fin ? – plus de silence, disait encore le michaux, beaucoup, beaucoup, beaucoup plus de grand silence ! –

– Salut ! Jim dit.

je ne l'ai pas vu venir, celui-là ! – et mes chiens non plus, qui sont sortis par derrière, sans doute pour aller courir le siffleux, le raton lavé, le porte-pics, le renard d'eau, la belette blette, là, là-bas, aux confins du sous-bois ombrageux ! –

jim s'immobilise au ras du seuil de la porte – même si je ne l'ai pas vu depuis quarante et quarante ans, je le reconnais sans avoir à me triturer la remembrance : les fifs s'occupent tellement de leurs corps qu'ils mettent du temps à changer, et quand ça arrive, ils s'adonnent comme les vieilles femmes à la chirurgie pour que narcisse ne tombe pas en pièces éparses sous les miroitements de l'eau ! –

– Je peux me déprendre de la porte, je peux m'asseoir ? Jim dit.

il a déposé sur la Table de pommier la serviette de cuir qu'il tenait sous son bras, s'approche, et répète :

– Je peux t'y m'asseoir, oui ou non ?

– Reste debout. Me semble me souvenir que quand nous étions jeunes, nous n'avions pas grand-chose à nous dire. Je ne vois vraiment pas pourquoi ça serait différent ce jourd'hui !

– Ce n'est pas pour te parler de moi si je suis là.

– En quoi ça devrait me changer par-devers mon point de vue ?

il s'est assis sur la chaise aux lanières de babiche, me regarde fumer :

– Si j'ai fait toute cette route, c'est d'abord à cause de ma mère, il dit. C'est elle qui m'a demandé de venir. Tu pourrais au moins me demander comment elle va.

– C'est bâti pour vivre cent ans. Je ne vois pas pourquoi je m'inquiéterais de sa santé.

– Elle t'a toujours aimé, peut-être plus que Judith et moi ensemble. Tu ne serais pas devenu écrivain si elle ne t'avait pas porté secours quand t'en avais de besoin.

– C'est arrivé parce que Judith la désespérait et parce que tu la désespérais aussi. Vous n'étiez pas de bons enfants pour elle, Judith mal présentable et toi jamais présent. Si je vous ai remplacé auprès d'elle, j'y suis pour rien.

– Tu aurais quand même pu lui donner des nouvelles quand t'as quitté pour de bon la rue Drapeau !

– Chaque fois que je faisais paraître un livre, je le lui envoyais. Ce sont là les seules nouvelles de moi que je pouvais lui donner.

– Elle voudrait te revoir.

– N'ai plus rien de ce vouloir-là. Je suis désormais ici-dedans pour y rester jusqu'à ma fin. Mon mausolée, ma pyramide égyptienne, ma grotte de Lascaux. Tu comprends ?

– Non. Si ma mère veut tant te revoir, c'est pas seulement pour elle.

– Pour Judith, bien sûr. Ça je m'en doute en esti ! J'ai vu la folie de si près avec Judith que m'y frotter encore, ça serait de l'hystérie !

– T'as peur pour rien : Judith est morte.

– Elle l'était déjà quand elle m'a abandonné pour te courir après aux États-Unis. Je ne pouvais rien pour elle. C'est juste plus évident aujourd'hui.

– Elle t'aimait pourtant.

– C'est toi qu'elle aimait. Quand ça fuyait de partout en son corps, tu étais la seule chance qu'elle avait de guérir des blessures qu'elle s'infligeait elle-même. Le théâtre de la cruauté, de la mutilation et de la décimation, moi ça ne m'a jamais pâmé. Tu veux savoir pourquoi ? Moi, je n'ai jamais voulu régner par l'effroi, la convulsion, l'apocalypse. La hargne, oui, mais pas la haine, pas la cloche fêlée ni le crâne noirci !

mes chiens sont revenus, le plus grand des deux tenant un jeune siffleux entre ses crocs – vivant ! – il le laisse fuir pour que l'autre chien puisse s'amuser avec : d'un coup brusque de la tête, l'envoie fendre l'air ! – quand le jeune siffleux retombe sur ses pattes, il voudrait bien déguerpir, mais il se frappe la tête sur un mur, une patte de chaise, l'encoignure du comptoir de cuisine, pas d'issue : les crocs du grand ou du petit chien enserrent son col pour que le jeu continue – cette célébration de la vie ludique en finale gorgée de sang ! –

– Je suis l'exécuteur testamentaire de Judith, Jim dit.

– Ça ne me concerne ni me consterne. Tes affaires, pas les miennes, esti !

– Je dois tout de même voir à ce que soient respectées les dernières volontés de Judith.

– Ses dernières volontés ? Je n'en ai rien à découdre avec !

– Tu devrais pourtant. Ses yeux...

– Pas ses yeux, surtout pas ses yeux, esti !

– C'est parce qu'elle t'aimait que Judith s'en est défait.

– J'en sais rien, t'en sais rien, et Judith le savait encore moins !

il a mis la main sur la serviette de cuir, fait glisser la fermeture éclair –

je sais où il veut en venir, je hurle comme hurlait pierre bourgault quand, à la fin de ses discours, il vilipendait la putain ottawahienne, la putain ottawachienne :

– Pas de ça chez moi !

– Que tu le veuilles ou non, le coffret dont Judith t'a fait cadeau doit rester ici, à jamais devant toi.

il a sorti le coffret en bois de santal de la serviette et le tient sur la paume de sa main ouverte –

– Ma meson n'a pas besoin de ça, mes animals n'ont pas besoin de ça, et moi non plus ! Pourquoi je te l'aurais fait porter chez vous, sinon ?

– Dis ce que tu veux : ça ne change rien au fait que ça t'appartient pour toujours et que tu dois vivre avec.

jim a mis le coffret au mitan de la Table de pommier –

– Faut que ça reste là où je viens de le poser. Je passerai de temps en temps pour m'en rassurer. Autrement, je devrai me gouverner en conséquence.

– Ça signifie ?

– Qu'il se pourrait que je sois forcé de te tuer si tu profanes les dernières volontés de Judith.

– Je ne changerai pas d'idée là-dessus. Aussi bien que tu me tues de suite !

– Je vais te laisser la corde qu'il te faut avant. Tant que le coffret reste là où il est, sur la table, le reste, ce que tu penses ou ne penses pas, ce que tu dépenses ou ne dépenses pas, c'est pas mes oignons.

– Déguédine ! Avec le coffret, esti !

j'ai fermé le poing, allongé le bras et frappé le coffret pour en débarrasser la Table de pommier – mais jim l'a intercepté avant qu'il ne se retrouve par terre – il le remet sur la Table qu'il contourne pour mieux se rapprocher de moi, m'empoigne par le poitrail et dit :

– Tu laisses le coffret là où je l'ai mis. Je ne plaisante pas quand je te dis que je vais te tuer si tu contreviens aux fins dernières de Judith.

je siffle cet air hargneusement wagnérien pour que mes chiens délaissent le petit siffleux et se portent à mon secours – vont s'agripper chacun à une jambe de jim, mais sans le mordre comme je leur ai montré à le faire ! –

– Débarrasse ! Sinon, je ne retiens plus mes chiens, esti !

jim fait trois pas par derrière après avoir pris sa serviette de cuir, s'escamote au-delà de la porte, mes chiens l'accompagnant jusque sur la galerie, de leurs longs crocs blancs le menaçant – puis me reviennent et me lichent les mains – leur caresser la tête pour qu'ils comprennent qu'il n'y a plus de danger maintenant et qu'ils peuvent s'en aller vers le jeune siffleux figé près du garde-guenilles pour continuer de jouer avec – moi, je me force pour ne pas regarder le coffret : la tentation pourrait me venir de l'ouvrir, de regarder les grands yeux violets qui s'y trouvent et de ne plus pouvoir leur échapper ! – ça se jetterait sur moi, ça m'entrerait sous la peau, et mon corps serait pris dans l'engrenage, y passeraient dedans tous mes nerfs, muscles et sang – je deviendrais de la mauvaise viande hachée, en longs vers aux odeurs de boucherie en train de serpenter au ras le plancher ! – amas putrescent de mots, chacun ayant l'épaule, le bras et la jambe gauches emprisonnés par un attelage grouillant d'acariâtres nauséabonds ! –

fumer un peu d'opium en portant la tête vers l'arrière, regarder fixement la galaxie des petites étoiles que font les éclats du soleil au plafond – ne plus éprouver cette panique qui gouverne les nœuds malsains dans mes entrailles ! – m'imposer la quiétude ! – chantonner le prévert si doué pour la vie : survie verte – la grenade éclate pour la soif, la figue tombe pour la faim, la fleur de l'artichaut dans le ciel du matin jette sa clameur mauve et dédaignée seulement pour la couleur, seulement pour la beauté ! – quelques bouffées d'opium encore et je pourrai sans défaillir regarder le coffret parce que je saurai quoi en faire ! – cet appel à l'ami menuisier : viens vite ! – j'ai besoin de toi ! – il sera ici-dedans la meson presque aussitôt, et je lui dirai ce qu'il faut faire du coffret, puis j'ajouterai :

– Faut que ça soit prêt cet après-midi.

– Ça le sera.

il prend de sa grosse main le coffret en bois de santal et s'en va – moi, je reste là, assis à la Table de pommier, tirant sur le tuyau de la pipe d'opium, regardant les chiens qui se sont lassés de jouer avec le jeune siffleux, l'ont mis à mort et le dévorent – ces os qui craquent sous les fortes mâchoires, giclées de sang qu'ils lichent : rien d'autre que ce qu'il y a d'inchangeable dans la vie – de variables fragments, ce trop-plein dont le cosmos se déjette, en ce hasard qui n'est toujours qu'une genèse, puisque le monde ne peut pas devenir accomplissement : rien d'autre qu'une mobilité extrême, même quand ça paraît immobile, rien d'autre que ce qui percute et est percuté en centaines de milliards de combinaisons possibles, en centaines de milliards de décombinaisons possibles ! – infimes ! – infinies ! – bouquet du ciel sans nuages dans un vase de tulipes noires, car on n'en finit pas d'apprendre, a écrit l'éluard : le ciel ferme la fenêtre et le soleil cache le plafond ! –

4

De l'apparition des quarks

PANIQUE

je somnole, les deux pieds sur la bavette du poêle à bois – je suis comme mon père quand il rentrait à la meson après toute une journée à épandre à la pelle le gravier avec lequel on radoubait jadis les chemins de campagne : mon père s'assoyait dans la berçante, manqué raide, ahanant, allumait une cigarette, se frappait du poing l'estomac, malheureux de trimer aussi dur sans gagner suffisamment pour nourrir sa nombreuse famille ! – ne voulait pas y penser, n'aimait pas entrer en jonglerie, parce qu'il n'y trouvait que de la honte et de la culpabilité – aussi s'endormait-il dès sa cigarette grillée, la tête par devant pour qu'on ne voie pas la peine qu'il avait ! – ce visage ridé et poussiéreux, déjà vieillissant, déjà ruiné ! – à quoi jonglait-il une fois pris en ensommeillement ? – à quoi rêvait-il une fois désarrimé de son corps ? – au temps de sa folle jeunesse, quand le roger bontemps en lui aimait courir le billet doux, si beau était-il, si félin, si amadoueur de jeunes filles quand il laissait la musique de son harmonica, de son violon ou de son accordéon les lui ravir, quand il leur chantait la pomme et buvait avec elles, corps contre corps dans un sous-bois en douce pénombre ? – peut-être les paroles de prévert, les inventait-il avant même que prévert n'ait, pour la première fois, vu le jour ? – me souviens de celles-ci parce qu'elles sortaient sans demande du fond de son ensommeillement, mon moi-même monté sur ses genoux, mon moi-même blotti à sa poitrine déjà usée :

le verre blanc porte bonheur
quand il est rempli de vin rouge
et quand il redevient tout blanc
dans tout un univers bouge
oh temps joli compère
compère de mauvais temps
oh joli temps qu'on perd
et qu'on gagne en même temps
voilà bien de tes tours
on arrive d'où
on ne sait pas
et l'on s'en va de-ci de-là
dans l'eau d'ici
dans l'au-delà de qui
l'au-delà de quoi
et si l'on tombe au fond d'un puits
la faute à quoi
la faute à qui
et puis au fond du puits
la buée haletante du mensonge
ne ternit pas la lumière du jour
sur le miroir de la nuit
et la beauté toujours berce
et réveille en plein soleil
la vérité souvent endormie
et lui chante en couleurs
les échos de la vie !

si je me sens pareil à mon père malgré l'opium que j'ai fumé, c'est que j'ai passé tout l'avant-midi dehors, d'abord dans mes jardins, à tailler les rosiers pour que l'hiver ne les prenne pas par surprise : quand les tiges sont trop longues, ça gèle sous la soufflerie des grands vents venant de la mer océane, puis le verglas casse les tiges et c'est difficile par après de leur redonner la force qu'elles avaient – ma main gauche n'a pas tenu le sécateur très longtemps même si j'avais gansé comme il faut l'attelage de mon épaule et de mon bras : ai dû après le taillage de peut-être cinq rosiers utiliser ma main droite – si malhabile que ça m'a fâché noir et que j'ai lancé le sécateur vers le sous-bois ! – j'ai juré, blasphémé, sacré à m'en décrocher les cordes vocales : estie, estie toastée des deux bords ! – mes chiens malgré tout compatissants ! – se sont frottés à mes jambes, le plus grand a mis ses grosses pattes sur ma poitrine pour mieux attenter de sa langue à mes joues ! – prends ça comme ça vient, que ça disait, respire par le nez, tu t'occuperas des rosiers un autre jour, allons plutôt vers le pacage le long de la voie ferrée : il y aura devant la vaste étendue de la mer, le miroitement du soleil dessus et ça te réchauffera, et tu ne céderas pas à la panique ! – comme ton père vanné, en sa vérité endormie, le plein soleil intérieur te chantera en couleurs les échos de la vie ! –

ai donc descendu la pente raide qui mène au pacage – dès que je m'y suis enclos, me suis assis sur le banc – épuisé, à bout, poumons flapis, bouche sèche, langue épaisse ! – moi qui pouvais travailler dix heures d'affilée sans qu'une seule courbature ne m'atteigne en mes nerfs, mes muscles, mon sang ! – là c'est tout tressautant, mon corps emporté par la danse du saint guy, un bras s'allongeant brusquement sans que je le lui demande, une jambe se détendant en coup de pied hystérique dans le vide ! –

ne peux même pas caresser, dodicher, féliciter les animals qui ont cessé de brouter et galopent tout joyeux pour me rendre visite ! – humilié jusqu'à l'os, honteux jusqu'à l'os ! – et ce train qui passe sur la voie ferrée ! – je me joins à mes chiens et je hurle, enragé ! – ça ne me calmera pas, mon vouloir n'est plus dans son assiette, mon corps est comme un paquet de quarks qui ne savent plus comment se composter ! – panique en bordure d'œil, cet énorme coup de vent ameutant les vagues de la mer océane, les faisant monter en force de tsunami jusqu'à moi – me noyer dedans ! – cette peur incontrôlable qui me poigne, je dois la fuir, de suite ! – esti ! – vite ! – sors du pacage, cours vers la meson ! – estie de pente raide qui m'oblige à souffler comme une baleine faisant surface après être restée trop longtemps au fond de l'eau ! – je tombe par terre, je râle, je défaille, je me déboussole, je perds le nord, je meurs et je ne vois que ça, des oiseaux morts partout, des animals morts partout, des branches d'arbre mortes partout ! – et cette eau qui approche, par vagues hautes comme ma meson ! – fuir ! – à quatre pattes comme un reptile, mon corps déformé tout en zigzags ! – enfin, les marches de l'escalier, et la galerie, et la porte qui s'ouvre, et mon corps soulevé par le tsunami, projeté violemment vers la Table de pommier ! – esti que ma panique m'a échappé belle ! –

DÉRAISON

je baisse les stores, je m'assois dans le fauteuil roulant, j'allume la pipe d'opium, je tire dessus le long tuyau, je tire et tire pour que la danse du saint guy lâche mon corps, pour que les quarks qui voyagent dedans relâchent prise – fais rouler le fauteuil jusqu'au gros poêle à bois, mets mes jambes mortes sur la bavette, pense à nietzsche, à son vouloir inatteignable malgré les maladies qui rendaient son corps souffrant et inserviable – cet ardent besoin que j'ai de psalmodier quelques lignes de lui, cet incandescent besoin de reprendre courage, de reprendre vie ! – vite, mémoire ! – quelques mots, n'importe quoi écrit n'importe quand ! – laisse venir ! – laisse devenir ! – à présent, quelque chose t'apparaît comme une erreur que tu aimais autrefois comme une vérité ou du moins comme une probabilité : tu la rejettes donc loin de toi et tu t'imagines que ta raison a ainsi remporté une victoire ! – mais peut-être cette erreur, autrefois, alors que tu étais encore un autre – tu es toujours un autre – te fut-elle aussi nécessaire que toutes tes réalités actuelles, pour ainsi dire comme une peau qui dissimulait et enveloppait beaucoup de ce que tu n'avais pas le droit de voir encore ! – c'est ta nouvelle vie, non pas ta raison, qui a tué pour ton compte cette ancienne opinion ! – et désormais elle s'effondre et la déraison en sort comme de la vermine ! –

me berce lentement, faisant aller mon corps par devant, puis le forçant à se redresser, comme le font les prêtres enjuivés, et les ulémas musulmaniaques quand ils succombent à la tension de la prière – psalmodiant les mots de nietzsche, tout rauques ça sort de ma bouche à cause des polypes nouant mes cordes vocales – mais quel bien ça fait en l'esprit et le corps, ces rats, ces mulots, ces crapottes et ces vers de terre à saveur de quarks malodorants qui me pissaient des oreilles, des yeux, du sexuel et du trou du cul pour tomber sur le plancher et disparaître dans les anfractuosités qu'il y a entre les madriers ! –

il ne faut jamais prendre le rien pour l'acquis, surtout quand on a affaire à une Table de pommier comme la mienne, corps rude, jambes solides, mollets que les joueurs de football sauteraient dessus pour les lui voler ! – j'aurais dû y penser avant de baisser les stores parce que je voulais empêcher la lumière de m'astreindre : je ne resterai pas assoupi long parce que le soleil, même du bout de son nez de lumière, m'effleure le corps – vais me réveiller ! – vais vouloir agir de suite ! – à l'envers de la Table de pommier qui a besoin que l'obscurité fasse meson noire pour que l'esprit frappeur s'y manifeste – elle a besoin aussi que mon corps alourdi par le sommeil ne lui oppose pas de résistance, pôle négatif et pôle positif circulant en moi sans référence ni interférence ! – aucune défense, aucune palissade de pieux enfoncés creux en mes alentours, aucun mur de briques, aucun juif enserrant le rêve palestinien, aucune muraille de chine pour que les mongols ne déciment les corrupteurs de l'empire du soleil ! – que mon corps cognant ses clous anglais, ouvert autant que l'étaient les moulins à vent du filiforme chevalier moutonneux d'espagne ! –

bing ! – une jambe de la Table de pommier heurte le plancher, puis une deuxième, puis une autre encore – quand l'esprit frappeur a trouvé son rythme, l'espace-temps se détend autant qu'un arc zen qu'on bande : photons et particules, bosons et quarks y circulent plus vite que la lumière – je n'aurais pas le temps, s'il était ouvert, de cligner de l'œil que j'écrirais, décrirais ces tas de cercles de plus en plus petits au-dessus de paris ! – paris ! – voyons donc, esti ! – j'y ai habité, m'y suis habitué, mais n'en ai jamais rêvé, et la Table de pommier non plus ! –

pourquoi donc cet hôpital ? – pourquoi celui-là, inconnu, et pas celui où on m'attachait, me rattachait, m'entachait sur ce lit à mon retour d'éthiopie ? – cette chambre où c'est que m'emmène l'esprit frappeur, c'est celle en laquelle, à paris, calixthe béyala a fait transporter werewere – corps fiévreux, emperlé par la sueur frette, lèvres entrouvertes et gercées comme si ça avait dû affronter en septentrion toute la rigueur de l'hiver de force ! –

– Pourquoi Werewere se trouve-t-il ainsi à Paris, en ce pavillon d'hôpital pour corps contagieux ? je dis.

– Tu joues à l'innocent, l'esprit frappeur dit. Calixthe Béyala n'a pas eu à ouvrir la bouche pour que Werewere comprenne pourquoi elle était aussi salopée après ton départ de Libreville. Dès sa naissance, Werewere n'a appris que la trahison, n'a appris qu'à la débusquer, même quand elle se tait, se terre au plus profond de l'Autre.

– L'Autre ? Quel est cet hôte dont tu déparles ?

– Tu joues encore à l'innocent ! Tu fais semblant d'ignorer que, dès qu'il t'a vu, Werewere s'est identifié à toi, père et frère, comme ceux qu'il aurait pu avoir si la polio ne l'avait pas chassé de sa famille. Quand tu as trahi et salopé Calixthe Béyala, comment voulais-tu qu'il réagisse ? En faisant appel à la maladie, à la polio qui s'est remise dans ses nerfs, ses muscles, son sang ! Seul acte faisable pour sauver sa mère.

– Pourquoi à Paris ? Pourquoi pas à Libreville ?

– Tes mots ! À cause de tes mots ! Tu en as tellement bêtisé par-devers Calixthe Béyala dans cet hôpital de Libreville qu'elle ne pouvait plus en passer le seuil : aucune guérison possible au-delà, là-dedans. Ni pour Calixthe Béyala, ni pour Werewere. Tes mots cochonnés ont souillé les murs, ont ameuté les microbes, ont ameuté les virus, ont ameuté les quarks-bactéries, ont déformé, informé l'architecture.

Comme quand on regarde de trop près une carte géographique : contours irréguliers, défigurés, plus de lignes, ni droites ni courbes, juste des aspérités, des coupures brutales, des enfoncements, des défoncements ! Une matière difforme mais extrêmement agissante, des centaines de milliards de quarks-bactéries prenant place sur une seule et simple tête d'épingle ! Voilà pour Paris !

elle cesse de lever les jambes, la Table de pommier – et cesse de dire l'esprit frappeur – ne m'en plaindrai sûrement pas ! – une pipée d'opium pour que les quarks-bactéries soient avalés par le trou noir de ma mémoire ! – vite ! – ça presse, esti ! –

CHEVALS

effet de l'opium : ça rend aisée l'oubliance, suffit que me fasse signe le rabelais – quelques phrases de jadis, apprises par cœur quand on me tenait alité sur ce panneau de bois de l'hôpital pasteur – de la musique à ruiner babines, à druider rabin ! – répète après moi, disait l'ergothérapeute à face de coq très haut crêtée : afin que toute sa vie feust bon chevaulcheur, on luy feiste un beau grand cheval de boys, lequel il faisoit penader, saulter, voltiger, ruer et dancer tout ensemble, aller le pas, le trot, l'entrepas, le gualot, les ambles, le hobin, le traquenard, le camelin et l'onagrier, et luy faisoit changer de poil comme font les moines de courtibaux selon les festes, de bailbrun, d'alezan, de gris pommellé, de poil de rat, de cerf, de rouen, de vache, de zencle, de pecile, de pye, de leuce ! – répète après moi, disait la thérapeute montée sur ses ergots tandis que mes jambes paralysées lui servaient de trempoline ! – à force de rabelaiser ainsi, plus de mal en mes nerfs, muscles et sang, plus de peur en ma matière grise, plus de quarks-bactéries se glissant derrière mes paupières paupiettes ! – sifflaient les brins d'herbe, se laissaient cueillir l'élan de la graine, l'élan de l'arbre muet qui tient tête à la terre ! –

paix, saine et sainte paix ! – pour m'ensommeiller dedans, et long, très long dedans ! –

LICHEMENTS

j'ouvre l'œil : la nuit est pleine comme un œuf, à peine voit-on quelques particules de lumière traverser la ténèbre – je devrais remettre de l'huile dans la lampe, y enfiler une nouvelle mèche pour que le feu couleure plafond, murs et plancher, pour que le feu force la Table de pommier à rester en son quant-à-soi – ne veux pas que bronchent ses jambes, ne voudrais pas que l'esprit frappeur retontisse, rebondisse, redondisse ! – hélas ! – ça s'est pensé trop tard : bing, bing, bing ! font les jambes de la Table de pommier ! – bebing, bebing, bebing ! fait l'esprit frappeur – et pour me faire voir quoi donc ? –

cet hôpital de paris, cette chambre que werewere est couché dedans, calixthe béyala à son chevet, lui disant :

– Souviens-toi, Werewere. Je t'ai sauvé de l'abandon, je t'ai appris à lire et à écrire, je t'ai fait comprendre que la maladie n'est pas toujours un handicap : la maladie quand on l'assume ne vous entraîne pas vers le bas, mais vers le haut. Qu'il vienne, qu'il vienne le temps dont on s'éprenne :

tu vas bien
si je vais bien moi-même
mais mal si tu sais
que je souffre
comme les animals
agissent parfois
alités et fiévreux
alités et vomissants
ils ont besoin
que viennent, surviennent
d'autres animals
juste compatissants
se couchent de contre toi
ne bougent
te regardent, placides
de leurs œils amoureux
te lichent parfois
le col et le visage
te donnent, te donnent
petits coups de tête
te forcent à regarder
ce que tu ne voyais plus
de ta fenêtre :
au ciel ces plages sans fin
couvertes de blanches nations
en joie, simplement en joie
t'y attend, fébrile
un grand vaisseau d'or
ses pavillons couleurés
sous la brise du matin
va, va, va vite
créer toutes les fêtes
invente de nouvelles fleurs

de nouveaux astres
de nouvelles chairs
de nouvelles langues ! –

de l'éluard, du michaud, du rimbaud, du nelligan peut-être aussi – qu'importe ! – ce qui compte, c'est l'effet quark des mots, c'est l'effet quark de la voix de calixthe béyala, puis celle du werewere disant enfin :

– Calixthe, emmène-moi vers le ciel. Emmène-moi vers le vaisseau d'or.

ils vont sortir de l'hôpital, vers les jardins du luxembourg – ce sable que les roues du fauteuil roulant s'embourbent dedans – calixthe béyala vite épuisée, respirant mal, ses poumons transpercés d'épines – ce banc devant la fontaine ! – s'y laisser tomber – si tristes sont les yeux de la bête compatissante ! – voudrait retenir ses larmes, mais il ne reste plus rien d'autre en son corps, et plus de digues pour les retenir ! –

– Je sais, Werewere dit.

– Tu ne sais pas tout, les larmes de Calixthe Béyala disent. Je te demande un peu de patience. Les mots vont finir par venir.

mais lesquels choisir, puisque parler, c'est au mieux se maintenir dans l'à-peu-près, fragments de vérité qui se juxtaposent, sauf que le tout n'égale jamais ses parties, pas plus en relativité restreinte ou générale qu'en mécanique quantique aux saveurs de quarks – ce qu'il faudrait, c'est une voix unique, celle dont parlait le michaux quand, barbare, il voyageait en asiatique contrée, psalmodiant : une voix qui viendrait doucement à travers les bronches en sang, ou bien aussi comme si on avait appris à un chien à chanter, lequel répéterait sa mélodie sans trop imprudemment s'écarter toutefois de ses soupirs coutumiers, ces soupirs si troublants qu'ils ont pendant leur sommeil, répondant à une préoccupation qui nous semble fraternelle ! –

mais cette voix-là manque à calixthe béyala ! – heureusement que celle de werewere, en fond de ciel bleu, là où vogue le vaisseau d'or, s'approche, se rapproche de la constellation du chien, lequel se met à chanter :

– Calixthe, je sais qu'Abel tu l'as aimé dès qu'il s'est présenté à toi. Calixthe, tu sais qu'Abel je l'ai aimé aussi dès qu'il s'est présenté à moi. Pourquoi ? Peut-être qu'il a souffert autant que nous, pas de la même façon que nous, mais autant que nous.

– Nous nous sommes trompés, Werewere.

– Peut-être bien. Mais à son retour d'Éthiopie, quand tu as été le voir à l'hôpital, te parlait-il vraiment de toi ? Te parlait-il vraiment à toi ? Tu sais comment c'est quand on souffre trop. On se lamente. La lamentation, ça ne s'adresse qu'à soi, ça ne se dresse que contre soi.

– Comment peux-tu le savoir ?

– Je l'ai vécu souvent. Quand mes parents m'ont abandonné à cause de la polio. Quand la rue ne voulait pas de moi parce que j'avais une jambe plus courte que l'autre et que je ne savais pas comment mendier.

– Tu n'aurais quand même pas dû tomber malade à cause d'Abel.

– Ce n'est pas à cause d'Abel, mais de toi. Ce qui te rend heureuse me rend heureux. Ce qui te fait mal me fait mal aussi. Je t'aime, Calixthe, tellement que c'est difficile pour moi de simplement te le dire. Sur chacune des pages des petits carnets que je remplis, c'est là partout. Toi, ma mère, qui m'a redonné la vie que j'avais perdue là-bas au Cameroun.

l'esprit frappeur de la Table de pommier a changé de rythme : le voilà pareil à un tout petit tam-tam que les mots tapés dessus se changent en musique : une sonatine quand werewere a embrassé calixthe béyala, pour qu'elle sache qu'il ne sera plus jamais taciturne ; une sonate quand calixthe béyala lui dit qu'elle guérira d'abel : en restera peut-être une scarification en son corps, mais la tristesse et le désenchantement s'en échapperont, et surnagera à jamais le plaisir, non comme un souvenir mais pareil à un perpétuel jet de lumière éblouissant ; une fugue quand werewere et calixthe béyala se rendent au jardin des plantes – élan d'amérique, ours polaire, si sagace sur son seuil, pour ainsi dire bouddhiste, alors que ne cessent de s'agiter les loups, même blancs : animals inquiets et animals rageurs parce que ça ne veut pas être apprivoisés, leurs corps faits pour bondir vers les proies, leurs mâchoires faites pour briser les os ! – l'hostilité comme fondement à l'esprit de nature ! – plus loin, ce couple de bisons broutant paisiblement – de tous les animals, la plus belle tête et le poitrail le plus puissant ! –

– Pour récompense, la décimation, puis l'extermination, Calixthe Béyala dit.

– Normal, Werewere dit. Nous sommes en cette partie du Jardin des Plantes vouée à la sauvegarde des espèces en voie de disparaître !

– Je crains que toi et moi, on fasse partie de l'une de ces espèces-là. Regarde ce tas de grosses pierres. Tu vois ce bouquetin d'Abyssinie ? Longtemps considéré comme un animal sacré, une manière de totem pour les habitants vivants à flancs de montagne. Ces formidables cornes, comme sculptées par Rodin.

– Et cette énorme touffe de poils au menton, barbe blanche de patriarche, comme celle d'Abel.

s'arrête là, l'esprit frappeur de la Table de pommier – derrière les stores baissés, le soleil a eu cette fulgurante montée de lait, si intense que de longs filaments argentés se sont glissés entre les lattes malgré que n'y passerait pas une mince feuille de papier biblique – je ne bouge pas, je ne rouvre pas les yeux, je ne veux pas sortir de l'état d'engourdissement qui rend mon corps flottant sur le fauteuil roulant – je dors encore, mais ça ne se rêvera plus au travers de mon corps : l'esprit frappeur de la Table de pommier ne se manifeste jamais deux fois en la même journée ! – il doit tout oublier, comme moi je dois tout oublier : les rêves qui viennent en saveur de quarks ne peuvent pas être mesurés, ils traversent le champ de la mémoire, puis se dispersent dans l'espace-temps, puis disparaissent à jamais en la matière noire et inqualifiable du cosmos ! –

ATTENTER

quand je dors aussi profond, je suis pire qu'une bûche trop verte mise au fond de la cuve du poêle à bois : impossible à faire s'embraser l'écorce même en attisant les braises ! – je verserais de l'huile dessus et ça filerait jarnibois quand même ! – la foudre tomberait à mes pieds que je n'en saurais rien ! – mes chiens japperaient comme ceux qui gardent les portes de l'enfer que je ne les entendrais pas ! – plus d'oreilles, plus d'yeux, rien d'autre que de tonitruants ronflements ! – il faut bien dormir dur quand on dort peu ! – et dormir vite aussi, pour que l'intérieur de son soi-même puisse se radouber : le corps comme accélérateur de particules, colmatant les brèches dans les nerfs et les muscles, purifiant le sang, fortifiant la mouelle des os ! – quelques heures suffisent quand on sait s'y prendre, quand on s'y laisse prendre ! –

j'ai hâte que survienne mon ami le menuisier : le jour va s'effilocher bientôt et ce qui doit être fait avec le coffret en bois de santal, ça ne peut pas attendre à demain – arrive, arrive donc, travailleur à lunettes en fond de bois ! –

ESQUIF

ça gargouille fort dans mon ventre, ça gargouille fort aussi dans le ventre de mes chiens – laisser le fauteuil roulant, me rendre au garde-manger : de la viande en conserve, deux boîtes pour les chiens, une autre pour moi – et ce quignon de pain dans le réfrigérateur et le pot de fraises sauvages en train de moisir – qu'importe ! – tout mettre dans le même bol, tout avaler, debout devant le comptoir – demain, on se remettra à manger comme le monde ! – je rote à la japonaise de naguère, je regarde dehors : entre les grosses épinettes noires, les couleurs flamboyantes du soleil, de chez moi jusqu'à la mer océane – le rimbaud dirait : elle est retrouvée ! – quoi donc ? – l'éternité, cette mer mêlée au soleil ! –

mes chiens aboient –

– Je suis là, dit de sa grosse voix mon ami le charpentier en franchissant le seuil de la porte.

sur la Table de pommier, il met l'esquif qu'il a sculpté, fait de bois de mélèze, le couvercle scellé et peinturé couleur pourprée : de l'ouvrage bien chef-d'œuvré, comme un golem en position couchée, comme l'un de ces énormes et baroques gisants dont les chevaliers de l'ordre des templiers remplissaient leurs églises pour honorer la noire mémoire de l'un des leurs –

– C'est parfait, je dis. Combien je te dois ?

– Ma femme t'enverra la facture par la poste. Moi, je gosse rien de bon avec papier et carton.

il s'en va mon ami le menuisier tandis que j'ouvre le tiroir de la longue Table de pommier pour y prendre l'appareil téléphonique et composer le numéro de bélial dumont, le chauffeur de taxi à qui je fais appel quand je ne veux pas me gouverner par moi-même –

– Je suis presquement à côté de chez toi, j'arrive de suite ! il dit.

je prends le coffret, mais ne le regarde pas vraiment, le dissimule sous mon ciré de mangeur de chiard de goélette, j'ouvre la porte, je laisse sortir les chiens, je traverse la galerie, je descends les marches, je m'accote au garde-fou de l'escalier, puis je laisse mon pied droit aller et venir dans cet amas de feuilles tombées des arbres – ces feuilles considérables, a écrit le michaux, qui ne ploient plus, sont en terre, droites, comme de grandes personnes, feuilles qui n'ont plus tendance à suivre l'événement, le vent ou la pluie, feuilles définitives qu'on ne changera plus – qu'on ne fera plus changer de place ! – ça s'appelle l'automne de par ici, quand l'été des indiens a passé tout drette devant son chez soi pour aller faire guili-guili au-delà de la mer océane, là où ça s'appelle désert de gobi, désert de sahara, désert de sahel, des milliards de grains de sable, comme autant de quarks empoussiérés ! –

frank casista m'attend près du quai de la grève des rioux – un colosse qui aurait pu être hockeyeur professionnel chez les rangers de la grosse pomme de new york – a abandonné sa carrière à cause de la famille : la nouvelle angleterre, pire que le sera jamais le bout du monde, l'enfer, rien de moins, mécréants, renégats, nègres, putains, bandits italiens, sans-desseins ! – a donc remisé son équipement de hockey, frank casista, et pris la relève de son père : une boutique pour chasse et pêche, esti ! – de quoi en manger ses bas de laine par ennuyance entre la quasimodo et la mi-carême ! – aurait pu virer fou, frank casista, s'il n'avait pas eu l'idée d'acheter un bateau et un appareil-photo : sur l'eau tous les jours, la mer océane devenue pour lui une vaste patinoire, son bateau des patins de sept lieues et le rorqual bleu une formidable rondelle à prendre en portrait ! – on ne peut pas entrer en quelque part à trois pistoles sans voir la photo d'une grosse baleine, genre globicéphale conducteur surtout, accrochée, clouée, pendue, suspendue à un mur ! –

bélial dumont payé, je m'approche du quai, de frank casista et de son bateau que le vent fait tanguer de tribord comme de bâbord – les premiers, mes chiens embarquent, puis c'est au tour du capitaine à qui j'ai remis l'esquif sculpté par mon ami le menuisier – moi je brette ! – je bredouille, je bretonne, je bresaille, je brevasse : peur, ma peur, ma très grande peur de l'eau ! – depuis les commencements du monde ! – je détestais nager, je détestais manger des algues, je détestais frayer avec les autres animals marins ! – quelle délivrance quand je suis sorti enfin de là, mes nageoires se faisant pattes, mon corps se recouvrant d'écailles ! – quelle chance celle-là que d'avoir pu me métamorphoser en reptile, puis en solitaire, puis en égoïste tortue, l'animal, le seul, le vrai, qui n'eut jamais à évoluer parce que, dès sa première sortie de l'eau, il était perfection : indépendant, pacifique, aucune ambition territoriale, aucun besoin de propriété, aucun besoin d'attachement, même par-devers ses rejetons : je ponds mes œufs dans le sable, ils éclosent sans que j'aie à les couver, puis ils font seuls leur chemin, ensablés, enmerés, libres, si libres ! –

– Allez, embarque ! le capitaine Casista dit.

je m'engage timidement sur la passerelle qui mène au bateau et ma canne ne m'est guère utile sur ces lattes ajourées ! – je bronche, je tangue à dextre et à senestre, je vacille, je perds pied, je finirais par tomber à ventre proéminent sur la passerelle si frank casista ne me prenait pas le bras pour me haler jusqu'à lui – à peine suis-je monté à bord qu'il met par-dessus mon ciré de pêcheur de morue un parka rembourré de l'intérieur par une épaisse couche de poils de mouton, puis me cale sur la tête ce vieux bonnet de laine épaisse qu'une ganse passe sous le menton pour que le vent du large ne l'envoie pas valser entre deux vagues –

– Les grandes marées ne frappent pas encore, mais elles arrivent parfois de façon bien sournoise, le capitaine Casista dit. Vaut mieux prévenir que de passer pour ainsi dire tout nu par-dessus bord.

prendre le large ! – j'aurais dû fumer davantage d'opium avant de monter à bord du cétacé de casista : les haut-le-cœur déjà, comme si ça faisait des heures que j'affrontais la houle ! – tandis que mes chiens ne semblent pas impressionnés le moins du monde par les forts vents qui secouent la mer océane : montés sur ce banc à tribord, leurs pattes de devant agrippées au bastingage, ils prennent plaisir à voir les vagues arriver sur nous et frapper de plein fouet le bateau – moi, je suis comme les chevals qui ont le mal des transports, qui ont l'estomac ainsi fait que vomir leur est interdit (dans les guerres anciennes, ça explique pourquoi, après une traversée en mer, il fallait les laisser se reposer avant de se mettre à la poursuite de l'ennemi) – vomir ! – ça résiste, même si ça remonte de mon estomac à ma gorge, ce fiel âcre, cette puanteur de la nourriture en train d'être digérée ! – et ce frette qui nous tombe dessus, ça se fait de plus en plus mordant à mesure que s'éloigne la côte ! –

me réfugier dans le trou noir de ma mémoire, y chercher n'importe quoi écrit par le michaud, l'éluard, le prévert, le rabelais peut-être même aussi, qui me rendrait la mer sans virulence, sans l'idée de faire sombrer, submerger, engloutir, tout ce qui ose aller dessus – ne trouve en ma matière grise épeurée que ceci, si romantique du baudelaire prisonnier de sa chambre et ne voyant de sa fenêtre que l'illusoire beauté d'une mer rêveuse parce que rêvée : tu contiens, mer d'ébène, un éblouissant rêve de voiles, de rameurs, de flammes et de mâts ! – un port retentissant où mon âme peut boire à grands flots le parfum, le son et la couleur ! – où les vaisseaux, glissant dans l'or et dans la moire, ouvrent leurs vastes bras pour embrasser la gloire d'un ciel pur où frémit l'éternelle chaleur ! – je plongerai ma tête amoureuse d'ivresse en ce noir océan, et mon esprit subtil que le roulis caresse, saura vous retrouver, ô féconde paresse, infinis bercements du loisir embaumé ! –

esti ! – n'a jamais mis les pieds sur un bateau, le baudelaire ! – ne connais rien au crachin, aux embruns, aux moutonnements dévergondés des vagues, à leur fureur, à leur esprit de meurtre ! – esti ! – plonger sa tête amoureuse d'ivresse dans le noir océan ! – et le roulis caressant le subtil esprit ! – ça ne tiendrait pas debout tout seul si le baudelaire s'était aventuré comme moi à prendre le large, juste une fois ! – ça l'aurait frigorifié comme je le suis, angoissé à mort, au bord, par bâbord et tribord, de la panique ! – pas d'infinis bercements, juste du brasse-camarade horrifique ! – esti de poète amarde ! –

– C'est assez loin ! je dis. On s'arrête maintenant !

coupé, le moteur – s'encalmine le cétacé, ne fait plus qu'ondoyer entre deux vagues – je prends l'esquif sculpté par mon ami le menuisier et, pour ne pas perdre le peu d'équilibre que j'ai encore, je mets mon bras sous celui de casista – regarder la mer océane, ne pas penser au coffret qu'il y a dans l'esquif, ne pas penser aux grands yeux violets de judith coulés dans le verre ! – vite ! – vite ! – jette-moi ça à la mer ! – les forts courants vont aussitôt s'en emparer, quelques minutes vont suffire pour que ça disparaisse, envagué vers l'estuaire, vomi en l'écrou relâché comme sphincter du saint laurent – vers l'île de pâques, vers le bengladesh, vers le gabon, vers le fleuve omo, ailleurs, si loin ailleurs, mais plus jamais dans ma vie ! –

mes chiens hurlent comme quand passe le train derrière ma meson, comme quand la lune est ronde pareille à une bille de verre au mitan du ciel ! –

– Rentrons, je dis. Même mes os gèlent, même ma mouelle fait frimassage.

ça vire de bord, enfin ! – la mer océane est agitée pire encore qu'à notre embarquement, le bateau doit prendre par le travers les démontantes lames – du mieux que je peux, je me tiens, retiens, déteins à cette barre qu'il y a près du gouvernail – entre le chien et le loup ça se trouve, mais sans que l'espace ne se soit encore barbouillé de gris sale : à cause du soleil qui ne veut pas aller se coucher derrière les montagnes de la côte-nord ! – ce fond de l'air ocré, parsemé de longues stries violettes – misérables sont les cérémonies des adieux ! –

ouf ! – la côte enfin, qui s'approche à grands dévaguements ! – moi qui suis mécréant, apostat, renégat citoyen, moi qui aimerais voir disparaître l'embourgadante trois pistoles, je suis content d'apercevoir, surnageant dans la brume, les hauts clochers de l'église de notre dame de la neige – le vomissable dans ma bouche redescend vers l'estomac, ne me reste plus que le gosier bête – je serai le premier à se désembarquer : au bout de la passerelle, les pieds sur le béton, je me remets enfin à respirer pour de vrai – air salin qui a aussi le goût du goémon et du varech, de la clam éventrée, du bourgaut mis à vif ! – le reptile que je suis en frémit de joie bien que ça soit gelé raide en tous les quarks de mon corps ! – estie de mer sale ! – esti de coffret en bois de santal, avec ses deux grands yeux violets coulés sous verre ! – esti d'esti ! –

SPIRALES

dès que je rentre à la meson, la chaleur qu'il y fait, loin de me réchauffer, me fait frissonner de partout, même en fond de tête – méchant coup de frette, du genre de ceux qui vous envoient cul par-dessus cabochon vers le gros poêle à bois : grippe, pneumonie, pleurésie, tuberculose ! – vite ! – un grog, fleurs de menthe et de tilleul, miel, poivre noir, clou de girofle, eau bouillante : brasse-moi ça à la cuiller afin que ça s'infuse pour la peine ! – puis, me pinçant le nez, j'avale la potion druidique après m'être assis dans le fauteuil roulant – je n'ai plus de jambes et je n'ai plus beaucoup de poitrail non plus : le grog ne se rendra pas jusqu'au côté gauche de mon corps ! – une bonne pipée d'opium avant que ça ne dégèle et que ça puisse reprendre sens ! – spirales ! – pour l'heure, qu'une infinité de spirales sans gouvernement, sans gouvernance, sans gouvernail ! –

NAINES

maintenant que les grands yeux violets de judith voguent en son esquif sur la mer océane, l'esprit de menace qu'ils représentaient s'escamote au même rythme que tombe la ténèbre, par petites spirales anarchistes – s'enroulent d'abord autour des arbres, des longs poteaux de téléphone, des cheminées ! – de la fenêtre, je regarde vers l'étable : le vieux pick-up du viking à nouveau garé devant, phares allumés, portière du côté du chauffeur ouverte – en train de soigner mes animals, l'esti ! – et sans doute aussi en train de caresser la poule qu'il a apprivoisée ! – si je n'étais pas aussi frigorifié, je filerais drette vers l'étable et en sortirais le viking à coups de pied au cul ! – le voilà qui va monter dans son vieux pick-up, la maudite poule qu'il a apprivoisée sous le bras ! – un voleur de poulets, l'esti ! – qui détale en laissant de larges sillons dans le tuf rouge de l'allée ! –

si me revenait mon énergie : je me mettrais à la poursuite du viking, je le rattraperais, je le rouerais de coups avec cette barre de fer que j'apporte partout avec moi quand je vais sur les routes – puis je tordrais le cou à son estie de poule, je la plumerais, je l'éventrerais et je lui enfoncerais les débris dans sa grande gueule, au viking ! –

m'asseoir derrière la Table de pommier: même dans la meson les petites spirales enténébrées déconstruisent le jour! – fumer de l'opium pour échapper au monde sordide de la trivialité! – forcer les neuves images à venir comme elles venaient au michaux quand il se dopait: toute drogue modifie vos appuis, a-t-il écrit: l'appui que vous preniez sur vos sens, l'appui que vos sens prenaient sur le monde, l'appui que vous prenez sur votre impression générale d'être, ils cèdent, une vaste redistribution de la sensibilité se fait, qui rend tout bizarre, une complexe, continuelle redistribution de la sensibilité: vous sentez moins ici, et davantage là, dans des dizaines d'ici, dans des dizaine de là, que vous ne connaissiez pas, que vous ne reconnaissez pas! – ce n'est plus à vous que vous aboutissez, et la réalité, les objets même, perdent leurs masse et leur raideur, cessent d'opposer une résistance sérieuse: vous subissez de multiples, de différentes invitations à lâcher, et c'est toujours le cerveau qui prend les coups, qui observe ses coulisses, ses ficelles, qui joue petit et grand jeu! –

ces deux mots du michaux: sensibilité, lâchage! – de la sensibilité, je crains fort de ne plus en avoir depuis mon retour de la vallée de l'omo – me suis vidé de l'intérieur, comme une chaudière devenue passoire parce qu'on a fait plein de trous dedans – sinon, à peine aurais-je mis les pieds dans la meson que je me serais mis à écrire, de longues heures d'affilée, comme j'ai toujours fait auparavant, sans paravent, poussé par l'urgence – l'urgence de quoi? – je n'en sais plus rien, hors de ma volonté c'était: y a-t-il une volonté en ces amas de poussières qui voyagent dans et autour du cosmos, qui s'agglutinent pour se patenter en galaxies? – qu'il y ait une étoile en plus ou en moins, est-ce que ça fait différence dans le chaos de l'univers? – écrire, c'est aussi créer des amas de poussières, poussières qui prennent la forme de phrases s'amalgamant et se constituant en galaxies ! – c'était quelque chose en son soi-même, mais ça ne l'est plus, ça s'est figé, ça s'est éteindu – naines jaunes ou naines blanches que rejette la lumière – puis ça se laissera attirer par une autre étoile, ça se laissera cannibaliser jusqu'à son noyau – sont mortes d'elles-mêmes les naines jaunes et les naines blanches ? – simplement par usure ? – seulement par manque de sensibilité, seulement parce qu'elles devaient lâcher ? – alors, je suis une naine jaune ou une naine blanche, creux je suis de l'intérieur comme le sont dans les trous de mine les galeries sans mesons ! – et pourtant ! – je voudrais tant avoir ce forcené besoin d'écrire, comme quand j'en étais habité, assailli, labouré, ensemencé ! – de la naïveté ? – du délire de main gauche encochonnée ? – où tout ça a-t-il passé ? – dans quelle anfractuosité de l'espace-temps, là où les mots ne sont plus mesurables, ne sont plus qualifiables, ne sont plus quantifiables ? – plus une seule voyelle en saveur de cantique ! – quelques restants de consonnes dissonantes, discordantes, dissolvantes ! – des ruines, de fausses ruines tremblantes ! disait le michaux – des lanières de fouets ! – des grimaces ! – de grises masses ! –

assis à l'indienne sur la Table de pommier et fumant cet opium, m'y abandonnant au point de laisser dériver ma tête par derrière – lent, très lent l'allongement, comme découpe de couteau, par courts mouvements, ma tête frappant à peine le bois, mes oreilles à peine assez oreilles pour percevoir le bruit que fait ma tempe gauche en heurtant le bord de la Table – une mort toute douce, est-ce vraiment de la mort ? – une mort toute simple, sans un mot pour l'accompagner, est-ce vraiment de la mort ? – si apaisante mort pourtant ! – impossible que ça ne se soit pas pareil de l'autre côté du miroir, en cet extra monde sans métaphore qui gîte au milieu de l'antimatière ! – un semblant de vibration peut-être – à peine ondulatoire ? – raisonner ! – la raison, rien d'autre qu'un tabouret, a dit le rabelais ! – la raison, rien d'autre que cette branche qui grinche sur la vitre de la fenêtre, tandis que criaille le noir corbeau : quark, quark, quark ! –

dire que j'ai toujours détesté dormir ! – on s'y rêve trop, même bourré à l'opium, on s'y fragmente, s'y démanche – pièces d'un jeu de mécano, si déconstruit c'est que ça ne se rapaille plus, ne s'empaille plus ! – pourtant, dormir j'y passerais maintenant tout mon temps, sans galipoter après nul rêve, nulle pensée, nulle image : juste un corps en apnée, indésirable, involontaire – pas d'intérieur, pas d'extérieur, une très fine corde, celle d'un violon vibrant mou dans le silence ! –

TRIPLETS

pour que ça se désendorme en mon moi-même, mes chiens ont dû monter sur la Table de pommier et me faire des tas de grimaceries dans la face – pourquoi autant de mouilleux lichages en langues rêches et sauvages ? – regarde vers la porte ! jappent mes chiens – je me rassois à l'indienne, je bâille et je regarde : sur le seuil, les triplets du saint guy ! – célèbres au-delà des frontières du canton, parce qu'ils sont nés le même jour, deux garçons et une fille, mais trois esprits et trois corps qui n'en forment qu'un tellement ça se laisse voir à l'identique – mêmes traits envisageables, mêmes longues jambes, mêmes longs bras, peu de torse et peu de quoi pour se déhancher, mais des œils aussi noirs que ce bitume qu'on extrait des sables albertains ! – si la fille portait la barbe comme ses frères, on serait vraiment dans du pareil dans le même, tant que ça reste habillé du moins, car toute nue, on saurait que la fille est androgyne : deux sexuels, le féminin en dessous du masculin ! –

– T'es parlable ? l'un des garçons dit, celui qui s'appelle Diff.

diff pour difficile, ce qu'il était déjà avant de s'en venir en ce monde-ci – aime à montrer les crocs de sa mâchoire d'en bas parce que, contrairement à n'importe celui qui en aurait de pareils et s'en ferait une honte, diff est fier des ses dents – prétend qu'il en était déjà pourvu dans le ventre de sa mère et qu'il en mordait sans remords sa sœur et son frère – comme les bébés requins qui s'entredévorent avant que ça ne soit lâché lousse en pacage aqueux ! –

– Tu vois bien qu'on ne l'intéresse pas ! la sœur androgyne dit.

baptisée rhino par ses parents, chauds militants du parti rhinocéros qu'ils étaient, pour cause de déraison politique, de dérision fédéraliste, de déréliction électorale ! – la mère se déguisait en gros étron chocolaté, le père en cervelle de veau nappée de sauce brune au patchouli ! – voulaient faire transporter les montagnes rocheuses aux environs des grands lacs et vider ceux-ci à la petite cuiller, une façon comme une autre de mettre fin à un chômage endémique d'une mare, l'atlantique, à l'autre, la pacifique ! –

– On décrisse ! Diff dit. Vous voyez ben qu'y est gelé aussi dur qu'une bine !

opine du bonnet le troisième larron, prénommé mioute parce qu'il n'a pas de cordes vocales et qu'il est donc forcé de rester par-devers sa langue sur son quant-à-lui ! –

– Patience dans l'azur, je dis. Laissez-moi un peu de temps pour que je me débarbouille le cerveau. Assisez-vous. On attend mieux quand le cul est conforté.

ils ne se font pas prier, puis sortent des longs manteaux qu'ils portent chacun une bouteille de bière que diff se fait un plaisir de décapsuler avec ses crocs – je fais semblant de ne pas les regarder, je ne tiens pas à savoir de suite ce qu'ils me veulent – je rapaille mes idées : je les connais depuis combien de temps, les trois lurons ? – ben manque une quinzaine d'années déjà ! – à l'occasion d'un stage dans le monde des itinérants du grand morial pour un feuilleton télévisé que je devais écrire – je me promenais de nuit en compagnie de ce couraillon, en défonce perpétuelle, un gros saint-bernard entre nous parce que l'animal affamé et mal famé était la seule humanitude qu'il écoutait quand, sa ronne de lait terminée dans les quartiers, le couraillon devait rentrer à son presbytère ! – gesticulant toujours, titubant, jurant épais et sentant à plein nez la bourre de collier ! –

– Pourquoi tu ris ? Rhino dit.

– Je pensais juste à comment c'était quand je vous ai connus.

– Pas nécessaire de nous en parler. On s'en souvient, crisse !

LOTERIE

ça habitait une chiotte de la rue panet, leurs parents je veux dire, prénommés pop et mom, noms qu'ils brodaient en grosses lettres sur leur linge de corps, des guenilles ! –

et ces bottes à vache dans les pieds ! – se croyaient encore au festival de woodstock du temps dites-le avec des fleurs, pas avec le fusil ! – mais ne faisaient pas grand-chose pour l'œuvre de la paix : ça n'avait pas d'instruction, ça ne travaillait pas et ça n'y pensait pas non plus – écharognant leurs journées à boire de la bière, à sniffer, à regarder la télévision en grattant des billets de loto-kebek ! – tellement certains qu'ils gagneraient un jour le gros lot qu'ils avaient peint sur le mur derrière la télévision un paysage de la floride : une grève de sable, de l'eau à perte de vue, une barque se faisant ballotter par les vagues et un palmier de plastique acheté à un marché aux puces ! – dehors, les zenfants ! – au parc lafontaine, mes sacripants ! – faites là ce que vous voulez, on s'en sacre, mais ne revenez pas tant que vous n'aurez pas au moins vingt piastres en chacune de vos poches ! – des proies pour tous ces chasseurs de sexuel, une pipe à l'un, un enculage par l'autre ! – rhino était la plus en demande : un vieux et pervers débris d'humanité la trouvait tellement de son goût qu'il la louait pour qu'elle passe ses week-ends avec lui ! – c'était pop lui-même qui allait la reconduire chez le vieux et pervers débris d'humanité : il lui payait la bière, la dope, les chips duchess et les petits gâteaux vachon ! – sans avoir beaucoup plus de tête que pop, mom savait d'instinct que la manne ne leur tomberait pas toujours du ciel : l'escouade antistupéfiants avait envahi le quartier, écrouait les dealers, encabanait les prostitués, fermait les piqueries ! – aussi, chaque fois qu'elle pouvait détrousser pop d'une partie de son pécule, mom le faisait, allant par après déposer à la caisse populaire les piastres qu'elle chapardait ! – quand le vieux et pervers débris d'humanité fut arrêté, pop et mom comprirent que leurs carottes étaient cuites et qu'ils vivraient la fin de leurs haricots s'ils faisaient encore les poux de baleine sur le corps social ! – fuir ! – mais où donc ? – décâlisser vers la floride, ça coûtait trop cher et le gouvernement américain ne vous mallait pas tous les mois comme au kebek un chèque d'assurance sociale ! – pop prétendait aussi que la dope et la prostitution étaient contrôlées en floride par des nègres et que tu pouvais te retrouver à besogner pour eux avec un poignard enfoncé dans le dos pour une raison aussi simple qu'on n'aimait pas la face que tu farçais avec ! – pop se souvint alors qu'il avait été, pendant quelques années, planteur d'arbres en l'arrière-pays du témiscouata, en ce temps que nos gaillards sociologues suggéraient qu'on ferme les hameaux ruraux pour mieux les reboiser ! – on l'avait fait avec délire à saint l'octave de l'avenir : mesons brûlées, fondations rasées, cheptel vendu, habitants relocalisés dans des cages à lapins appelés logements à prix modique ! – saint l'octave de l'avenir que ça s'appelait pourtant ! –

– Tu ris encore, Rhino dit. Nous, on commence à en avoir notre voyage, tabarnak !

– Faut comprendre que je reviens d'un très long et vannant voyage. Une courtepointe que les fils se sont mal couturés dedans, c'est long à repatcher. Prenez une autre bière en m'attendant.

en finir avec la longue histoire courte de pop et de mom – quand pop s'est remembré de l'arrière-pays du témiscouata, il ne comptait évidemment pas se remettre à y planter des arbres ni à y ébrancher de grosses épinettes à corneilles, ni à y corder de la croûte dans une cour à bois de moulin à scie ! – il acheta une ferme en ses cabanons et abandons, juste pour faire figure de résident, question de pouvoir percevoir son assurance sociale tout en travaillant sous la couverte, au noir ! – fille de cultivateur, mom apprendrait à diff, rhino et mioute à cultiver un potager de curcubitacées et à nourrir une volatile basse-cour ! – la simplicité très volontaire, en fin bout de rang dans le saint guy ! – seul avantage qu'y trouveraient diff, rhino et mioute : ils n'auraient plus besoin de trôler au parc lafontaine pour y sucer des sexuels ou y provoquer leur enculade ! –

quand mom, diff, rhino et mioute, pris en sardines saumurées au vinaigre dans le pick-up tout ratiboisé que pop avait acheté, arrivèrent en saint guy, ils n'eurent même pas à écarquiller les yeux pour comprendre qu'ils prenaient possession du trou du cul de la terre : meson et bâtiments en démanche ! – et les seuls animals qui rôdaient dans les alentours étaient de faméliques chats dont certains, leur cervelet peu développé, marchaient en titubant, puis s'écroulaient comme le faisait pop quand il était saoul mort, dopé mort ! – ces chats-là dansaient la saint guy et ça expliquait sans doute pourquoi le village avait ainsi été nommé ! – pop s'amusa à les tuer à la carabine, sauf un que rhino tint à garder parce que la famille était sans totem et que le vieux et pervers débris d'humanité lui avait parlé de l'importance d'être emblématique au sein de sa famille et de sa société ! – morale de cette longue histoire courte de pop et de mom : on s'habitue à n'importe quoi, suffit d'y croire et de le faire accroire, même quand il s'agit d'un chat-totem au cervelet dérangé qui déboule les escaliers et manque se noyer dès qu'il s'approche d'un simple bol rempli d'eau ! – on s'habitue à n'importe quoi, même au trou du cul emmerdé de la terre ! – on s'habitue à n'importe quoi, même à sa mère qui porte jupette et bottes à vache, pas malaucœureuse pantoute des longs poils follets lui poussant drus sur les jambes ! – on s'habitue à n'importe quoi, même à pop qui, au lieu d'élever ces animals qui auraient rendu acceptable la simplicité volontaire, en faisait le commerce ! – pas les gros chars ! – quand tu ne peux pas faire la différence entre une agnelle de lait et un agneau lourd, entre un bœuf à viande et un taurillon destiné à la reproduction, entre une vache à pis de voie lactée et une vache à tétons mamiteux, t'es mal équipé pour faire fortune, esti ! – tu serais bien mieux de devenir témoin de jéhovah, mormon, templier solaire, islamite, archangélique, luciférien, rose-croix, franc-maçon, hashassin ! –

LIBERTINADE

– La dernière fois que je suis passé par chez vous, le commerce de Pop allait plutôt mal, je dis. C'est comment depuis ?

– Y en a plus de commerce, tabarnak ! Diff dit. Le feu a pris dans le pick-up, pis charrier des animals à bord d'un scooter, c'est pas d'avance. Pop a lâché le business. Astheure, ben y est en prison avec Mom.

– Pour quoi c'est faire ?

– Se sont mis à cultiver de la mari autour d'une érablière abandonnée, pis se sont fait prendre les culottes à terre, les câlisses ! Mais on se plaint pas de plus les avoir dans les jambes, ça non !

– La liberté que ça s'appelle.

– Ouais, la liberté ! Mets-en : la cour est loin d'en être pleine, la viarge !

– C'est faisable que tu soyes plus clair ?

– Je veux dire que Mioute, Rhino pis moi, on s'est déniaisés ! Sur la politique, je veux dire !

– Ça se traduit en quelle langue ?

– En kebekois, câlisse ! Ça se peut pas qu'on soye aliénés à ce point-là ! Les fédéralistes sont en train de nous faire disparaître de la carte ! Le Grand Morial est déjà anglaisé jusqu'au trognon ! On parle même plus de bilinguisme ! Astheure, on vante la bienfaisance du mutilinguisme ! Tabarnak ! Faut y voir, de suite !

– Ça fait vingt ans que Michel Chartrand s'époumone à le dire ! Et Pierre Bourgault ! Et Pierre Falardeau ! Et Richard Desjardins ! Et Hugo Latulippe !

– C'est pas eux autres, le problème ! Le problème, c'est le Parti kebekois. Toi-même, t'as écrit des tas d'articles pour dénoncer la grosse marde que c'est devenue !

– Des coups d'épopée dans de l'eau sale !

– Pas vrai ! Si on est ici, c'est à cause de quoi tu penses ? Parce qu'on t'a lu, parce qu'on a regardé tes téléromans ! Le Parti des régions, c'est une crisse de bonne idée que t'as eue !

– C'était de l'affliction.

– On s'en sacre nous autres que ça soye de la friction ! Nous autres, on veut que ça devienne la réalité, en grosses majuscules, les crisses !

– C'est de l'utopie ! Vous êtes des utopistes.

– T'es pareil à nous autres toi si, parce qu'autrement, t'en aurais jamais parlé, du Parti des régions ! Pis non seulement t'en as parlé, mais t'as passé proche d'en fonder un, Parti des régions ! T'as réuni plein de monde là-dessus ici-dedans ! Même Michel Chartrand y était !

– Ç'a pas marché, même avec Michel Chartrand. Créer un parti politique à la grandeur du Kebek, ça se fait pas juste parce qu'on le veut ! Ça prend du monde, un tas de monde ! Là, comme c'est, le monde est écœuré de la politique, écœuré de se faire fourrer tout le temps, écœuré d'élire des députés qui chient sur le bacul aussitôt élus ! J'y peux rien, vous autres non plus !

– Autrement dit, tu refuses ?

– Je refuse quoi ? Je peux le savoir ?

– Le gouvernement vient de déclencher des élections.

– Pis ?

– On veut que tu te présentes comme candidat.

– J'aguis à mort tous les partis politiques qui existent. Si vous avez vraiment lu les textes que j'ai écrits là-dessus, vous devez le savoir.

– T'es indépendantiste. Pendant un mois de campagne électorale, t'aurais l'occasion d'en parler pour vrai. Ça brasserait la cage, crisse ! Ça réveillerait pas mal de monde ! Nous autres, ta campagne, on est prêts à s'en occuper. Tu vas voir : ça va en faire des flammèches pis des tisons ardents ! Le balai, la moppe, le fouette, câlisse ! C'est quoi, ta réponse ?

– Je vous l'ai dit : je reviens tout juste d'un long voyage qui m'a vanné à mort. J'ai besoin de quelques jours pour y penser.

– Deux ! Deux jours ! Après ça, on se retrousse les manches pis on frappe dans le tas, à la mohawk ! Ça, ça veut dire qu'on va frapper fort en câlisse, quatre crisses par banc ! Un héros ! Faut seulement un héros ! Un vrai ! Pas un chiqueux de guenilles, pas un mangeur de hot dogs, pas un pisseur dans ses bobettes, pas un coupeux de cheveux en quatre, pas une langue de bois, pas un chien sale d'avocat ! Non, tabarnak ! Un héros ! Juste ça : un héros national ! Notre héros à toutes et à tous, jusqu'à la victoire finale ! Ça peut-y être plus clair que ça, saint ciboire ? Merci, grand merci de nous avoir accueillis ! Compte sur nous autres : dans deux jours, même heure, même poste, on revient ! Déjà organisés à part ça ! Nous autres, on niaise pas avec la puck, jamais, vieille étole ! On tope là-dessus ?

FLAMMES

ils ont laissé ma meson embrasée, les fantasques triplets du saint guy ! – et ça brûle en mon moi-même, en flammes rouge sang, comme quand les estis d'anglais ont incendié mesons, bâtiments, animals, récoltes, de la gaspésie à la côte sudiste, tué les habitants, violé les femmes, même enceintes ! – comme quand les anglais ont bombardé kebek de leurs machines infernales, à boulets rouges, à boulons carrés ! – deux mois que ça a duré, cette destruction barbare ! – comme quand les anglais se sont emparés des plus belles seigneuries pour en couper à blanc les forêts ! – comme quand les anglais se sont appropriés nos peaux de castors, notre minéral, notre chiard de goélette ! – estie de caste de voleurs de grands chemins dans une chambre d'assemblée de béni-oui-oui ! – la provocation comme arme suprême ! – forcer les habitants désarmés à se révolter pour mieux les écraser ! – appui du haut clergé et de l'élite ultramontaine troquant leur être identitaire pour devenir les larbins bien payés de leurs persécuteurs anglais ! – se faisaient éduquer à londres, parlaient l'anglais avec l'accent de cambridge ! – de véreux petits bourgeois exécuteurs des basses œuvres du capital anglais ! – tous des traîtres à la patrie ! – même chez rené levesque, prophète manqué de la terre promise ! – et la venue de centaines de milliers d'immigrants heureux de s'anglaiser ! – une caricature de démocratie pour que l'idée d'indépendance se fasse suicidaire ! – un référendum gagné, mais volé ! – l'étapisme ! – un pas par devant, deux par derrière ! – la branlette et la fourrette ! – la carotte et le bâton ! – chaque fois, une défaite cinglante ! – chaque fois, la victoire du mépris et de l'arrogance ! – rien d'autre que de la grosse marde pour que le kebek prenne son trou, y reste et se décompose vivant ! – dés pipés ! – à mille milles de la démocratie directe des grecs ! – un sénat élu par les citoyens d'athènes qui, tous les ans, avaient le droit de démettre de ses fonctions celui qui se montrait indigne du privilège qu'on lui avait accordé ! – la prévarication, la malversation et la cupidité des élus, sévèrement réprimées : mis au ban de la société, envoyés en exil pour dix ans ! – dans la démocrature fédéraliste, on pratique le contraire, on médaille les bandits, on leur accorde de scandaleuses primes de retraite, on leur octroie à vie de riches pensions ! – plus député ou de ministre élu pour défendre le bien commun, mais des voleurs, des charognards, des charognes, des grosses teignes collées sur le corps social, suçeuses de tout son sang ! – pire que la mafia ! – avoir au moins ce courage du christ : chasser les vendeurs du temple à grands coups de balai, de moppe, de fouette à nœuds cloutés ! – leur dépecer nez, lèvres, oreilles, ventres ! – les forcer à faire l'abandon de leurs jambes, ça serait merveille ! a dit le rimbaud –

ARRÊTSTOP

trop fébrile ! – l'idée de politique exacerbe en mon moi-même toute cette haine que j'y ai refoulée depuis que je suis devenu un homme vieillissant ! – j'aguis tout ce qui devrait être changé et ne peut l'être, j'aguis cette société pour laquelle tout n'est plus que faits divers, faits d'hier, faits d'hiver ! – deux minutes dans un bulletin de nouvelles, d'une telle importance c'est qu'on n'en reparle plus une heure après ! – un seul sujet derrière toutes ces images : la santé, l'estie de santé ! – c'est tout ce que le citoyen exige désormais : qu'il puisse se faire soigner, même quand il n'est pas malade ! – l'estie de prévention que ça s'appelle ! – pour le cas où ! – pour pouvoir continuer à respirer l'air pollué, manger de la marde et à en jouir ! – de l'hystérie ! – tous ces corps enchaînés, tous ces cerveaux fêlés, pas même l'idée d'une seule idée dedans ! – le vide, mais ce vide qui est l'envers du vide zen : l'intranquillité plutôt que le vouloir – la peur qui va avec, que les films-catastrophes de hollywood décuplent et centuplent : tueries, massacres, autant de fins du monde annoncées ! – soyez tous armés jusqu'aux dents, l'ennemi est partout, sous terre, sur terre, dans le ciel, aux abords et aux confins du cosmos, partout ! – c'est haut comme le gratte-ciel de dubaï, gros comme le volcan de yellowstone, imperceptible comme la bactérie aviaire de shanghai ! – une seule culture qui retienne : celle de l'hystérie – le monde, mon monde, notre esti de monde à tous ! –

et la question piégée : comment se libérer de ce monde-là ? – le recours au politique ? – un mot obsolète qu'on devrait éliminer des dictionnaires comme l'ont été tant d'autres parce qu'ils n'avaient même plus de peau sur leurs os, tels la sarbataine, le bobelin, le gouet, l'aumusse, le courquaillet, le brassal, le bissac, le chaussepied ! – que le fond de la terre me tienne par les pieds ! – ô ma tête, ma tête, ma tête ! – sois mon oreiller dans ma boîte ! – dedans ! – mets ta chair fraîche pour mes dents ! – ma tête, hibou énorme ! – a grapillé de la chair d'homme ! – et l'a mise dans une boîte à thé ! disait le jarry –

je pense à l'esquif sculpté par mon ami le menuisier, je pense au coffret de bois de santal enserré dedans, à cette coulée de verre gardant à jamais prisonniers les grands yeux violets de judith ! – en train de voguer sur la mer océane déchaînée – ne serait-ce que pour cela, une journée plutôt bonne, tout conte dit – une page tournée, débarrassée, ennoyée ! – ce n'est pas rien et ça mérite une bonne pipée d'opium, car moi, en mon émoi, je ne suis pas de la famille de l'accusé ! –

PORTABLE

quand tu vis dans un moulin à vent, les moutons ne cessent pas d'y venir ! – cette fois-ci, ce n'est pas le galarneau de boucherville que je ne connaissais ni d'ève ni d'adam qui entra dans la meson et me menaça d'étranglement soi-disant parce que j'avais raconté l'histoire incestueuse de sa famille à la télévision ! – au milieu d'une nuit de tempête de neige et de verglas, ma porte s'est aussi ouverte sur cet échappé d'asile qui se prenait pour la réincarnation d'émile nelligan, et qui voulait me forcer à lire sur-le-champ son bellifique manuscrit ! – et les fêlées du chaudron aussi ! – de toutes jeunes filles gelées raide et de toutes vieilles ivres-mortes ! – avaient lu tout de travers mes livres et pensaient être les personnages déments que j'avais inventés ! – un médium, un sorcier, un chaman ! – guérissez-moi ! – cette paumée de la guadeloupe qui voulait que je devienne son scripteur pour une série d'émissions à être diffusées en son pays ! – rien à comprendre dans ce qu'elle déblatérait dessus ! – je peux vous montrer des images, je m'exprime mieux par les images ! – a sorti d'une grosse serviette en peau de crocodile quatre albums et les a mis devant moi ! – des dizaines et des dizaines de photos de son elle-même, toute nue, poses extravagantes, cul par-dessus tête, grand écart, cornet de crème glacée fiché dans le gras vagin, boules chinoises sortant de tous les orifices ! – voulait se déshabiller pour que je la photographie ! – voulait me déshabiller pour qu'elle me photographie, esti ! –

ce n'est heureusement pas l'un d'eux ou l'une d'elles qui s'approche de moi toujours assis à l'indienne sur la Table de pommier : s'agit plutôt d'un ancien camarade comédien qui s'est recyclé dans la haute technologie, porteur d'une boîte qu'il met devant moi :

– C'est de la part du Viking, il dit.

– Je lui ai rien demandé.

– C'est tout payé, ce qu'il y a dans la boîte. Me reste plus qu'à installer ça quelque part. Où tu veux que je le fasse ?

l'ancien camarade comédien a sorti de la boîte un portable, écran et clavier si petits qu'ils pourraient presque tenir sur mes deux mains ouvertes – il le met devant moi tandis que je prends place dans le fauteuil roulant – autrefois, il y avait deux ordinateurs à l'étage et je les ai balancés par-dessus bord comme j'ai fait avec tous les biens meubles de la meson ! – que pourrais-je bien faire ce jourd'hui d'un portable quand je ne réponds même plus au téléphone ? –

– Tout passe par le dieu internet, l'ancien camarade comédien dit.

– Je ne suis plus branché.

– Le Viking prétend le contraire. Reste juste à savoir où c'est ici-dedans.

– Où c'est quoi ?

– L'entrée internet.

– La chambre, à ta gauche, en début de corridor, peut-être bien.

il y va, en revient presque aussitôt, juste le temps qu'il m'a fallu pour penser à calixthe béyala : si l'envie me prenait de lui écrire un mot, ça se rendrait plus facilement à destination et sans qu'aucun fantôme ne puisse s'y abreuver en cours de route – je n'aurai pas cette envie, c'est certain : j'aguis trop les mots désormais ! – mais qui a bu boira et dans sa peau meurt immanquablement le crapotte ! le disait si souvent l'oncle phil –

– C'est en effet dans la chambre, l'ancien camarade comédien dit.

– D'accord pour l'installation, mais en autant que je puisse mettre le portable ici, dans ce tiroir-là.

– Tout est faisable. Ça sera juste un peu plus long.

– Je m'en vais dehors, par derrière. Pas nécessaire de me prévenir quand t'en auras terminé.

je fais rouler le fauteuil jusqu'à la galerie et ça s'arrête quand je heurte le garde-fou – fait noir en esti ! – le ciel comme une longue et large langue sale ! – odeurs fauves d'une mouffette que les gros chars ont dû passer dessus – mes oies protestent en cancanant fortement et jappent les chiens au-delà du sous-bois – mitan d'automne, à rêver de mitaines en laine vive, à rêver de bancs de neige, si blancs, que même la nuit s'en dénoircirait – le spasme du givre, s'y enfoncer loin, s'y enfoncer si profond, que nul retour ne serait envisageable ! – là, là-dedans, pierre vivante bien que gelée à jamais ! –

je cogne des clous, je vais finir dans l'endormissement, transi, à attendre la première gelée blanche – à cause d'un portable dont je ne me servirai jamais ! –

OPINIONNER

j'ouvre le tiroir de la Table de pommier : le portable est là-dedans, pareil à un fruit vénéneux, venimeux, velimeux – j'aimerais mieux ne pas avoir à l'ouvrir, j'aimerais mieux ne pas avoir à l'allumer, j'aimerais mieux ne pas avoir à jouer avec les onglets – mais je ne veux pas penser aux triplets du saint guy et je ne veux pas non plus penser à l'esprit frappeur de la Table de pommier : là, c'est l'aube, l'aurore aux doigts de rosée, l'automne en son lever, impossible de passer à côté, juste pour le plaisir de constater que l'inertie n'est jamais définitive et qu'il suffit d'être patient pour que vienne le changement – saisons ! – l'une derrière l'autre, comme autant de canetons s'en allant à la queue leu leu avec leur parentèle ! –

calixthe béyala, je ne trouve qu'elle, peu importe l'onglet que j'ouvre, peu importe sur quelle touche du clavier j'appuie – je regarde vers le garde-guenilles où sont enfermés flaubert et nietzsche : qui, le premier, se portera à mon secours ? – ce sont les passions qui donnent naissance aux opinions, et la paresse de l'esprit les fige en convictions ! – mais qui se sent l'esprit libre et d'une infatigable vitalité peut empêcher le figement par de constantes variations ! – et s'il est à tout prendre une boule de neige pensante, ce ne sont pas du tout des opinions qu'il aura dans la tête, mais rien que des certitudes et des probabilités exactement mesurées ! – c'est l'esprit qui nous sauvera d'être entièrement consumés et calcinés, lui qui nous arrachera de temps en temps à l'autel de l'injustice ! – alors, délivrés du feu, nous nous avancerons, poussés par l'esprit, d'opinion en opinion, traversant la variété des partis, en nobles traîtres de toutes choses susceptibles d'être trahies ! – et pourtant, sans aucun sentiment de culpabilité ! –

sans regarder l'écran, j'ai tapé les mots du nietzsche – je vais les apprendre par cœur pour comprendre pourquoi je ne suis pas encore prêt à écrire à calixthe béyala – noble trahison ! – et sans aucun sentiment de culpabilité dedans ! –

je masque l'écran, je coupe le courant, je fais disparaître l'esprit du nietzsche avant de mettre le couvercle dessus, puis je ferme le tiroir de la Table de pommier – noble trahison ! – et sans aucun sentiment de culpabilité dedans ! –

me rasseoir à l'indienne sur la Table de pommier, y laisser mes chiens y monter et s'y coucher, leurs têtes entre mes cuisses – regarder droit devant moi et le jour qui bronche en flanc de montagne, faire une balancine de mon corps, de devant par derrière, de derrière par devant, et psalmodier, moi lama fractal : quark, quark, quark, quark, quark rouge, quark bleu, quark vert ! – saveurs de quarks, comme dans un gâteau des anges qui en serait fourré, comme dans un accélérateur de particules qui en serait bourré ! – quark ! – tel est le nom de la veille que je viens de veiller ! – cris des corneilles devenu saveurs du cosmos ! – quark, quark, quark ! –

5

De la recherche du trou de ver

CAMPAGNE

j'ai envoyé quelques faméliques courriels à la librairie gabonaise de calixthe béyala, mais je n'ai pas reçu de réponse – je n'en attendais pas non plus et j'aurais été très embarrassé, très embarré en mon moi-même si ça avait été le cas ! – résultat de ma complaisance : la Table de pommier est fâchée de contre moi depuis et je dois souvent m'asseoir dessus pour que l'esprit frappeur ne me chante pas mauvaise pomme – ce n'est pourtant pas faute d'avoir flatté la Table de pommier dans le bon sens de son grain : flambant nu, je me suis allongé dessus pour faire venir de mon sexuel un flot de blanc-mange, ce qui aurait dû la défâcher, mais ne l'a pas fait : ça boude comme une quelqu'une qui serait jalouse et ne peut s'y lasser ! – à cause de rhino, la sœur des frères diff et mioute, qui prend maintenant beaucoup de place dans la meson : elle s'est autoproclamée organisatrice en chef de ma campagne électorale, car j'ai fini par céder aux exhortations des triplets du saint guy et je suis maintenant candidat indépendantiste dans le comté de la rivière du loup ! – je ne pouvais tout de même pas rester éternellement assis sur la Table de pommier, avec pour seule avenue, seul avenir, l'esprit frappeur me déportant loin en gabonerie pour me faire voir la tristesse auquelle calixthe béyala et werewere n'ont pas encore réchappé – ce qu'ils attendent sans doute de moi : dire je les aime, je me languis d'eux, je voudrais les revoir, je voudrais les recevoir sans décevoir ! – j'aimerais bien, sauf que ce ne sont jamais ces mots-là qui me viennent quand je me mets à leur écrire : si le mot haine n'existe pas dans le vocabulaire amérindien, c'est pareil dans mon dictionnaire par-devers la culpabilité, le languissement, l'amourachement, l'amourachelâcheté ! – ça n'existe ailleurs que parce que le monde a peur d'assumer sa solitude ! – un malentendu, un illusoire trou de ver plein d'âpres aspérités qui broient ce qu'on a comme carapace, qui mutilent l'esprit et le font mourir dans du sang très salopant ! –

dès que j'ai annoncé aux triplets du saint guy que je ferais la lutte dans la rivière du loup, rhino s'en est allée aux états unis, fascinée par la campagne qu'y mène hussein obama, le premier nègre déterminé à devenir le prochain président à occuper la maison blanche de washington : pendant des mois, personne ne l'a vu dans sa soupe, l'obama, et il traînait loin de la patte derrière l'ambitionnée clinton selon les sondages ! – et voilà maintenant que les deux seraient d'égale force auprès des électeurs ! – c'est pourquoi rhino est installée à chicago : le succès imprévisible d'obama doit avoir ses secrets, et rhino s'est mis dans la tête de les découvrir – quand elle reviendra des états unis, on saura ce qu'il y a au fond du chaudron : une campagne axée sur les médias non traditionnels, des milliers de travailleurs d'élection et de bénévoles prenant d'assaut internet pour communiquer directement avec les électeurs, comme au temps de la grèce antique quand périclès rassemblait tout son monde à l'agora d'athènes – l'informait sur-le-champ de tout ce qui passait et repassait, et lui permettait de donner son opinion – cette démocratie directe, qui se passait de toute bureaucratie – à la vitesse de la lumière, en forme de trou de ver, pour qu'athènes ne soit jamais prise par l'indécision, l'attentisme, le défait accompli ! –

aidée par quelques cracks de l'informatique, rhino a créé un site internet, dressé une liste de tous ces internautes qui, sympathiques à notre cause, se chargeront de diffuser auprès de leurs correspondants les informations qu'on leur fera parvenir – les blogueurs seront appelés à prendre d'assaut les sites de nos adversaires et les carnets virtuels des journalistes : pas une seule journée ne se passera sans qu'on soit forcé à parler de nous en action et réaction ! –

ça compensera ainsi l'argent que nous n'avons pas ! – de l'imagination, de la créativité, de l'audace, de la provocation, de l'humeur et de l'humour noir dans cette provocation-là ! – tous les dimanches, j'ouvrirai la porte de ma meson et j'y ferai assemblée de cuisine ! – si curieux est le monde ! – veut depuis si longtemps venir écornifler en mon chez moi ! – de la bière à volonté, la bière l'indépendante, évidemment ! – aucune pancarte de mon moi-même candidat ne sera affichée sur les poteaux du comté ! – inciter plutôt les citoyens à décorer leurs mesons du drapeau kebekois ! – beauté du bleu royal sur fond de neige ! – pour que le monde retrouve dignité, honneur, si lâchement perdus ! – quand notre petite armée, drapeau kebekois et drapeau des patriotes hautement hampés, descendra la rue lafontaine à la rivière du loup, on saura enfin ce que le mot citoyen veut dire ! –

un programme électoral ! – les candidats régionaux n'en proposent pas, ils se contentent de faire distribuer celui que le parti a conçu pour eux, ils l'apprennent par cœur et parfois si mal que, sans s'en rendre compte, ils disent le contraire de ce que prétendent les bureaucrates de leur parti ! – le lâche et veule parti kebekois, ce grand véhicule créé pour que nous puissions être enfin maîtres chez nous, une coquille vide, plus de nerfs, de muscles et de sang, un cancer en phase et phrase terminales ! – quand je pense : j'ai milité là-dedans jusqu'à la victoire électorale de 1976, un triomphe de la rage citoyenne ! – il aurait suffi d'une simple proclamation indépendantiste à l'assemblée nationale, et c'en était fait du fédéralisme à l'anglo-saxonne : sa seule idée depuis la confédération, celle de nous voir disparaître de la carte comme race, peuple, nation et patrie ! – plutôt que de célébrer l'indépendance, rené levesque a coupé ses jarrets au mouvement de libération, pas aussitôt élu qu'il trahissait la volonté citoyenne : soyons un bon gouvernement provincial, qu'il a dit, on verra par après pour l'indépendance ! – esti ! – une déclaration pire que celle de l'irlandais charles parnell quand il tenait dans sa main l'indépendance de son pays ! – au lieu de la faire, il a plutôt envoyé se coucher les millions de citoyens déterminés à s'affranchir de leur sujétion aux britaniaques ! – tout ça, comme le rené levesque, parce qu'il avait le sexuel plus exigeant que le vouloir politique ! – un procès pour adultère et le velléitaire parnell a dû s'exiler en l'angleterre, pensionné par la royauté ! – ces hommes de pouvoir que le cul ne cesse pas de leur démanger : john kennedy et ses maîtresses en bureau ovale ! – robert kennedy et jaqueline bouvier, rené levesque partant en peur toutes les fois qu'il avait un verre dans le nez et qu'il voyait un jupon se retrousser en quelque part ! – certains de ses ministres, au nez en forme de balayeuse à sniffer, et pédophiles ! – et cet autre, le moron morin, espion du gouvernement fédéral, acceptant de lui des tas d'enveloppes brunes, traître au parti, traître à la volonté citoyenne ! – pas étonnant que l'idée d'indépendance soit devenue n'importe quoi : la souveraineté culturelle, maîtres chez nous par l'étapisme, aussi bien dire l'état qui se pisse dessus, creuse saison des idées, conversation nationale, société civile plutôt que civique, nationalisme, autonomisme, du rien au moins que rien ! – une élite de petit-bourgeois se servant du pouvoir pour assouvir sa cupidité ! – sont parvenus, ces estis-là, à défaire en dix ans ce qu'on avait mis trente ans à construire ! – quand j'y pense ! – ce sont ces prétendus indépendantistes-là qui ont aboli l'enseignement de notre histoire nationale ! – qui ont mis sous le tapis notre littérature ! – qui ont permis à des marchands de canons de s'emparer de nos journaux, de nos radios, de nos télévisions ! – pour un kebek bilingue, puis multiculturel, fédéralisé à mort ! – une méchante gagne de patriotes que celle-là ! – à les faire se démembrer à la dynamite, les estis ! –

je frappe du poing sur la Table de pommier pour que me lâche ma fâcherie – depuis que je suis un homme vieillissant, cette horreur sans nom que j'ai par-devers la colère – ça ne fait que se retourner contre soi, ça t'emprisonne au beau mitan du désert ! – stérilité ! – morosité ! – cynisme ! – démission ! – acceptation ! – soumission ! – sujétion ! – l'a bien dit le pessoa : à quoi bon affection, espérance si je perds, aussitôt que j'en use, toute raison d'en faire usage ! – si les avoir a la saveur de ne pas les avoir ! – croire, aimer ! – depuis la racine de la poitrine où j'ai hébergé de tels rêves, où j'en ai joui, qu'un vent me les arrache et les emporte où il veut pour que je ne puisse pas les retrouver, moi qui ai tout fait pour les perdre et m'y retrouver ! –

je me suis levé, j'ai mis dans la poche de mon pantalon pipe et opium – mes chiens ont compris de suite que j'ai besoin de prendre une grande bolée d'air ! – sont redevenus aussitôt joyeux et jingueux, ont filé vers la porte qu'il y a à côté du buffet – se chamaillent en attendant que je sorte à mon tour, muni de ma canne bergère –

un premier long respir du haut de la galerie : ce jourd'hui sera le dernier de l'été des indiens, c'est inscrit dans le fond de l'air – de la fraîche dedans, comme si d'invisibles flocons de neige y voyageaient déjà, par petits groupes tricotés serré pour mieux résister à cette chaleur qui monte encore de la terre sous la couche des feuilles tombées – et parfois, un petit coup de vent brusque, en forme de mini-tornade, qui rassemble les feuilles en spirales, les fait tournoyer, tourbillonner, toupillonner – mordorées sont leurs couleurs, fugueuses sont leurs musiques, terreuses sont déjà leurs saveurs ! –

je suis entré avec les chiens dans le pacage, je m'assois sur ce banc si bien placé en mitan de champ qu'il me donne à voir toute la large veine bleue de la mer océane en sa marée montante ! – seront bientôt submergés les pans de roc couchés comme de gros animals en bordure de mer : ici, un hippopotame ; là, un rhinocéros ; au-delà, un cheval de mer géant, grosse tête et longue queue – un monde qui se passe fort bien de ce qui ose encore s'appeler humanité, cette boursouflure verruée quand elle déforme le paysage, le torture, le mutile, le met à mort ! –

l'un après l'autre, les animals s'approchent, les petits chevals d'abord, puis les chèvres, puis les moutons – mettent toutes leurs têtes en quelque part sur mon anatomie, y frottent leurs museaux tandis que je caresse, flatte, dodiche et embrasse ! – à chacun son tour, comme à l'église quand les fidèles cannibales vont vers le couraillon pour lui manger dans la main le corps mort de celui qui prétendait sauver le monde ! – puis se mettent à folâtrer, les animals, je n'ai plus besoin d'exister pour eux : ils sont redevenus l'idée même de nature, qui elle seule est souveraine –

souveraine ! – ce mot aurait dû rester là où il était, au fond de ce terrier qu'une colonie de siffleux a creusé sous la bergerie ! – penser à cette campagne électorale que je vais devoir mener à compter de ce jourd'hui, je préférerais m'en passer – si peu qualifié pour ne faire que la grande gueule ! – je n'aime pas parler, je n'ai pas beaucoup de voix, c'est à peine si je m'entends en mon moi-même tellement je suis mal doué pour l'époumonerie ! – être rené levesque, michel chartrand ou pierre bourgault ! – hurler des mots, comme femme accoucheuse appelant, toute d'émotion chargée, les phrases qui mordent dans la vie, vont droit au cœur et ressuscitent la beauté ! – cet instinct du faire-naître qui rend réelle l'idée qui se rêve ! –

PROGRAMMÉ

voilà qu'on crie déjà après moi ! – les triplets du saint guy sont prêts à se mettre à l'ouvrage et me le font savoir du haut de la galerie – si je pouvais me métamorphoser en cheval, je le ferais ! – en chèvre aussi, je le ferais ! – je mangerais sans souci de l'herbe et je regarderais, placidement, passer le train sur la voie ferrée – me tapote l'épaule le michaux : pour m'encourager à m'en aller vers la meson, me dit sois tranquille, le contraire de ce que tu dis, grâce à ce que tu dis, sera peut-être pour quelqu'un un aliment, la révélation même de l'aliment qu'il attendait ! – tu auras donc servi à quelqu'un ! –

les triplets du saint guy se sont installés à l'étage, dans cette grande pièce où, en l'autrefois de ma vie, j'étais éditeur – ordinateurs, téléphones, listes électorales, cartes du comté, caisses pleines de toutes sortes de babioles, coupures de presse, biographies des candidats avérés, tous leurs squelettes sortis du placard, trafics d'influence, commissions d'affluence, partouzes commanditées, conflits d'intérêts, une main dans l'auge et l'autre sur le pot de vin, sur les dépôts de vingt, de cent, de mille piastres obtenus par les collecteurs de fonds ! –

les triplets ont voulu me prendre ma longue Table de pommier, mais je me suis assis dessus pour les en empêcher – les ai envoyés chez l'homme-cheval brocanter ce dont ils avaient besoin – sont revenus avec tables, chaises, et une huitaine de travailleurs d'élection bénévoles, fébriles comme ces tauraillons qu'on met au pacage pour la première fois ! –

seule rhino est restée avec mon moi-même : elle s'est chargé de l'agenda, elle va m'accompagner chaque fois que je devrai me déplacer, elle fera venir les foliculaires quand nous ferons causeries et causettes, elle négociera pour moi quand je serai invité à débattre ou à combattre – elle me suivra comme mon ombrage ces jours-là que je passerai à visiter les électeurs du comté ! – mon garde du corps, mon infirmière, ma moman nourricière, mon chauffeur, mon avocate du diable ! – diff, mioute et les autres vont s'occuper de la cuisine électorale : rejoindre les électeurs par internet ou par i-phone, lancer une campagne de financement populaire, produire des messages patriotiques qu'ils feront diffuser sur facebook et twitter – il y aura même une chanson-thème sur l'importance de réaliser de suite l'indépendance du kebek ! –

– Me reste plus qu'à peaufiner le programme électoral que je ferai connaître aux électeurs du comté, je dis à Rhino.

– Je vais t'aider.

– Pas la peine. Je sais ce que je veux mettre dedans. Dans deux heures, j'en aurai terminé. En attendant, va en haut besogner avec les autres.

– Pas moyen de faire plus vite ?

– Non.

– Ils n'ont pas besoin de moi à l'étage. Je vais m'en aller dehors. Marcher dans la nature à ce temps-ci de l'année, moi j'aime bien ça.

elle s'en va avec mes chiens qui ne demandent pas mieux que de courir la galipote en sa compagnie – ils ne le font que rarement sans moi, une question d'odeurs : peut-être celles de rhino ont-elles quelques-unes des miennes ! – va savoir, va donc savoir quand c'est l'idée de nature qui prédomine, esti ! –

PRÉ

une rame de mes grandes feuilles de notaire devant moi, je décapuchonne mon stylo feutre et j'écris le mot INDÉPENDANCE en grosses lettres sur la première ligne : aucun candidat n'en dira rien durant la campagne, même pas ceux du parti kebekois : ils croient qu'ils vont faire peur au monde s'ils lui parlent de liberté, d'égalité et de fraternité, s'ils prônent l'unilinguisme français et interdisent aux immigrants tout accommodement, particulièrement le religieux ! – un état laïc, esti ! – même que j'abolirais volontiers toutes ces églises, si antédiluviennes et dogmatiques qu'elles sont le frein premier à l'évolution de l'humanité ! – on leur doit la plupart des guerres qui mettent à feu et à sang une grande partie de la planète ! – l'invention de dieux sanguinaires au profit des despotes, des tyrans, des dictateurs ! – au profit de tout ce qui s'appelle pouvoir ! – pour que les peuples restent à la merci des puissants, des richards, et se fassent tuer au nom du christ, d'allah, de vishnu ou du sanguinaire yawhé ! – l'hérésie, elle est là, pas ailleurs ! – et chez nous peut-être davantage qu'ailleurs, même si on a jeté par-dessus bord porteurs de robes et porteuses de cornettes : ne s'oublient pas facilement ces deux mille ans qu'on a passés à genoux, le cerveau lessivé par ce paradis qui n'est pas sur la terre parce qu'on doit s'y montrer simplette d'esprit, voué à la pauvreté, détenu par la culpabilité, retenu par le remords, forcé à la résignation ! – l'église effondrée, il a bien fallu que le pouvoir trouve quelque chose pour la remplacer : le dieu-médecine est donc survenu, prenant la place de ceux d'antan : l'humanité-maladie, stases, métastases, mélanomes, mélamines, cancers, folies, suicides : les gènes atteints, brins et hélices de l'acide nucléique dévoyés ! – dégénérescences médicamentées, dégénérescences par l'alimentation, fructose, lactose, ammonium, phosphate, esterspolyglycérique, sulfite, lécithine, protéase, bioxyde de silicium, gomme de cellulose, proprionate de calcium et colorant ! – de la mort-aux-rats, produite, distribuée, vendue, mangée partout, par toutes et tous ! – au nom de la pensée nourricière unique, au nom de la dépense nourricière unique ! – feu le corps sain en son esprit sain ! – gènant, dégèné, transgènique ! – le pourrissement du vivant, le pourrissement du vivable ! – avant toute autre politique, c'est ce pourrissement qu'il faudrait stopper, esti ! – mais comment ? – mais comment faire par ici quand près de quarante pour cent de la population est analphabète, la moyenne d'âge soixante ans, avec trente-cinq pour cent des familles vivant sous le seuil de la pauvreté : décrochage scolaire, exode vers kebek et le grand morial, abandon du territoire, relève manquante et manquée ! –

comment faire pour que revienne la jeunesse de son exil ? – pour renforcer son retour par l'immigration ? – pour assurer à tous une existence décente, pour que tous en aient leur quitus de vie ? – institutions régionales sclérosées, bureaucratie, maires et conseillers qui subordonnent l'exercice du pouvoir à leurs intérêts particuliers ! – l'écologie, ils n'ont rien à brouter dedans ! – le développement durable, y astreindre son voisin, mais le refuser dans sa cour ! – aux noms des emplois à créer de toute urgence ! – un port méthanier ? – pourquoi pas quand on croit que les catastrophes ça n'arrive qu'aux autres ? – plein d'éoliennes en bordure de mer océane ? – yes, sir ! – de beaux paysages, on ne cesse pas d'en voir à la télévision ! – exploiter le gaz de schiste, même si ça contamine les nappes phréatiques ? – où c'est qu'il est le problème ? – vaut mieux faire de l'argent comme de l'eau que d'en boire de la fraîche, esti ! –

on se croirait chez le rabelais quand il fait le procès du monde dans lequel vivent pantagruel et gargantua – le monde des vessies et des lanternes : les patriotes, des couilles barines ! – le droit, une faribole ! – la magnanimité, un chaulderon ! – les curés, des croquignoles ! – les prélats, des cornemuses ! – les promoteurs, des couillaiges ! – les avocats, des maschefaim ! – les veuves, des culs pelés ! – les artistes, des ambouchoirs ! – les thésauriers, des bauduffes ! – les alchimistes, des boutavent ! – les politiciens, des mortiers ! – les pénitenciers, des barbutes ! – les voyageurs, des brimbelettes ! – les gradués, de la ramasse ! – les présidents, des bedondaines ! – les pharmaciens, des tirepets ! – les chirurgiens, des baisecul ! – les astrologues, des ramonneux ! –

ce que diagnostique le rabelais en verte litanie : les bourgeois sont peut-être éduqués, mais leur éducation n'est utile que par-devers eux-mêmes et inserviable par-devers les autres ! – des castes, chacune pour son chacun, qui perdurent parce qu'elles entretiennent le feu des idées reçues et déçues, des superstitions, des croyances dénaturées, rien d'autre que des étrons mal chiés par ce qu'on ose encore appeler la civilisation ! – et six siècles ont eu beau passer depuis le rabelais, rien n'a changé, sauf que les étrons sont désormais en telle surabondance que la terre en est couverte, les eaux submergées, le ciel encombré ! – le monde : une panse ouverte, boueuse, bouseuse, bourbeuse, bouchonnée ! –

AMBULE

même la rage s'use, car elle ne tient que ce qu'elle est, le pessimisme, le non-espoir, la velléité, l'à-quoi-bon, le cynisme, le sinistre : dans l'en-de-ça, dans l'au-delà, les quarks voyageront toujours, sans doute en état de décimation eux aussi, mais porteurs pareil d'un peu de beauté, et ce peu-là de beauté restante suffit à rameuter le vouloir, suffit à la détermination des racines, comme l'a dit le pessoa :

ma fureur d'être racines ! – ne veut plus qu'on me les arrache de la terre ! – ce sont les miennes, je n'appartiens qu'à elles, je dois les nourrir, je dois les protéger de la barbarie humaine, je dois sauvegarder leur territoire ! – jusqu'où ? – jusqu'à tuer s'il le faut ! – ma fureur d'être racines, il ne me reste plus que ça ! –

je tire sur le tuyau de la pipe d'opium, je laisse les mots du pessoa prendre possession de mes nerfs, muscles et sang, je laisse les mots du pessoa m'enraciner, je laisse les mots du pessoa enraciner tout le territoire de mon arrière-pays déboisé – tant d'adventives à faire venir, à faire croître ! – à en tresser serré la carte du territoire ! – dans la fumée de l'opium, je vois quelques centaines de jeunes gens reprendre possession de l'arrière-pays : on bâtit pour eux mesons et dépendances, on y laboure, herse et sème, on y débroussaille, on y emménage des pâturages, on met dedans plein d'animals – ne reste plus qu'à y ajouter potagers et vergers, ne reste plus qu'à prendre soin de la beauté naissante pour qu'elle s'épanouisse ! – de la vie renouvelée, renouvelable ! – de la vie propre, apaisante parce qu'apaisée ! – un trou de ver, un premier trou de ver pour contrer cette barbarie humaine dont a parlé le pessoa ! –

– Ça avance ? Rhino dit, de retour avec mes chiens de sa voyagerie à travers les champs.

– Pour la campagne électorale, je ne sais pas. Mais moi, je m'avance, je m'enracine, je me recrée, je me fais ramilles et ramures.

– Ça serait grand-temps que tu boives un café. T'en veux un ?

elle va répéter la question parce qu'elle croit que je ne l'ai pas entendue – mais ce n'est pas le cas : il y a tellement long que je vis esseulé et que personne ne m'a offert quoi que ce soit sans y être forcé ! – voix presque chantante, mots comme trempés dans le jus de framboises sauvages ! – je regarde rhino moudre le café : son corps a la même saveur que sa voix, il ne cesse pas de danser, même quand il paraît immobile ! – c'est de l'intérieur que ça vient, de très loin, d'avant la naissance sans doute – ce tout petit embryon, quelques cellules chantantes déjà, dansantes déjà ! – n'ont pas eu à choisir leur orientation, elles étaient comme l'est tout ce qui chante et danse en même temps ! –

– Pourquoi tu me regardes ? Rhino dit.

– Parce que je suis un vieil homme tout à fait déshabitué de la beauté.

elle met devant moi la tasse de café et réagirait sûrement à mon propos si diff, mioute et leurs acolytes ne venaient pas faire diversion dans la cuisine – vont tous aller au restaurant casser la croûte et voudraient que je me joigne à eux – je dis non : dans quelques heures vont survenir les foliculaires et j'ai besoin d'un peu de repos, je n'aime pas la fébrilité quand il me faut prendre la parole – la fébrilité enserre la passion dans l'émotion et celle-ci, devant public, semble toujours feinte parce que calculée ! –

tandis que mes chiens s'en vont dehors renifler les saveurs chantantes et dansantes de rhino, je rallume la pipe d'opium et avale la fumée, par petites bourrées, comme font les chats quand ils lapent le lait – faire campagne ! – faire campagne, esti ! – diff n'a pas cessé de hurler la chose tout l'avant-midi – quand je pense que ça va gueuler de même tout ce mois-là que va durer la campagne électorale ! – je me sens comme si je me trouvais au centre d'une ville assiégée, menacé par la famine et les corps morts putrescents qui l'encombrent déjà – j'aurai beau dodicher de mes doigts la Table de pommier, l'esprit frappeur ne viendra pas, je devrai réinventer l'image de calixthe béyala, sa peau cuivrée que rien ne recouvre, ses cheveux noirs qui ruissellent dans le fond de l'air, la plante rosée de ses pieds s'enfonçant dans le sable – courir aussi vite sous ce soleil qui brûle, vers où ? – au-delà de quel mirage ? – le gabon comme miroir, juste lui, sans quelques poignées de sable kebekois dedans ? – pour qu'il y en ait au moins quelques grains, je me laisse emporter par la spirale qu'agite l'opium en mon moi-même, je m'y abandonne, doux, tout doux, tout doucement ! – ne voir que ce bronze, là-bas, qui remue, si léger ! –

COUPDEPOING

– Le coffret ? Je peux savoir où tu l'as mis ?

la voix de jim brise la spirale faite des volutes de la fumée d'opium voyageant en mon corps – ça ne monte plus et ça ne descend plus, en suspens dans l'estomac, de petits et nombreux tambours battant à l'épouvante – je n'aurai pas le temps d'ouvrir les yeux ni de mettre la pipe entre mes cuisses : jim me l'a ôtée de la bouche et l'a projetée contre le deuxième pont du gros poêle à bois ! –

– Le coffret ! T'as fait quoi avec le coffret ?

– Pourquoi je te répondrais ? T'es sensé être à Morial Mort, pas chez moi !

– Je n'y suis pas retourné, dans le Grand Morial. J'ai loué un motel en bordure de mer et j'ai tout simplement attendu là-dedans.

– T'as attendu pour rien. Regarde sur la Table. Il n'y a plus de coffret et c'est pour toujours à jamais !

jim contourne la Table, s'approche, donne ce coup de pied au fauteuil roulant pour le faire pivoter – sa face à un pied de la mienne, gros yeux globuleux, muscles des mâchoires tressaillant, grosse bouche de requin-marteau ! –

– J'ai mis le coffret dans un esquif que j'ai fait sculpter et je suis allé le porter sur la mer océane. Si tu veux le retrouver, t'as qu'à suivre la route vers l'estuaire. Ça doit maintenant flotter au ras de l'Anticosti.

– Tu me blagues ?

il m'empoigne, me secoue, me menace :

– Je t'ai dit que je te tuerais si tu ne respectais pas les dernières volontés de Judith !

– Je t'ai répondu que je n'en ferais rien ! Si tu tiens tant que ça à m'exécuter, ne te gêne pas, esti ! Cogne de suite !

à peine ai-je le temps de voir le coup-de-poing américain ! – ces anneaux d'acier dans les doigts de jim ! – intense lumière qui traverse ma mâchoire, ma joue, mon nez ! – tout le poids de la ténèbre sur mon corps projeté par derrière, ma tête frappant fort le plancher ! – des étoiles en quantité exponentielle, qui explosent jusqu'aux désabords des confins du cosmos ! –

DÉSINFORME

revenus de leur quête des saveurs quantiques de rhino, mes chiens me lichent le visage – diff et mioute m'ont assis dans le fauteuil roulant à leur retour du restaurant – sonné ! – os de la mâchoire gauche qui craque, joue et bout de nez fendus, du sang s'en écoulant par filets ! – au crâne, ce champignon dans lequel mon cœur a trouvé place, y battant sans mesure ! – je demande à diff de récupérer ma pipe sous le gros poêle à bois et de la rallumer – je tire dessus, je laisse la fumée se charger de ma douleur :

quand elle aura pris possession du champignon qui m'est venu au crâne, mon cœur s'en retournera dans ma poitrine et je dirai à diff et mioute :

– Me suis endormi. Ça a dû canter d'un bord, j'ai perdu l'équilibre et mon fauteuil s'est renversé.

diff examine mes blessures, puis mioute le fait aussi – se regardent ensuite – ne me croient pas, en savent plus long que moi sur les coup-de-poing américains ! –

– Tu nous niaises. Qui c'est qui t'a frappé ?

je ne veux pas parler de jim, ça me forcerait aussi à parler du coffret et des grands yeux violets de judith – et cette histoire-là, elle s'est enfin donné une fin avec le coup-de-poing américain, elle s'est dissoute dans le fond de l'air, comme l'oiseau du michaux traversant les nuages, que les nuages traversaient, qui volait sans souci, ses ailes étendues au-dessus de la mer océane grosse comme un pois vert : un tout petit oiseau en plein ciel, traversé de ciels ! –

– Faut annuler la conférence de presse, Diff dit. Les journalistes, tu les connais : ils vont s'acharner sur la bosse que t'as au crâne, sur ton nez et ta mâchoire blessurés ! À moins que... Ouais, ouais, ouais ! Je crois bien que j'ai une idée, une crisse de bonne !

ces travailleurs d'élections mangent tous à l'auge commune, même quand ils prétendent que non ! – diff voudrait que je fasse la victime auprès des foliculaires : quelqu'un, que je ne connais pas, serait entré dans ma meson pour m'infliger ces blessures que j'ai à la tête – sûrement un fanatique, un fédéraliste musulmaniaque qui ne veut pour rien au monde m'entendre parler de l'indépendance du kebek ! –

– Ça aurait l'effet d'une grenade dans les médias, Diff dit. Ça ferait manchettes, pas seulement de par-ici, mais jusqu'au Grand Morial, crisse !

– Oublie ça de suite !

– Faut que tu te mettes ça dans la caboche, et vite : l'honnêteté, ça n'existe pas quand on fait campagne électorale. C'est une guerre, tous les moyens sont bons quand on tient à la gagner. Les politiciens, faut tous les voir comme des ennemis, des traîtres, des crosseurs !

– T'as sûrement raison, sauf que moi, je ne me bats pas contre eux autres. Moi, je me bats pour l'idée que j'ai d'un pays à faire venir au monde. Je me bats pour ceux qui voudront bien m'entendre, je me bats par devant, je laisse les salopés se déviander d'eux-mêmes par derrière.

– Si tu le penses vraiment, t'as pas besoin qu'on soit là ! Mioute et moi, on monte à l'étage, on emballe nos affaires, pis on décabanne ! C'est ça que tu veux ?

je ne réponds rien, pas la peine d'argumenter, même en faisant semblant de jouer au fin finaud – vous voulez décrisser, allez-y, esti ! – je tire sur la pipe, je laisse diff et mioute monter à l'étage et paqueter leurs affaires – diff vocifère, vocrifère, lucifère, un long chapelet de sacres, une longue litanie qui a le feu au cul ! – puis ça va passer devant moi en transportant des caisses – je ferai celui qui ne voit ni n'entend, je susurrerai du prévert : ont beau presser le pas, les épaules levées et la tête hochée, des souvenirs en foule dansant devant eux les empêchent d'avancer ! – aussi prend-elle du temps, la translation des restes de diff et mioute – une fois que c'est tout rendu au bas de la galerie devant la meson, diff se plantera droit devant moi et me chantera un char plein de bêtises avant de déguerpir ! – n'ayant pas les cordes vocales pour en faire autant, mioute crache sur la Table de pommier pour la saloper ! – puis disparaissent les deux frères, en faisant claquer si fort la porte que les vitres s'y éclatent ! – des sans-allures, des sans-desseins, des sans-caboches ! –

me dire et redire : fume, fume, fume encore ! – te voilà seul et ça ne doit pas t'énerver : tu l'as toujours été, par-devers les autres en exil extérieur, par-devers toi-même en exil intérieur ! – que ça ne t'empêche pas de prendre la parole, tu y seras peu nombreux, mais le choix fera ta fête ! – c'est du moins ce que m'enseignent la fumée d'opium que j'inhale et mes chiens me lichant le gras de jambes ! – on n'est jamais complètement seul en l'exil, ce qui fait du vouloir-agir un désenténèbrement sans excuse ! –

POINTAGE

le temps d'en finir avec l'opium, rhino survient, un petit colis à la main qu'elle a emballé dans un restant de sac brun – elle veut savoir la cause de mes blessures, mais je refuse de lui en parler et elle monte à l'étage pour s'en enquérir auprès de diff et de mioute –

– Y a plus rien en haut, Rhino dit en redescendant de suite. Y s'est passé quoi avec mes frères ?

l'arrivée d'un premier foliculaire me dispense de lui faire réponse – j'essuie sur la Table de pommier les crachats de mioute, je m'affuble de mon chapeau à large bord, je jette un coup d'œil à mes notes en attendant qu'arrivent les autres foliculaires – quinze minutes, une demi-heure ! – pas un autre journaliste ne se montrera le bout du museau ! – le foliculaire s'impatiente : des vaches sont en train de rôtir dans l'incendie d'une grange à saint jean de dieu, et ça fera une spectaculaire manchette que celle-là ! – je discoure donc rapidement sur l'idée d'indépendance, je conte la fable des racines du pessoa, je parle de pierre bourgault, de michel chartrand, de pierre falardeau ! – pas de réaction, pas de questions, salut, bonjour, même pas intéressé à noter cette vérité dite par le william b. yeats : ni effroi ni espoir pour l'animal qui meurt, mais l'homme attend sa fin, craignant, espérant tout : que de fois est-il mort, puis se relève ! –

le foliculaire parti, rhino revient de l'étage où elle s'en était allée, le colis en sa main gauche, une pile de petits cartons en sa main droite : diff a téléphoné à une centaine d'électeurs du comté, et trois seulement lui ont dit vouloir voter pour moi ! – je bâille, je me sens fatigué comme si je venais de passer une heure à marcher sous le soleil brûlant de l'africassée, dans le chaos de la jungle en vallée d'omo, terre sèche, arbres morts, troupeaux de vaches par ici et par-là-bas, rien qu'un peu de peau sur de gros os en saillie ! –

je vois le colis que rhino tient toujours en sa main gauche et je lui demande de quoi il s'agit –

– Dans mes affaires, un livre que j'ai trouvé pour toi.

– Montre.

– Non. Dis-moi d'abord pourquoi Diff et Mioute sont partis.

je me lève et craquent mes articulations – je fais quelques pas pour chasser les frémilles qui se sont attaquées à mes jambes, je réajuste corset et attelage à mon corps, je mets dans l'une de mes poches briquet, boulettes d'opium et pipe, je me coiffe d'un béret basque, je prends ma canne :

– Je te raconterai une fois que nous aurons pris la route, je dis.

– La route ? Pour quoi faire, la route ?

– On ne peut pas ne pas rendre visite à ses électeurs quand on se porte candidat. Il fait beau. Aussi bien s'en préoccuper.

dès que j'agite les clés de la beretta Z-26, mes chiens se mettent à japper : ils aiment venir avec moi quand je vais loin dans l'arrière-pays – comme moi, ils y sont nés à flanc de colline, au milieu d'épinettes noires, au fond de cette bergerie basse de plafond, à peine assez vaste pour qu'y prennent place une treizaine de moutons – jeunes, mes chiens jouaient avec les agneaux, les protégeaient des coyotes et des renards quand ils pacageaient dans les boisés, comme moi je le faisais en mon enfance, au fond de cette cuvette qu'était le rang rallonge de saint jean de dieu ! –

les chiens ont pris place sur le siège à mes côtés, forçant rhino à s'asseoir derrière – je baisse la vitre de la portière de droite : les chiens s'amusent à y mettre la tête dès que la beretta Z-26 se met à rouler – odeurs qui vont en se multipliant en fond de l'air comme quand, en plein champ, on fait pique-nique : aux saveurs du boire et du manger, s'ajoutent ces odeurs des animals et des fruits sauvages, ces odeurs d'urine marquant le territoire de chacun, ces odeurs d'une charogne en train de se décomposer, ces odeurs de purin aussi, tornades à ras de sol, que même le vent, le vent vrai, semble mal-pris avec ! – rhino se penche vers moi entre les deux sièges pour que je l'entende :

– Raconte maintenant. Pour Diff et Mioute. Pour tes blessures à la tête aussi.

j'appuie à fond sur l'accélérateur – vrombissement du moteur, sifflement du vent, têtes d'arbres cassées, corneilles et corbeaux voletant, virevoltant au-dessus de nous ! – fuir cette sale campagne électorale, vers du propre, vers le vif du sujet, là où c'est, disait le rimbaud, que ma vie ne sera plus pesante, mais s'envolera et flottera loin au-dessus de l'action, ce point final du monde ! –

me suis arrêté en presque bout de rang : au-delà, plus de route, d'épaisses digues de roches y mettant fin : au-delà des digues, une plantation de pins maigrichons ; au-delà de la plantation, cette forêt d'épinettes noires tassées les unes contre les autres, leurs grosses branches ployant jusqu'à ras de terre, églantiers poussant au travers, framboisiers sauvages, chardons ardents ! – le paysage de mon enfance aussitôt franchi, la frontière du clos des moutons, au-delà l'aventure en l'ombrageux pays des animals sauvages, au travers les fardoches, ces sentiers battus par orignaux, chevreuils, ours, coyotes, renards, porcs épiques, siffleux et mouffettes, tous marqués de fauve urine ! – fascinant c'était : nature en son origine, infréquentée par l'homme, nature proliférant sans entremises ni accommodements, raisonnables ou pas –

– Tu restes dans la voiture avec les chiens, je dis à Rhino. Moi je vais voir le monde de par ici.

je sors de la voiture et marche vers cette meson peu engageante, peu dégageante : lambris écaillé, galerie aux assises pourrissantes, vieux siège de camion dessus, réfrigérateur rouillé et haute armoire sans porte à côté, avec plein de canisses rouillées dedans – la sonnette ne fonctionne pas, je frappe à la porte, une vitre dépourvue de mastic dégringole et se fracasse à mes pieds – me penche, mets la tête dans l'espace libéré par la vitre cassée : y a quelqu'un ? – y a quelqu'un ? – pas de réponse ! – mais c'est habité là-dedans : sur la table de la cuisine, les débris d'un repas qui remonte à peu de temps – des bruits qui viennent aussi d'une radio et d'un téléviseur allumés – j'insiste – rien ! – ça doit dormir devant le téléviseur : en après-midi, les émissions qu'on diffuse au petit écran sont plus efficaces que les ordonnances pour hiberner avant son temps : dors ! – dors ! – dors donc ! – que disent voix et musique ! – dors ! – quand on prend sommeil, on a moins mal, le corps se gourdit, l'esprit se ramène à la grosseur d'un petit pois, si peu d'énergie dedans que c'est à peine si ça peut encore s'enrêver de molles nostalgies ! –

je descends la galerie et marche vers cette autre meson au toit rouge vif et plutôt bien entretenue, nombreuses plantes la ceinturant, toutes dans des pots de grès, certaines fleurissant encore : on doit rentrer les pots le soir pour que les plantes ne gèlent pas de la racine, puis le soleil se relevant, on en receinture la meson – je frappe à la porte et ça s'ouvre presque aussitôt : femme en début de quarantaine, toute écourtée de taille et minçouillette d'épaules, naine jaune enveloppée d'une robe de chambre mal nouée aux hanches par un fin cordon, mais des lunettes aux verres épais comme fond de bouteille de bière –

– Je suis candidat indépendantiste dans le comté, je dis.

– Je sais, la naine jaune dit. On parlait tantôt de vous à la radio.

– On peut jaser, pas long, quelques minutes ?

la naine jaune ne me répond pas, mais me laisse entrer : l'intérieur de la meson ressemble à ce que j'ai vu à l'extérieur – propret, quelques beaux meubles anciens, amas de plantes dans les encoignures, vases importés : bleu sombre des souffleurs de verre hongrois pour quenouilles et queues-de-renard – sur la table aux pattes de lion, une montagne de fleurs mauves hydrangées – pas de pauvreté ici-dedans, juste une solitude qui s'est laissé enfermer comme l'est le corps sous cette robe de chambre que porte la naine jaune – et cette impression que j'ai d'être le premier humain à entrer ici-dedans depuis des lustres : pas une odeur d'homme, seulement celles, fatiguées, d'un tout petit corps mal monté sur des cure-dents ! – je ne sais pas quoi dire, même l'idée de parler d'indépendance ne fait que m'effleurer, puis s'escamote entre les pots de fleurs serrés les uns contre les autres –

– La politique vous ennuie profondément, je dis. Je me trompe ?

– Non. Je ne vais même plus voter.

– Je peux savoir pourquoi ?

– Ça serait trop fastidieux à expliquer. Un candidat qui fait du porte en porte, ça dit trois banalités, ça donne une poignée de main, puis ça s'en va aussitôt parce que c'est toujours pressé.

– Moi, j'ai tout mon temps.

– Vous feriez bien mieux de l'occuper à écrire. Des milliers de lecteurs, ça compte autrement qu'un vieux restant d'humanité éteint comme je le suis.

– Ce n'est pas le nombre qui importe. Herman Melville disait n'écrire que pour une seule lectrice, cette jeune femme qu'il avait rencontrée par hasard en faisant diligence aux abords de Londres, et qu'il ne revit jamais. Peut-être qu'elle lui a simplement dit comme vous venez de le faire qu'elle était elle aussi un vieux restant d'humanité.

– Éteint, le vieux restant. C'est important.

des yeux fatigués qui regardent d'un côté, de l'autre, puis au plafond, puis reluquent le bout du pied gauche apparu de sous la robe de chambre en chenille rosâtre – bref passage de la langue sur les lèvres, mâchoires qui bougent, puis ces mots qui viennent en queue leu leu, sans interruption, comme si n'existaient pas virgules, points de suspension et points d'exclamation – en quelque part entre psaume, cantique et lamentation ! – institutrice trop passionnée qui s'occupait de ses élèves comme s'il s'était agi de ses enfants – au lieu de voyager sans remords dans ce trou de ver si éjouissant, s'est égarée en la matière noire de sa solitude, se retrouvant souvent devant rien une fois ses cours donnés : pas de mari, par d'amant, pas d'amis – des jours tout pleins, des soirées et des nuits toutes vides ! – un congé sans solde d'un an, en descente molle vers la dislocation, puis cette douloureuse remontée, corps et esprit se radoubant par l'effort, fort – j'étais guérie, je ne demandais qu'à reprendre ma place à l'école ! – ce refus qu'on lui a opposé, sa détermination à ne pas se laisser détruire une autre fois ! – un an et demi à payer un avocat pour seulement passer au travers du labyrinthe de la bureaucratie scolaire ! – un an et demi avant d'avoir à prendre décision : poursuite devant les tribunaux ou bras tombés ! – je serais allée jusqu'au bout, mais je n'avais plus de force ! – le cancer ! – ce maudit cancer ! – qui m'a salopé le corps et l'esprit ! – m'a enlaidie, abîmée, défaite ! – je vais plus nulle part parce que j'ai honte, parce que j'ai peur, parce que tout ce que j'espère maintenant c'est de mourir chez moi ! – pas dans la rue, pas entourée d'une gagne de sans-desseins me regardant crever, indifférents ! –

elle se lève, va vers le corridor qu'il y a au bout de la cuisine, s'arrête et sans se retourner, me dit :

– Merci de m'avoir rendu visite. Je ne vous souhaite pas d'être élu. Tous des sans-desseins au Parlement !

je la regarde disparaître au fond du corridor, vieille jeune femme au corps usé, enrobée de chambre en chenille rosâtre, retenue aux maigrelettes hanches par ce presque ombilical cordon ! – je voudrais être capable de compassion – aller jusqu'à la chambre, prendre ce corps déjà mort dans mes bras et le serrer fort ! – je vais simplement remettre mon béret basque et sortir de la meson – m'y attend ce ciel aux couleurs fauves comme dans les toiles de van gogh, aux couleurs terreuses comme dans les catastrophes chrétiennes de goya : le fauve jusqu'en ligne d'horizon, le terreux au-dessus de la mer océane, comme un abcès qui suppure –

– Faudrait que t'allonges le pas. Sinon, tu ne verras pas grand-monde d'ici le jour des élections, Rhino dit.

je montre de la main senestre la dernière meson qu'il y a en fin bout de rang –

– Fais courir les chiens tandis que je m'en vais par là-bas, je dis.

une fois franchi le rideau de petites épinettes noires qui font tampon entre la route et les bâtiments, j'entre dans la cour : partout, de vieux instruments aratoires entre lesquels broutent des moutons et des chèvres, deux poneys et un âne blanc – entourée de deux poules et d'une ribambelle de poussins, une jeune femme, bottes à vache aux pieds, jupe paysanne, veste de laine et chapeau à large bord, ameublit la terre à coup de piochon – je pense à victor hugo voyageant dans les plaines belges, et disant : des cultivatrices dont on voyait surtout la première syllabe ! –

– Moi, je veux rien savoir de la politique, la piocheuse dit. Mais mon chum serait plutôt pour. Vous avez qu'à entrer dans la meson. Y devrait être assis au ras le poêle à bois. Vous ne pourriez donc pas le manquer même si vous aviez les yeux loucheurs !

je frappe à la porte –

– Vous frappez pour rien, la cultivatrice dit. Mon chum est un brin dur de la feuille. Faites juste pénétrer.

je pousse la porte : l'homme est bien là où la cultivatrice m'a dit qu'il serait, assis dans une berçante devant le poêle à bois, une bouteille de bière à la main et une autre qu'il roule sous son pied débotté au rythme du je vas je viens des chanteaux de la chaise – vite remarquée : de la tempe droite jusqu'au bas de la mâchoire, une longue, très longue balafre :

– Tire-toi une bûche pis assieds-toi dessus. Je suis content de recevoir dans ma meson un indépendantiste qui se mâche pas dedans ses mots !

il tourne la tête vers moi : œil droit de la grosseur d'une bille et ça ne bouge pas, œil gauche ne cessant pas de clignoter, qui donne l'air et la chanson de danser perpétuellement la saint guy –

– J'étais dynamiteur, calvaire de métier ! Un jour ou l'autre, que c'est que tu veux : ça arrive que la mèche soye trop courte pis la dynamite t'explose en pleine face, calvaire de métier ! Pour te défigurer, m'as te dire : ça fait la job en viarge sale ! Ouais, calvaire de métier !

il boit une gorgée de bière, puis ajoute :

– Que c'est que t'as dit ?

– Rien, je faisais juste écouter.

– Parle plus fort : j'entends rien, calvaire de métier ! J'ai de l'acouphène dans les oreilles ! Tannant, tannant, calvaire de métier !

je me lève, lui tends la main :

– Pars pas tu suite de même. Tu vas de porte en porte demander au monde quoi c'est qu'il pense de la politique, s'ils sont ou pas pour l'indépendance du Kebek. T'es tombé sur le bon gars pour en jaser. Rassois-toi, calvaire de métier !

impossible de penser à l'esquive ni de compter sur la cultivatrice : ne viendra pas à mon secours, trop contente que je sois là, à écouter à sa place son chum acouphonesque – même discours tous les jours, sans doute aussi la nuit, comme une cassette qui se rembobinoche d'elle-même une fois le monologue terminé ! –

– Vois-tu, je pouvais pus être le même homme après la calvaire de dynamite ! Recevoir en boutte de mois une pension d'invalidité, ça humilie à mort un fier-pet comme moi, calvaire de métier ! M'as t'en dire : tu te tannes vite, calvaire de métier, à passer tes journées avec un miroir dans la face, à vouloir te faire bouger le mâche-patates pis à te déloucher de l'œil, le gauche, calvaire de métier ! Ça fait que ma blondine pis moi, on s'est dit qu'y avait que le grand air pour me désenpiauter ! Hé, hé ! Lâché Amqui, remonté le fleuve, le nez collé dessus ses eaux. On s'est perdus en rentrant dans les terres, par sauts de puce que ça se faisait, boutte de rang à un autre boutte de rang, calvaire de métier, pour aboutir par icitte, dessus cette terre que tout le monde a sacré là pour aller s'encabaner ailleurs. On a acheté icitte-dedans pis autour. Ma blondine s'y connaît en élevage et cultivage. De l'agriculture alternative, certifiée biologique à cent pour cent, calvaire de métier ! À l'ancienne que ça se fait, piochon, gratte, pimbêche, point bête ! La terre engraissée en compostium, algues fines, écailles de crevettes, fumier tari, déchets, détritus, même ce qui nous sort du trou du cul, calvaire de métier ! Mais si tu voyais le résultat ! Des pochetées de vrais légumineurs, de vrais fruitatifs ! Des agneaux pis des chevreaux, tu devrais zieuter ! Mais nulle part pour les vendre, ni dépanneries ni épiceries, encore moins dans les grandes chaînes à faire manger ! Ça, c'est le monopole de l'Union des producteurs agricoles qui mange dans la même aubelle que les politiciens, calvaire de métier ! Juste des gros tas de marde qui font du lait, du bœuf pis du porc aux hormones de croissance, aux biotiques de synthèse, aux moulées animales, subventionnés à planche par l'État ! M'as te dire : le cochon, queue en tire-bouchon ou pas, y nous coûte cher, calvaire de métier !

Pour nous autres, les petits, les propres, les verts, rien ! Juste des bâtons dans les roues pour qu'on s'écœure pis qu'on se laisse tomber ! L'UPA, calvaire de métier ! C'est là-dedans qu'on devrait poser des bombes ! Le faire sauter, le système pourri ! Mettre le feu dedans ! Toute crisser par terre, te retrousser les manches, faire neuf, faire santé ! C'est de même que ça se change le monde, pas dans l'autrement ! Tu comprends, calvaire de métier ?

je profite du fait qu'il se penche et prend une bouteille de bière dans la caisse à côté de sa berçante pour faire retraite jusqu'à la porte – une fois dehors, de son potager la cultivatrice m'envoie la main – ça ressemble à de l'ironie, ce geste, ça a l'air de dire : t'as vu pourquoi la politique, c'est de la grosse marde, calvaire de métier ! – je traverse le rideau d'épinettes noires, je monte dans la beretta Z-26, je fume un peu d'opium en attendant que rhino revienne d'où c'est qu'elle a emmené les chiens – même si j'ai rendu visite qu'à deux électeurs, je sais déjà que j'aurais beau faire tout le tour de l'arrière-pays, frapper à toutes les portes, entrer dans toute les mesons, y passer dedans chacune une heure ou deux à écouter le monde, j'y entendrais les mêmes thèmes sans guère de variance, les mêmes soliloques que ceux de l'institutrice dépressive et du dynamiteur, calvaire de métier : de la souffrance qui n'intéresse personne parce qu'elle compte pour rien en un monde que domine le pouvoir des marchandises – la souffrance, on s'en préoccupe seulement une fois que la voilà rendue au bout de son rouleau, ça n'a rien à voir avec la guérison, c'est juste pour l'achever comme on fait avec les chevals, les vaches, les cochons, les moutonnes à bout d'usure ! – le rimbaud disait : il s'appelle duval, dufour, armand, maurice, que sais-je ! – ce sont tous les jouets de délires grotesques ! – pourtant je rêve croisades, voyages de découvertes, républiques sans histoires, guerres de religion étouffées, révolution de mœurs, déplacements de continents ! – les secrets, les vrais secrets pour changer la vie, en quelle lointaine galaxie se terrent-ils ? – on est toujours là, on en est de plus en plus las, esti ! –

HOTDOGS

je me suis arrêté à la cantine jalbert, j'ai commandé six hot dogs : quatre tout garnis et les deux autres, sans moutarde ni ketchup ni relish ni cornichon – j'ai pris ensuite la route vers le pont des trois roches au-dessus de la rivière trois pistoles à la hauteur de saint paul de la croix – ai garé la voiture sur un buton, en suis sorti avec rhino et les chiens ; nous avons descendu ce sentier qui mène à la grève de sable à proximité du pont – nous nous sommes assis sur deux bouscottes, devant les cendres d'un feu – j'ai sorti du sac les hot dogs, les tout garnis pour rhino et moi, les tout dégarnis pour les chiens :

– Un rituel, je dis à Rhino. J'y viens toujours en fin d'automne, comme du temps que j'étais enfant et que mon père m'y emmenait. On mangeait deux hot dogs, on laissait la rivière monter jusqu'à nous, puis le paysage traversait nos corps : feuilles mordorées, odeurs d'urine, les ours, les renards, les orignals empanachés, les mouffettes, les porcs-épics écrasés en quelque part sur la route, morts en quelque part sous une épinette noire, morts en quelque part dans un carré de fardoche plein de pitons rocheux. Pas un mot ! Simple, la contemplation ! Avec musique et chants d'oiseaux.

– T'en as déjà assez de faire campagne ?

– Quand je me donne parole, je ne me la reprends pas. Je serai donc là jusqu'à la fin. Toi, tu vas voyager comment du Saint Guy jusqu'à Trois Pistoles ?

– Je vais m'arranger avec mes frères pour leur emprunter le pick-up.

– Ils vont dire non.

– J'aurai alors qu'à loger chez toi jusqu'aux élections.

je n'ose pas dire à rhino que ce n'est pas une bonne idée parce que je vis esseulé depuis trop longtemps pour m'accommoder d'une compagnie, même si ça se faisait aussi discret qu'un enfantôme – rhino me prend la main, juste le temps qu'en soit effleurée la peau du bout de mes doigts, puis je siffle pour que les chiens, qui se sont éloignés le long de la berge, s'en reviennent :

– Je te ramène au Saint Guy, je dis à Rhino.

– Et demain ?

– Demain, ça sera un autre jour. Le même, mais un autre jour.

FLAUBERTINAGES

muni de la lampe de poche, je suis allé vers l'étable, y suis entré, m'accotant à la porte pour reprendre mon souffle – l'obscurité déjà ! – je devrais comme les pirates porter un cache-œil, qui leur était bien pratique quand ils se faisaient attaquer par surprise : pouvaient descendre dans la cale pour y prendre leurs armes sans perdre de temps, leur cache-œil enlevé les assurant de voir aussitôt dans la ténèbre ! – moi, je distingue peu les formes de mes animals, je n'entends que le va-et-vient de leurs mâchoires :

en train de ruminer le foin ingurgité – je siffle pour que dans l'appentis les oies sachent que je suis là – vont me répondre parce qu'elle voudraient que j'aille les voir – trop épuisé pour seulement me rendre jusqu'à elles – à peine suis-je en mesure de faire le tour des enclos, caressant la tête de mes animals, les tapotant du poitrail : demain, je remettrai la berçante au beau mitan de l'étable, j'ouvrirai les barrières des enclos, je m'assoirai, j'allumerai la pipe d'opium, je deviendrai laine de mouton, barbichette hirsute de bouc, crinière huileuse de cheval, je mâcherai des fleurs de trèfle, je cancanerai, je bêlerai, je hennirai tout doucement, mon corps traversé par le bleu-nuit des rayons lunaires passant au travers des fenêtres – demain ! – même jour, mais autre jour, esti ! –

rentré à la meson, je mets le feu à la mèche de la lampe à l'huile, me laisse tomber dans le fauteuil roulant, déganse attelage et prothèse, délace les baleines de mon corset – puis je mets la tête sur la Table de pommier, toutes rondes mes lèvres y font dessins, j'embrasse le bois, je liche le pin rouge du bout de la langue : me cueillir, me recueillir ! – pour que cette première journée de campagne électorale trouve son trou de ver, s'y loge et y reste jusqu'à demain ! – veiller autrement et recevoir tous les influx de vigueur et de tendresse réelle puis, à l'aurore, armés d'une ardente patience, nous entrerons aux splendides villes ! a dit le rimbaud –

fumer de l'opium, de la bouche aux poumons, des poumons à la bouche, c'est aussi se cueillir, se recueillir – c'est un rassemblement aussi : particules, atomes, molécules et cellules se rapaillent, redonnent à l'esprit et au corps leur énergie vitale – forcer la pensée en légères volutes d'idées – mais lesquelles ? – je ne veux pas le savoir maintenant, je recrée ma résistance – dure la couleur de l'acier, comme un rail de chemin de fer ! – attendre calmement que soit complété le chargement d'énergie, puis m'intéresser à ce colis que rhino a laissé sur la Table pour moi – sous ruban et papier d'emballage, du vieux chagrin ? – une promesse ? – un éclat de rire ? – je coupe le ruban, déchire le papier d'emballage, mais du mauvais côté, de sorte que c'est l'endos d'un petit livre qui apparaît – un livre ! – moi qui ai vidé ma meson de tous ceux qui l'encombraient, qui l'encomblaient ! – la première idée qui me vient, c'est de lancer ça au bout de mon bras, pour que les chiens s'en emparent et s'en aillent dehors le déchiqueter ! – mais ça vient de rhino, elle m'a été aimable toute la journée – et mes chiens, de nature peu sociable, l'ont de suite adoptée, la laissant même jouer au chef de meute ! – je tourne de bord le petit livre, écarquille les yeux : je croyais avoir tout lu de flaubert, d'où ma surprise : cette pièce de théâtre qui a pour titre le candidat, jamais entendu parler ! – d'où c'est que ça sort ? –

je jette un coup d'œil aux notes prises par rhino : c'est pour oublier son emma bovary que flaubert a écrit ce vaudeville – histoire d'un arriviste nommé rousselin, paré à tout pour devenir député, même à changer plusieurs fois d'étiquette politique et de partisans, même à se laisser duper par les électeurs rusés de son arrière-pays de croisset ! – promettre aussi tout ce qu'on voudra, intriguer pour ou contre les intrigants, vendre sa fille et tolérer l'adultère de sa femme ! – pas loin de comment ça se passe encore aujourd'hui : ces candidats qu'on a parachutés dans le comté de la rivière du loup n'y avaient jamais mis les pieds avant le déclenchement des élections, connaissent rien du monde qui s'y trouve, connaissent rien des odeurs de la terre, à nulles autres pareilles au-delà du par-ici ! – un boulevard vite fait que ça devait être le candidat, mais flaubert se prend au jeu et, comme ça lui arrive chaque fois qu'il entre en écriture, il finit par trouver que faire rire c'est bien éreintant ! – il était temps que je m'arrête, ou arrêtasse, écrit-il à sa nièce Caroline : le plancher des appartements commençait à remuer sous moi comme le pont d'un navire, et j'en avais en permanence une violente oppression ! – c'est loin de s'améliorer quand flaubert doit quitter croisset pour assister à la première représentation de sa pièce : je suis, d'avance, énervé de tout ce que je vais subir et je regrette maintenant d'avoir composé la pièce, on devrait faire de l'art exclusivement pour soi : on n'en aurait que les jouissances, mais dès qu'on veut faire sortir son œuvre du silence du cabinet d'écriture, on souffre trop, surtout quand on est, comme moi, un véritable écorché, le moindre contact me déchire, je suis, plus que jamais, irascible, intolérant, insociable, exagéré, saint-polycarpien ! il dit encore le flaubert –

la pièce jouée est un four, les comédiens désolés et traumatisés, sauf un, le si bien baptisé cruchard, d'un calme imperturbable, peut-être parce qu'il est goinfre ! – à son menu, avant et après la première du candidat : deux douzaines d'huîtres d'ostende, une bouteille de champagne frappé, trois épaisses tranches de roast beef, une salade de truffes, un café et un pousse-café ! –

je feuillette, de ci de là, comme une moutonne enfermée dans un pacage dévasté parce qu'on y a déjà mangé toute l'herbe qui y poussait – puis ce passage sur lequel je m'arrête, sans doute parce que je pense à mes visites à la vieille jeune femme déprimée et au dynamiteur un brin fêlé du chaudron : on vit à la campagne, où l'on cultive les terres de ses ancêtres soi-même, par économie et fort mal ! – du reste, ces terres sont mauvaises et grevées d'hypothèques ! – huit enfants, dont cinq filles, une bossue : impossible de voir les autres pendant les semaines, à cause de leurs toilettes, et l'aîné des garçons, qui a voulu spéculer sur le bois, s'abrutit à mostaganem avec de l'absinthe et le cadet sera couraillon ; et le dernier, il tapisse, l'esti ! –

comment sortir de cette misère-là ? – en devenant d'honnêtes travailleurs d'élection pour le candidat le mieux nanti et qui a les meilleures chances d'être élu député ! – on profitera des retombées de son élection, on trouvera à placer ses filles comme bonnes et ses garçons comme ouvriers ! – russelin est riche à cause des entreprises qu'il exploite : en entrant à l'assemblée, si près du pouvoir, les contrats ne manqueront pas, on pourra devenir vraiment bourgeois, notable, chevalier du saint-sépulcre ! – quant aux entrepreneurs, aux commerçants, aux cultivateurs, dont les listes des récriminations sont sans fin, t'as qu'à choisir la moins compromettante : on demande l'abolition de l'impôt sur les boissons, on l'aura ! – on demande l'augmentation du prix de l'avoine, on l'aura ! – on demande que le tracé du chemin de fer, prévu pour passer sur des terres incultes, soit détourné vers des champs fertiles, question d'en obtenir pour leur expropriation le gros prix, on l'aura, esti ! –

je n'ai pas besoin d'en lire davantage – en son fond comme en son dessus, rien n'a changé depuis le candidat de flaubert : la politique, haut lieu de ceux qui rêvent de parvenir, circonvenir, intervenir : corruption, collusion, confiscation, compromission, condescendance, conspiration : nombreuses sont les mamelles de la démocrature, surabondant le lait caillé qui en sort ! –

cette dépression parce que je pense m'être traîné à quatre pattes en profonde mare boueuse, bouseuse ! – un cow-boy au festival du saint titre, qui essaie d'attraper une grosse truie en pataugeant dans la bouette jusqu'à mi-corps – je me défais de ma prothèse, de mon attelage, de mon corset, de mon linge de corps, j'entre sous la douche avec les chiens, je me savonne, je les savonne, je fais venir un puissant jet d'eau, je tourne lentement sur mon moi-même, je m'élance, je me lance, je danse : cet extrême élan comme disait le michaux, cette béatitude, cette félicité ! – souverains, vastes, fluvials ! – en érotisme exalté ! – mon corps dressé aussi raide, aussi roide qu'une érection ! –

je ne m'essuie pas en sortant de sous la douche, je ne m'emmitoufle pas non plus sous aucune guenille ! – je m'en vais vers la Table de pommier, je m'arrête devant ce tiroir où c'est que se trouve le portable : ouvrir le tiroir, allumer le portable, appuyer sur l'onglet boîte de réception : peut-être calixthe béyala a-t-elle répondu à mon courriel – rien ! – pas un esti de mot : ce blanc qui mange l'écran, pas regardable ! – il finirait par essaimer dans mon corps et rendrait ma nuit semblable à lui : un rien, un blanc, une absence de couleurs, d'odeurs, de saveurs ! – de l'angoisse, toujours plus d'angoisse, toujours de plus en plus de l'angoisse, esti ! –

l'esprit frappeur de la Table cherche à se faire entendre – bing, bing, bing, bang ! – nul besoin de ce qu'il pourrait me dire, je suis manqué raide, je cogne des clous, ma face blessurée et mon dessus de tête me font mal, comme si le coup-de-poing américain de jim s'était encavé en leurs sabords – je monte sur la Table, je m'allonge, je colle ma bouche au bois de pin, je colle mes lèvres au bois de pin ! – une flèche zen est mon sexuel ! – je soulève les reins, les rabaisse, les soulève encore et les rabaisse toujours ! – giclera le blanc-mange : ce sacrifice propitiatoire pour que l'esprit frappeur de la Table ne dise mot de toute la nuit ! – je me tourne, mes chiens lichant le sperme englué sur mon ventre, lichant le sperme gluant sur mon sexuel, tandis que je contemple le plafond, cherchant dedans les manques d'une embouveture ce trou de ver qui me mènerait jusqu'aux étoiles, aux fins fonds du raisonnable, comme une chenille rosâtre en forme de robe de chambre, comme deux oreilles sans marteau ni enclume en forme retournée de coups fermes ! – que reposent mes instincts diminués ! – que ça renonce ! – que ça s'interdise ! aurait dit l'éluard, car pour les trous de vers, ça ne sera pas encore cette nuit le rêve de leur veille ! –

6

De la tensité des trous noirs

ENGUELOIRE

déjà derrière moi, l'estie de campagne électorale ! – un mois à me lever tous les matins à quatre heures pour préparer ces communiqués de presse, ces rencontres avec étudiants, ouvriers, cultivateurs, syndicalistes, hommes d'affaires, vieillards et vieillardes, mères monoparentales, handicapés, soignants et soignés ! – ces débats devant les membres des chambres de commerce, des chevaliers du colomb, des clubs du lion ou de l'optimiste ! – à une vente aux enchères, j'ai même fait un discours, debout sur une table, entouré par autant de vaches que de monde ! – ça meuglait davantage que ça applaudissait ! – ça chiait davantage que ça écoutait ! –

sans une bonne pipée d'opium, pour la plupart du temps prise en quelque part dans un champ, entouré d'épinettes noires et de corneilles, me demande bien comment j'aurais fait pour retenir le coup : quel déplaisir c'est que de devoir parler au monde quand celui-ci a laissé ses oreilles chez lui, devant son téléviseur ! – étudiants qui bâillent quand tu leur parles de la gratuité scolaire ! – qui filent à l'anglaise dès que tu abordes le sujet de l'indépendance du kebek ! – ouvriers avec qui tu prends le café, qui te posent une question, mais n'attendent même pas que tu leur répondes, préférant entre eux se raconter des histoires de cul ! – cultivateurs qui se plaignent de leur surendettement, de la relève manquante, mais qui te regardent comme si tu revenais d'une meson de fou quand tu leur proposes la création d'une laiterie et d'une beurrerie régionales ! – syndicalistes devenus corporatistes, si satisfaits des privilèges qu'ils ont obtenus et qui leur ont permis d'amasser des milliards de dollars, qu'ils ne lèveront pas le petit doigt pour venir en aide à ceux qui sont démunis, travailleurs autonomes, chômeurs si appauvris que ça nourrit leurs familles en restants de tirasses, en saucissons de synthèse dont le jus des additifs de préservation s'écoule de leurs enveloppages dès qu'on les ouvre ! – hommes d'affaires qui rêvent tous de s'égaler aux desmarais, péladeau et chagnon : devenir riches, côtoyer les grands de ce bas monde, faire retraite à cinquante ans, aller vivre en floride, en l'île de nantucket, là-bas où c'est que les paradis fiscaux blanchissent ton argent sale pour les suisseuses banques ! – vieillards et vieillardes, gardés moins bien que des animals, dans des mouroirs qu'on a bâtis pour qu'ils prennent le moins de place possible, à ce point médicamentés qu'ils peinent à seulement jouer au bingo ! – mères délaissées, forcées à rester encabanées, trop pauvres pour consommer autre chose que de la cochonnerie : des vêtements qui s'usent plus rapidement que ne grandissent les enfants, à la soupe populaire tous les jours, juste des quizz insanes, des biographies de stars et d'escrocs, des publicités maquillées en entrevues, des jeux de roues chanceuses, de triangles chanceux, de rectangles chanceux, tant de prix à gagner juste à regarder, jour, soir et nuit, l'estie de télévision ! – handicapés dont plus personne ne veut s'occuper, qui tuent le temps en comptant les voitures qui passent dans la rue ! – soignants épuisés, soignés épuisants parce que plus nombreux que leur nombre ! – chevaliers du colomb, des lions et des optimistes pour lesquels la lutte à la pauvreté est une réussite parce qu'on guignole paniers de provisions à distribuer durant les aveilles de noël, jouets malusés radoubés par les pompiers volontaires, linge de corps raccommodé par de vieilles religieuses arthritiques ! –

un mois ! – tout un mois à faire ainsi le tour du comté, des aurores jusqu'à la nuit ! – estie de traversée du désert ! – cynisme politicien et cynisme citoyen ! – l'un s'égalant à l'autre, par-devers les mêmes déraisons : ignorance, indigence d'esprit, indigence de corps, imbécillité ! – ni les uns ni les autres ne sont capables de penser pour la peine, et s'en tiennent ainsi aux idées passées, repassées, dépassées : l'état toujours considéré comme une providence, on attend tout de lui quand il est si mal en point qu'il a cessé d'être ce qui l'a fait naître : dénouer les inégalités, rendre équitable pour tous le travail, équitable la rémunération du travail, équitable la réalité des chances égalitaires ! – rien de tout ça ne subsiste plus : de par en haut, un pouvoir qui ne peut plus ne pas être corrompu ; de par en bas, une veulerie citoyenne qui ne revendique que la sécurité corporatiste dont la santé à tout prix est le fondement ! – et l'indépendance du kebek ? – j'en ai parlé tous les jours de cette indépendance-là qui ne se quémande pas, mais qu'on prend à bras-le-corps et qu'on ne lâche plus tant qu'elle n'est pas faite ! – coups d'épopée dans de l'eau polluée, celle du chacun pour soi, rien ne reliant plus les uns aux autres, diable aux vaches, vaches si hébétuées qu'elles ne regardent même plus passer les gros chars ! – hivernement perpétuel pour les humiliés ! –

un mois ! – un mois à entendre des candidats déclamer à l'aveugle les programmes de leurs partis, ces bonnes intentions pavées d'enfer ! – et un parti kebekois qui ne l'est plus, qui a pris grand soin à ne pas dire un mot du pays réel tout le temps qu'a malduré la campagne, comme si c'était une maladie honteuse que le vouloir-vivre, la fraternité, l'égalité et la liberté ! –

un mois ! – à connaître le succès seulement très là-bas, au-delà des limites du comté ! – entrevues accordées aux médias nationaux, souscripteurs de l'ottawa, de val d'or, de chicoutimi, de kebek, du grand morial ! – pas pour que je parle aux uns et aux autres de mon programme électoral, mais pour que je débatte par-devers des gens que je ne connaissais même pas ! – des petits trente secondes à la télé et à la radio, de l'humour, de l'humeur, de la grande fâcherie, de préférence accompagnés d'un chapelet d'esties bien toastées ! –

un mois ! – pour ne même pas récolter mille voix le jour des élections, loin derrière même les candidats venus de l'extérieur, qui n'ont pas fait campagne et sont restés bien tranquilles en leur chez eux de gatineau, de boucherville ou du grand morial ! –

un mois à rendre visite au monde ! – j'y ai avalé de fameuses gorgées de poison ! comme l'écrivait le rimbaud – les entrailles me brûlaient, la violence du venin tordait mes membres, me rendait difforme, me terrassait ! – mourir de soif en désert kebekois, étouffer, ne plus être capable de crier ! – l'enfer ! – le feu ! – s'y consumer, s'y consommer ! –

et maintenant ? – quoi donc maintenant, esti ? –

pas revu diff ni mioute, si bizarroïdes sont les danseurs du saint guy ! – s'en sont allés dans le grand morial pour devenir membres d'une organisation radicale, frères chasseurs, chevaliers de l'indépendance, fils de la liberté, front du kebek radical ! – ça manifeste contre l'anglaisement, ça manifeste contre l'hydrokebek et les barrages que ça va faire bâtir dans le grand nord malgré que s'y opposent amérindiens, écologistes, échologistes, contre les sommets économiques que viennent faire chez nous rois du pétrole, magnats des multinationales, présidents et premiers ministres des nations exploiteuses des richesses du tiers monde ! – esti ! – le tiers monde, il n'est pas invité à ces sommets-là, rois, magnats et multinationales décidant pour lui de ce qu'on va en faire ! – d'une main l'argenter et de l'autre, l'en dégarnir en lui fournissant ces armes sophistiquées pour que ça puisse se décimer entre eux autres ! – la saveur nouvelle du colonialisme ! – des millions de personnes déplacées, des millions de personnes enfermées dans de véritables camps de concentration, soif, faim, maladie, mort en fin bout du tunnel ! –

quinze jours que je n'ai pas lâché mon fauteuil roulant, sauf pour dormir sur la Table de pommier afin d'empêcher l'esprit frappeur de faire des siennes ! – quinze jours que je fume de l'opium en espérant oublier cette campagne électorale salopée et remettre à leur place dans mon corps ces morceaux de mon moi-même que j'ai laissés, épars, entre le saint jean de dieu, le saint pierre de l'ami, le gros cacouna en rêve de porc méthanier ! –

ce jourd'hui donc – qu'il faudrait célébrer, car tombe enfin la première neige ! – la terre est gelée dur depuis déjà deux semaines, signe que l'hiver est arrivé pour rester – je ne vais pas m'en plaindre : j'aime quand ça tombe dru du ciel, que le vent souffle furieusement de la mer océane, que la poudrerie transforme le paysage en désert de neige, avec ses bancs, ses dunes, ses collines pointues ! – avant, je chaussais mes mocassins, j'enfilais mes raquettes et je m'en allais à travers champs, m'amusant à y dessiner un vaste labyrinthe – au milieu, je bâtissais un igloo et j'y passais parfois la nuit avec mes chiens et mes moutons – cinq cents pieds à peine de la meson, mais cette impression de dérive en fin bout d'arctique, ours polaires, renards argentés, colonies de phoques cherchant dans les glaces un trou de ver pour respirer ! – le passé, c'est impossible à revivre quand on porte prothèse à la jambe, attelage au bras et à l'épaule, corset en guise de ceinturon ! – adieu mitasses, mitaines, mocassins ! – contraction du monde, rapetissement de l'espace-temps, aller simple vers l'un ou l'autre des trous noirs qui cannibalisent l'antimatière ! –

avant de sortir de la meson, je résiste à la tentation d'allumer le portable, de cliquer sur l'onglet boîte de réception – je sais bien que ce jourd'hui est pareil au jourd'hier, que le jourd'hier était pareil à ceux-là de la semaine dernière, et que ceux-là de la semaine dernière étaient pareils à tous les autres jourd'huis du mois passé : rien sur l'écran, pas un mot de calixthe béyala à qui, tous les soirs pendant la campagne électorale, j'ai envoyé quelques bribes du journal que je tenais – je ne sais pas encore si elle a reçu mes messages même si, chaque fois, je lui ai demandé de me confirmer leur arrivée – simple clic de souris, pas la mer océane à boire ! – long silence, si déconfortant ! – et toutes ces heures passées à veiller ! – à chercher dans le trou noir de ma mémoire pourquoi saigne toujours la blessure que j'ai faite à calixthe béyala ! – je délirais, attaché sur cet esti de lit d'hôpital, de quoi enrager n'importe qui ! – ce n'était pas mon moi-même qui fulminait, mais cette fièvre happante, hapteuse ! – quelle importance les mots quand on en est là, quand on n'en est plus là ! – pourquoi les relier à cette nuit cuivrée avec calixthe béyala, deux corps jouissant de la beauté simple de s'attoucher, presque de l'effleurement, presque de l'affleurement, presque ! –

de mes jointures je cogne sur la Table de pommier – désenchantement, désolation de l'ange même pas vagabond ! – l'esprit frappeur reste obstinément muet quoi que j'invente pour le provoquer ! – n'a pas aimé que je fasse campagne électorale, trop de monde s'invitant à s'asseoir autour d'elle pour m'entendre parler d'indépendance – ces bières renversées sur son bois de pin rouge, faisant leur lit dans les tiroirs, lui salopant les jambes ! – j'ai pourtant tout lavé à la grande eau, dessus, dessous, même les assiettes des pieds ! – sans succès ! – l'amer esprit frappeur est resté silencieux ! – j'ai enveloppé la Table de mon linge de corps, j'ai pissé dessus, j'ai étrôné dessus ! – mes odeurs : fortes, fauves, fruitées ! – toujours pas d'esprit frappeur ! – je me suis dit que l'électricité alimentant le portable était peut-être la cause de sa muetteté, et j'ai débranché le fil, l'ai sorti du tiroir, l'ai mis dans une valise avant de la porter en la pièce la plus loignée de la meson, calfeutrant même le dessous de la porte pour être certain qu'aucun courant n'y passe – pour rien encore ! – ne frappe plus l'esprit de la Table de pommier : sourd à mes hallucinations, ma fureur, mes vieilles histoires à recompter, mes paysages, mes prophéties, mes conflagrations d'idées, de sentiments, d'objets, de nudité aveuglée, de dérèglement, de déraison ! – ça refuse tout de la poésie, l'éluard, le rimbaud, le jarry, le michaux, le pessoa, le rabelais itou !

– pire que l'anéantissement ! – comme l'idée de meurtre dans le fond de l'air : quand on est l'esprit frappeur d'une Table de pommier, peut-on vraiment fomenter l'idée de meurtre ? –

mettre sur mes épaules ce parka et m'en aller de la meson – mes chiens si enjouables quand tombe la première neige – en quelques-uns de leurs gènes est resté le souvenir des longs hivers de l'alaska, des trous profonds qu'ils creusaient de leurs pattes pour se mettre à l'abri des vents forts de l'arctique – d'ici quelques semaines, après une bordée mémorable et le frette installé à demeure, ils vont se remémorer les plaisirs ancestraux, enfouir leurs corps sous la neige, têtes seules qui en dépasseront – prédateurs faisant vigile, portant vigie – lièvres aux reins vite brisés ! – perdrix attrapées avant qu'elles ne puissent voler leur air ! – cols de renardeaux broyés par les fortes mâchoires ! – ces trophées qu'ils vont déposer à mes pieds pour que je sache quels chasseurs ils sont ! –

si j'aime tant la neige quand elle tombe, c'est qu'elle me donne le sentiment de glisser dedans plutôt que d'y marcher – je n'y vois plus l'homme vieillissant que je suis devenu, mais l'enfant du jadis, qui coupait à la sciotte les arbres tombés dans les écores de la boisbouscache – puis je m'attelais au traîneau chargé de bûches, je montais le flanc escarpé des écores, je transportais le bois jusqu'à la meson ! – ma mère me préparant ce lunch que j'allais manger du haut des écores, assis sur un bouscotte comme le font les vrais bûcherons ! – au bout du monde j'étais, et je m'aimais comme on vit, sans m'en douter, ainsi que le prétendait le diderot quand il se faisait la tête heureuse –

je laisse les chiens prendre plaisir à jouer avec les moutons devant l'étable, puis j'entre après avoir secoué mes pieds sur le seuil – ce long corridor à traverser, en gueule noire de loup, pas la moindre fenêtre pour qu'y vienne un peu de lumière : embouchure de ce qui pourrait être un labyrinthe menant directement au minotaure au mitan de son miteux trou noir ! –

VIKIGNE

les animals sont soignés déjà, les boxons nettoyés, odeurs de mil, de luzerne, de trèfle à quatre feuilles, de grains broyés ! – dans le fenil où s'entassent balles de foin et de paille, ces pas que j'entends au-delà de la demi-porte, ce bruit que font les bottes d'herbage séché qu'on jette du haut des combles – c'est rhino qui est là depuis qu'est terminée la campagne électorale – pendant celle-ci, le viking profitait que je sois souvent en déroute pour prendre, sans mon consentement, ses aises dans la grange : s'assoyait sur une botte de paille, fumait un joint, buvait de la bière, l'esti ! – pour m'écœurer encore davantage, il rentrait le fumier que rhino et moi on sortait de l'étable ! – mes chevals marchant à mi-jambes dans la bouse, les auges des moutons pleines de crottin, le poulailler devenu une swampe, les flottes trafiquées des abreuvoirs faisant déverses sur le plancher ! – toiles d'araignées tissées nombreuses, fenêtres crasseuses, barrières aux pentures brisées attachées avec de la broche piquante ! – et ces mégots de cigarette partout quand un seul mal éteint sous le pied suffirait à faire prendre en feu n'importe quelle étable – mes animals brûlés vifs, esti ! –

de la matière en masse pour une grande fâcherie de mon moi-même, surtout que deux affreux cochons noirs ont évincé une chèvre en gestation de son enclos pour lui voler son espace ! – me rappellent trop de mauvais souvenirs, les affreux cochons noirs ! – ne peut pas en supporter la vue ! – j'ai dû faire venir un marchand d'animals qui m'en a débarrassé pour même pas un chiard au lard mal salé ! – j'aurais fait pareil avec la poule bien-aimée du viking, mais il l'a emportée chez lui ! – j'ai dû faire venir la gente policière du kebek parce que le viking ne comprenait pas que je ne voulais plus de lui, que c'était sans appel, sans rappel ! – je lui ai enlevé son casque de viking et je lui ai redonné sa vieille tuque de laine écharognée par les souris ! –

en attendant que rhino revienne des combles, du fenil, de la tasserie, j'ouvre les enclos des chevals et les laisse sortir de l'étable : une première neige, ça les excite eux aussi : comme les chiens, ils se roulent dedans, puis filent à la belle épouvante sous les épinettes noires – esprit ludique des animals, cette faculté qu'ils ont de profiter de tout ce qui donne plaisir – ne veulent pas savoir combien de temps ça durera : ce qui compte c'est que tout leur corps soit porté par l'instant ! – quand ils reprendront place dans l'enclos, ils se mettront à manger comme ils le faisaient avant d'avoir le mors aux dents et de courir ventre à terre dans la neige – s'en souviendront-ils encore demain ? – ne savent pas ce que c'est que la nostalgie : même enclos, mais toujours nomades, comme l'a chanté le prévert : des nomades d'après et d'avant le souvenir du cœur et la mémoire du sang, voyageurs sans papiers et sans calendriers, complètement étrangers à la nation du temps et de l'espace ! –

rhino apparaît dans la porte de la tasserie à foin – elle porte le casque du viking : c'était trop grand pour sa tête et elle m'a demandé la permission de le faire rapetisser –

j'aurais dû lui causer déplaisir : on ne redonne pas ce qui l'a déjà été, parce que c'est se compromettre davantage que la première fois, c'est accepter une familiarité qui rend mal avenante toute dénégation, c'est menacer la solitude – les tortues ne laissent pas le moindre trou percer leur carapace, elles le colmatent dès qu'il s'en présente un : leur corps est tout le corps de l'univers et ce qui est étranger à cet univers n'a aucun droit à son soi-même ! –

– Tu veux que je ramène les chevals ? Rhino dit.

– Laissons-les prendre leur plaisir. Quand ils seront rassasiés, ils rentreront d'eux-mêmes.

je suis allé vers le vieux bouc – en fin de règne, perdu presque toutes ses dents, s'est crevé l'œil droit sur une vis après avoir de ses cornes arraché un madrier – une chèvre en rabette dans l'enclos à côté du sien aurait voulu lui rendre visite et ça l'a enragé – esti de brise-fer ! – même usés, les animals ne peuvent s'empêcher de courir le billet doux, c'est l'esprit de l'espèce, l'exigence des gènes qui priment sur toute chose, même le vieillissement ! – assis sur ce premier palier menant à la plate-forme où le vieux bouc aime prendre ses aises et ruminer, j'écarte les jambes : le vieux bouc va frotter ses cornes contre ma cuisse droite comme il le faisait alors qu'il n'était encore qu'un chevreau – mais il ne touchera pas à ma jambe gauche : la prothèse qui y est harnachée n'a pas tout à fait les mêmes odeurs que les autres parties de mon corps – de l'ongle de mon majeur, que je garde plus long que pour les autres doigts de ma main, je gratte le vieux bouc entre les cornes : il ne peut pas le faire lui-même, la peau finit par s'y desquamer et ça fait démangeaison sous l'épiderme – le vieux bouc met la tête sur ma cuisse, ferme l'œil à demi, s'abandonne ! – bien que vieux et usé, il est resté chevreau quelque part en son soi-même – lui et moi : de l'amitié animale, de la loyauté animale, bien au-delà de la trahison humaine c'est ! –

rhino a ouvert la porte aux chevals, elle les bichonne et les étrille – dans les poches de sa salopette, des morceaux de pomme que les chevals essaient de lui prendre – ils sont bien avec elle, c'est de connivence jusqu'au ras des mâchoires, comme les oies sont de connivence aussi, agissant par devers rhino comme elles le font avec moi, s'enjouant, becquetant la peau pour se faire plaisir, aucune malice là-dedans – une question d'odeurs, celles que mes chiens ont les premiers reconnues, ce qui n'est pas sans me tracasser parce que je n'ai jamais été du bord du partage ! – le viking avait peur des animals et cherchait à les dominer plutôt que de les traiter comme des égaux : ça n'entrait jamais dans l'enclos du vieux bouc ou dans celui des oies sans se munir d'un bâton – la peur, les odeurs de la peur qui interdisent toute complicité ! –

je sors de l'étable, rhino et les chiens derrière moi – neigeante neige tombant toujours, vent qui souffle de plus en plus dru de la mer océane, quadrillant le paysage en bancs, pyramides, châteaux de l'ungava, palais englacés du nunavit –

– Ça sera pas beau t'à l'heure sur les hauteurs du Saint Guy, Rhino dit. Même avec le pick-up, ça ne sera pas de la sinécure d'y passer au travers.

elle voudrait bien que je l'invite à rester à la meson : elle préparerait le souper, d'abord pour les chiens : foie qu'elle ferait rissoler dans le grand poêlon après avoir allumé le gros poêle à bois, omelette aux lardons, parsemée de fromage parmesan, que nous mangerions, assis l'un devant l'autre à la petite table près du comptoir de la cuisine, comme ces fins-là d'après-midi, quand nous revenions de la campagne électorale, vannés, nos odeurs imprégnées de celles-là des gens que nous visitions, petits vieux crasseux, bebés ayant fait dans leurs couches, déprimés, anorexiques, boulimiques suantes, suintantes, chuintantes, malades à l'haleine de mort, si fétide – désinfectants vinaigrés, lotion à barbe et parfums cheaps, peaux nauséabondes, bouches aussi : odeurs de souffrance, odeurs de poisson, odeurs de la décimation ! – se sont faits des entailles par tout le corps disait le rimbaud, s'en sont tatoués, sont devenus hideux comme des soldats huns ! –

je regarde rhino monter à bord de son pick-up, puis prendre la route nationale vers le saint guy – je reste là devant l'étable, à laisser tomber la neige sur moi – devenir bonhomme de carnaval, avec carotte en guise de nez, deux boulettes de crottin gelées en place d'yeux, casque de crèmeur sur la tête ronde, ceinture fléchée en milieu de corps : installé à demeure devant l'étable, monument glorifiant la longue saison si enneigeante, si froidissante ! –

BLANCNÈGRE

j'aurais pu m'allonger sur la Table de pommier pour lui donner un peu de cette beauté de l'hiver qui est entrée dans la meson en même temps que mes chiens et moi – mais je ne l'ai pas fait : nous sommes suffisamment frigorifiés sans que je m'englace davantage ! – j'ai laissé tomber mon parka, me suis assis devant la Table, ai mis une rame de papier devant moi et décapsulé mon stylo feutre : durant la campagne électorale, je n'ai guère été sollicité par les foliculaires, même ceux faisant la traversée du kebek en autobus, soi-disant pour prendre le pouls des candidats et celui des électeurs – ça passait devant ma meson mais ça ne s'arrêtait pas : si les politiciens font de la politique comme naguère et d'antan, les foliculaires agissent pareil à eux autres et traversant le pays sans le voir parce qu'ils ne s'intéressent nullement à lui ; ne regardent même pas le paysage, font stationner leur autobus devant un restaurant, puis s'adressent aux plus décervelés des clients, parce qu'il s'en trouvera toujours un assez couleuré épais pour que, pendant trente secondes, il fasse la matière folichonne d'un bulletin de nouvelles ! –

maintenant que la campagne électorale est déjà loin derrière, on me demande de raconter ce que j'y ai vu et comment a été accueilli le programme que je proposais aux électeurs ! – j'ai refusé jusqu'à ce qu'un collègue d'autrefois insiste auprès de moi pour que je m'y mette : c'est que partout au kebek, les électeurs, écœurés comme moi de ce qui est devenu une caricature de la démocratie représentative, voudraient créer un parti citoyen et aimeraient que j'en prenne la tête – la coalition des laissés-pour-compte, chacun ayant toute liberté en son comté de présenter un programme électoral selon les singularités de son monde ! – c'est là-dessus qu'il faudrait que je fasse l'écrivisse, sauf que mes mots ne sont pas en appétit, sauf que l'énergie me manque, sauf que le vouloir est aussi mince que glace d'automne – tanné jusqu'à l'os des coups d'épopée dans de l'eau sale, esti ! – au terrorisme du pouvoir, seul peut s'opposer efficacement le terrorisme d'action : qu'explosent les institutions boursières, bancaires, financières ! – qu'implosent ces multinationales du dieu marchandise, ces milliards d'objets pollués, cancérigènes, pollueurs, en pure dépansée d'énergie pour nous tous, obèses chiens pavloviens ! –

ils sont pourtant nombreux ceux qui dénoncent depuis longtemps la marchandise comme quintessence de civilisation ! – la pauvreté entend-elle vraiment ? – esti que non ! – ça veut, ça exige de participer au monde de la marchandise, peu importe le prix à payer, pour eux-mêmes, leur famille, leurs enfants ! – tant de capteurs de rêves : loteries, quizz télévisés, tirages, bingos ! – je rêve de gagner ce voyage en république dominicaine, je rêve de gagner ce set de cuisine, je rêve de gagner cette batterie de chaudrons et de poêlons, je rêve de gagner cette voiture, je rêve de gagner cette meson, je rêve de gagner ce gros lot de dix millions de piastres, je rêve, je rêve, blanc-nègre que je suis ! – vu de mes yeux vus quand je rendais visite à mes virtuels électeurs : les membres de cette famille, assis tout partout dans la meson, chacun surveillant son poste de radio, sa station de télévision, son journal, sa revue, son magazine, son publisac, juste pour un tirage à ne pas manquer ! – la pansée citoyenne, esti ! –

j'aurai beau fumer toute la généreuse pipée d'opium, la page va rester blanche devant moi, le stylo feutre ne crachera pas la moindre goutte d'encre – si désabusé, si écœuré, si désaveniré ! – ces blancsnègres que nous sommes redevenus, sans profondeur la peau, mince l'épiderme, figée la matière grise annonciatrice de l'hiver alzheimer ! – mais résister tout de même à cette envie d'ouvrir la porte du garde-guenilles pour y prendre le nietzsche qui s'y trouve, pour lire dedans avec fureur, pour lyrer dedans avec passion, pour écrire là-dessus comme le fiévreux zarathroustra gueulant l'outrage en sa caverne à flanc de montagne, avec lion, serpent et aigle comme interlocuteurs ! – trop tôt ! – j'ai besoin de nietzsche, mais mon vouloir de lui, de ses mots, de sa philosophie, n'est pas prêt à assumer l'ultime folie de la vie qui fut la sienne – ne suis pas encore guéri de celle qui m'a habité pendant ces trois longues années que j'ai passées à poursuivre la chimère, la licorne, l'hydre aux mille grands yeux violets ! – rien qu'un trou noir, comprimé, compressé par le poids infini de sa propre gravité ! –

sous le garde-guenilles me parvient tout de même, soufflée par le vent solaire, tel un bruissement de feuilles mortes, la voix du nietzsche – murmurante, murmourante voix : à qui a été dévolu un matin de la vie actif et orageux, son esprit est pris au midi de la vie d'un étrange besoin de repos qui peut durer des mois et des années ! – le silence se fait autour de lui, les voix s'éloignent de plus en plus ! – et le soleil tombe à pic sur lui ! – vois ceci : en une clairière cachée sous un bois, dort le dieu grec des troupeaux et des bergers ! – tous les êtres de la nature se sont assoupis avec lui, une expression d'éternité figeant leur visage – il ne veut rien, n'a souci de rien, son cœur s'est arrêté, son regard seul est vivant : c'est un mort aux yeux éveillés ! – l'homme voit alors beaucoup de choses qu'il n'avait jamais vues, et si loin qu'il regarde, toutes sont blotties et comme ensevelies en un filet de lumière ! – l'homme se sent heureux de la sorte, mais lourd, si lourd est ce bonheur ! – enfin, le vent se lève d'entre les arbres, midi est passé, la vie tire l'homme et le reprend à soi, la vie aux yeux aveugles, suivi de son cortège impétueux : désirs, illusions, oubli, jouissances, anéantissement, fugacité ! – et c'est ainsi que vient le soir, plus orageux et plus affairé que ne fut même le matin : à un homme véritablement actif, les moments de connaissance un peu prolongés paraissent presque inquiétants et morbides, mais nullement désagréables ! –

je devrais faire composer ce texte du nietzsche en une belle typographie toute ronde et demander qu'on me l'imprime sur papier parchemin et grand format – je le mettrais sous vitre et le suspendrais au mur à côté du gros poêle à bois ! – me reconnais parfaitement dans cette description écrite il y a plus de cent ans – moi, moi l'homme dont parle le nietzsche ! – sauf en ses derniers mots, ceux qui disent qu'à un homme véritablement actif, les moments de connaissance un peu prolongés, s'ils paraissent presque inquiétants et morbides, ne sont nullement désagréables ! – actif, véritablement actif je l'ai été, mais je n'éprouve plus aucun besoin de l'être, je suis un mort aux yeux éveillés, mon cœur s'est arrêté de battre, de combattre, je suis lourd, mais c'est sans bonheur : ni désirs, ni illusions, ni jouissances : l'oubli, l'anéantissement, la fugacité, la frugalité ! – et surtout rien de ces moments de connaissance un peu prolongés voyageant par trou de vert-de-grisé – un trou noir plutôt, solitaire en bordure cosmique ! –

un souvenir parmi les choses aveuglées par ce filet de lumière : images de mon père quand il avait l'âge que j'ai ce jourd'hui, si content de s'être mis à la retraite et de ne plus avoir à se lever pour aller au travail ! – je veux rien faire ! disait-il – je ferai plus rien, j'ai jamais eu d'autres rêves que celui-là ! – une année entière à se tourner les pouces dans la meson, à virailler en ses êtres, déplaçant ici un bibelot, changeant là l'ordre des photographies encadrées, un golem japonais, deux jambes et deux bras qui fonctionnaient en toute machinalité – ou restant assis à la table de la cuisine, le journal du grand morial étalé devant lui ! – le lisait de la première à la dernière page sans en sauter une ligne, se tapait même annonces classées, notices nécrologiques, avis de dissolution des entreprises, placards des voituriers d'occasion ! – n'en retenait rien, ne voulait pas se souvenir, ni des manchettes du jour ni des faits divers ! – pour relire le lendemain la même édition du journal et le lendemain de ce lendemain-là aussi ! – recollait avec du ruban adhésif transparent les pages qui se blessuraient, y mettant une application comme celle dont usent ces peintres qui restaurent les tableaux des grands maîtres d'antan ! –

une année entière à ne plus vivre, à ne plus penser, à tuer tout vouloir ! – une proie idéale pour le psoriasis : le corps de mon père bientôt couvert d'innombrables taches rougeâtres qui faisaient croûtes, puis se desquamaient, crevassantes, suppurantes, nauséabondes – mon père allongé dans son lit, aucun vêtement sur son corps rendu tout blancnègre par des crèmes hydratantes, son corps recouvert de papier ciré – une momie ! – prête à être enterrée en la vallée des rois ! – insupportable ! – l'oncle phil et moi forçant mon père à sortir de son lit, l'habillant, l'emmenant dehors, une grande bolée d'air ! – puis ce bar, bière et danseuses nues, mon père vite chaudaille, se mettant à faire le fou avec les danseuses nues ! – nous sommes rentrés à quatre heures du matin et nous avons dormi dans le même lit, comme ensevelis sous un flot de lumière ! – guérison ! – à grands coups de hache, mon père s'est remis à fendre ces bûches de bois d'érable en fond de cour, au mitan de l'hiver de force, mains nues, comme si même le frette extrême ne pouvait plus l'atteindre ! –

j'ai allumé quelques lampes à l'huile, mis un rondin de bouleau dans la cuvette du gros poêle à bois – j'ai repris ma place devant la Table de pommier, incapable de résister plus longtemps à la tentation d'ouvrir le tiroir, de soulever le couvercle du portable, de cliquer sur l'onglet boîte de réception – toujours rien, pas l'ombre de l'ombre d'un mot de calixthe béyala – bonsoir, je vais mieux, et toi ! – juste ça, écrit en garamond léger, ça me contenterait ! – je clique sur l'onglet message à envoyer, j'y tape les mots que calixthe béyala aurait pu me faire parvenir : bonsoir, je vais mieux, et toi ?, puis j'envoie la bouteille à la mer – mes yeux fixés sur l'écran qui passera du blanc au noir d'ici dix minutes parce qu'il a été programmé ainsi : blancnègre de la haute technologie, noirnègre à la merci du google et de l'apple, ces neufs tyrans esclavagistes ! –

une secousse fait broncher sur ses jambes la Table de pommier ! – je ferme le couvercle du portable, je ferme le tiroir, je soude mes doigts de la main gauche à ceux de la main droite, je les étale sur la Table pour le cas que l'esprit frappeur se manifesterait enfin – la Table bronche encore, mais elle n'y est pour rien : le grand vent qu'il fait dehors a, par moments, de brusques poussées, ça s'immisce dans les entre-plafonds, dans les entre-planchers mal calfeutrés, forçant le bois à s'en plaindre – cette obscure infortune ! disait le rimbaud –

MALMOTS

assoupissement ! – je somnole, les mains toujours étalées sur la Table de pommier, ma tête repose dessus, lourdement – assoupissement ! – enfant, je croyais que ce mot signifiait ce qui t'arrive quand tu manges trop de soupe et que l'envie de pisser te prend ! – faut dire que ça n'allait pas mieux avec assouplissement, ce mot-là ne concernait que les vieillards dont les visages, à force de rider, devenaient assouplissés ! – et assouvissement aussi ! – dyslexique, ne pas faire la différence entre la lettre p et la lettre v – aussi, quand je m'assoupissais, je m'assouvissais en même temps, et la preuve m'en était donnée par mon sexuel qui se dressait de lui-même dès que je me mettais au lit, ce qui me forçait à m'onaniser jusqu'à ce que gicle cette bordée de blanc-mange sous ma couverture – la soupe te faisait pisser en deux temps : l'eau qu'il y avait dedans sortait d'abord, puis les nouilles devenues pâte à démodeler venaient ensuite – d'assoupi, tu passais à l'étage au-dessus, soit l'assouvissement : sourd, vice, ment, ainsi les choses se recomposaient-elles ! – le sourd est vissement, et le vissement est un vice qui se ment ! –

si j'ai tant bandé sur le jarry, c'est que j'ai longtemps pensé qu'il devait lui aussi être dyslexique : ce génie qu'il avait de virer à l'envers les lieux communs pour en démonter l'absurde ! – le réel des mots ça n'existe pas, comme le réel dans la vie n'est que trompe-œil ! – chacun va son chemin, masqué, et sous le masque, un autre n'attend que de se faire voir, et sous cet autre-là, un masque encore ! – tout est carnavalesque et comme dans tout carnaval, la farce et l'attrape ne peuvent être que joyeuseté, que rire et hilarité, l'un étant l'autre et l'autre n'étant que l'un de l'hôte, ainsi que le prétendait déjà le père du jarry, le pantagruélique rabelais, le pantacruélique rabelais – vaste déraison se donnant pour vérité, vaste vérité se donnant en dérèglement – pas si absurde que ça, ce langage déjanté, mais si chantant ! – si enchantant ! – me revient en mémoire, sans doute parce que j'ai fumé long l'opium, cette scène du père ubu, alors que le césar-antéchrist se dit ses quarante vérités, bien qu'il les adresse à la sphinge : tu es au-dessus de la femme comme l'homme est au-dessus de la femme, tu es reine et tu es déesse, comme les anges tu as les côtes attachées en avant, et la substance de ton cerveau diffère aussi peu de la mienne que la semence femelle du sperme du mâle ! – parce que tu es femme, tu reflètes infiniment et représentes le monde, et sais ce qui échappe aux yeux mortels ! – mais je n'ai que faire de cette extérieure représentation et je passe aveugle et sourd sur la terre, me contemplant moi-même, sûr qu'on ne peut m'adjoindre d'externe ! – et je ne serais pas dieu si je ne savais créer du néant ! – si je m'amuse à marcher sur la terre, comme un clown sous lequel tourne une boule, je m'en abstrais par l'oubli, qui est du présent comme du passé ! – je suis césar il est vrai, non des hommes que je méprise et pour qui je ne veux user les courts moments de mon séjour terrestre, mais de l'univers et de l'absolu, car, grâce à cet oubli, mon esclave, ce que je veux existe ou n'existe pas selon ce qu'il me plaît ! – la surabondance est le manque, ce pourquoi je m'abstrais du monde, et puisque tu concrètes l'univers, je m'abats sur toi, eupire et vampire, mon sexe césar possède en toi et allaite de son fleuve sacré toute la matérielle nature, et mon intelligence dévore ton intelligence ! – j'ai la tienne virtuelle en moi, mais le temps est cher, je la prends en sa déjà presque dernière concoction – on donnera à ceux qui ont, a dit le christ qui m'a précédé, qui est moi-même parce que je suis son contraire et à la place de qui je suis venu ! – moi seul peut percevoir ces choses, car je suis né pour la domination et je vois tous les mondes possibles, ils coexistent, mais les hommes ne peuvent pas en entrevoir un ! – je suis l'infinie intuition, je suis l'orgueil absolu parce que je suis la force suprême ! – fuis ! – fuis, parce que tu es nue et mourrais comme les vierges qu'on prostitue à l'idole de fer, et les yeux sur le bec des oiseaux nocturnes ! –

que j'aime ce monologue-là du césar-antéchrist ! – dit mieux tout ce que je pourrais penser par mon moi-même sur la pluralité des mondes dont je suis fait, défait et refait chaque fois que je clignote de l'œil ! – trop surabondant je suis même quand je prends abri dans le vide, même quand mon moi-même se fait néant, car le vide c'est encore une plénitude et le néant une totalité ! – puisque veille et surveille l'infinie intuition qui fait de tout corps une pluralité de mondes, peu importe qu'il soit viveur ou rêveur, ces mots-là n'ayant aucun sens à l'échelle du cosmos, le hasard n'étant pas une profession ! – les dinosaures en ont fait la preuve, eux qui ont été les maîtres orgueilleux de la terre durant cent cinquante millions d'années avant qu'une météorite ne frappe la terre pour les décimer parfaitement ! –

CAUCHONÂGE

mes chiens se sont mis à aboyer, me forçant à sortir de mon assoupissement, de mon assouplissement, de mon assouvissement – je redresse la tête, puis regarde vers la porte : quelqu'un se tient derrière et frappe sur l'un des carreaux – peut-être rhino qui n'a pu se rendre jusque sur les hauteurs du saint guy, la neige et le vent ayant viré tempête et bloqué la route – je ne bouge pas : s'il s'agit bien de rhino, elle va entrer sans que j'aie besoin d'aller lui ouvrir la porte, et si c'est quelqu'un d'autre, tant pisse pour lui ! – je n'ai pas besoin d'être visité, je n'ai aucun vouloir pour l'accueillement ! –

tandis que j'allume ma pipe, d'autres coups sont frappés, que j'entends malgré les jappements de plus en plus tonitruants des chiens – puis tourne lentement la poignée de la porte et grincent ses pentures ! – sur le seuil, un vieil homme emmitouflé dans un capot de chat sauvage, sur la tête un casque de poils, dans les mains de larges mitaines en peau de phoque – quelque part entre l'animal humain et la bête sauvage, sans doute un voyageur qui s'est égaré en la poudreuse tempête – font deux pas l'animal humain et la bête sauvage, puis tombent les larges mitaines, puis tombe le capot de chat, puis tombe le casque de poils – esti ! – ces cheveux clairsemés et frisottés, ce visage sillonné de rides profondes, et tombantes les épaules, et trop ample le veston : une redingote peut-être bien, avec ganses et boutons dorés ! – un vieux restant de moujik dans ma meson ! –

– Arnold Cauchon ! je dis.

– Oui, ton vieil ami, Arnold Cauchon. Content de te revoir. Quand j'ai pris la route ce matin, j'étais loin d'être certain que je pourrais me rendre jusqu'ici. Même une fois arrivé à Trois-Pistoles, j'étais loin d'être certain que j'arriverais jusqu'ici.

je me suis levé de mon fauteuil roulant, mais je ne fais pas un pas vers arnold cauchon – je n'aime pas ses odeurs me fleurant, ça sent les glaïeuls fanés comme ceux qu'on met sur les tombes sombres dans les salons funèbres – ça sent ce qui se décompose et va bientôt pourrir, viande faisandée, viscères crevés, gaz lacrymogènes, innombrables larves en train de muter – des vers, esti ! –

– Tu ne changes pas, dit Arnold Cauchon. Toujours aussi avenant. Comme cette première fois, en ce restaurant de la rue Saint-Denis, comme cette autre fois encore près de l'Arc de Triomphe à Paris. Est-ce que tu t'en souviens ? Vaguement, peut-être ?

je ne réponds rien – pas pour moi le recours à la nostalgie, pas pour moi les vieux souvenirs ! – cette simple envie de dire à arnold cauchon qu'il a pris pour rien la route ce matin et qu'il a frappé à ma porte pour rien aussi ! – je vais le laisser pourtant s'approcher, je ne résisterai pas quand il va me prendre à bras le corps, me serrer fort contre lui et m'embrasser trois fois sur les joues –

peau sèche, sans fard, barbe intaillée depuis deux jours, poils rêches comme du fil de fer, petite bouche sans rouge aux lèvres: juste un homme très vieillard, mains tremblеuses et jambes vacillantes ! –

– Tu pourrais peut-être me demander si je veux m'asseoir ? Arnold Cauchon dit.

– Je pourrais.

il tire de sous la Table de pommier cette chaise à lanières de babiche, s'assoit, pantois, pataud, patraque – et cherche son souffle, ses narines se gonflant, puis se dégonflant, comme un cheval qui a couru trop profond dans de l'épaisse neige –

– Un café ? Arnold Cauchon dit. Est-ce trop demander encore ?

je vais vers le comptoir de la cuisine tandis que mes chiens tournent autour d'arnold cauchon – il allonge la main droite vers eux parce qu'il voudrait les dodicher, mais dès que ses doigts vont atteindre les museaux, les chiens grognent, puis s'éloignent : ils n'aiment pas plus que moi les odeurs fanées des glaïeuls, ni ce qui se faisande quand le corps se déviande –

– J'ai appris par les journaux que tu as voyagé en Afrique et que ça a mal tourné, Arnold Cauchon dit. J'aurais voulu te rendre visite à l'hôpital, mais j'y étais moi-même et ça ne vivait plus guère. Toi, ça va mieux ?

– Quelle importance que ça aille mieux ou pas ? Je suis vivant. Ça me suffit d'en être conscient.

– Tu me fais penser à Victor Hugo. Il a pris tout son temps avant de dire : « Faut que je désemplisse le monde maintenant ! » Ça a été ses derniers mots.

– Non. Tu te trompes. Juste avant de mourir, il a dit : « Je vois de la lumière noire ! »

– Ta mémoire, ta sacrée mémoire ! Et ta sacrée tête de cochon aussi ! Ça a été très frustrant pour moi qui me serais pourtant contenté de t'aider.

– Je n'avais pas besoin qu'on m'aide.

– Tu refusais d'admettre ce besoin-là. Il ne s'agit pas de la même paire de manches.

– Ça change quoi en fin fond de panier ?

– Pas grand-chose, j'imagine. Mais tu aurais quand même pu répondre aux lettres que je t'écrivais. Les as-tu lues au moins ? Pas une seule ? Victor Hugo, toujours ! Une vache ne boit pas de lait, qu'il disait, mais si ça ne t'oblige pas trop, tu peux en mettre quelques gouttes dans mon café.

je le lui apporte, m'en retourne au comptoir prendre le mien, puis me rassois dans mon fauteuil – je fais semblant de ne pas regarder arnold cauchon quand il porte la tasse à ses lèvres, des deux mains parce qu'elles jinguent trop et qu'il ne veut pas souillonner la Table de pommier –

– Je peux comprendre que tu n'aies pas lu mes lettres, je le regrette toutefois, pas pour moi, mais pour les livres que tu as écrits : t'aurais pu les faire paraître en Europe, j'avais convaincu quelques éditeurs de par là-bas de les publier. Ça t'aurait ouvert plein de grandes portes. Quand s'ouvrent ces grandes portes-là, l'impossibilité n'est vraiment plus un mot français, encore moins kebekois.

– Je n'avais pas cette ambition-là. Et maintenant, moins que jamais. J'ai écrit sur le monde à l'entour de moi, ce pays qui n'a pas su en devenir un. Je l'ai fait d'abord pour moi, parce que je voulais comprendre la particule élémentaire que je suis et ce qu'elle pouvait bien avoir à faire, si éphémère, en cette singularité monstrueuse de l'Univers. J'ai rien trouvé qui vaille la peine que les autres s'en excitent. L'écrire n'a pas été un choix, ça s'est fait précisément parce que je n'avais pas le choix. J'ai tout de même usé de ma liberté comme je l'entendais, et ça vaut bien quelques milliers de lecteurs en plus ou en moins.

j'ajuste la mèche de la lampe à l'huile alors qu'arnold cauchon regarde devant et de côté, ses sourcils haut levés, comme s'il voyait enfin dans quoi je vis –

– Quand je te rendais visite à Morial Mort, c'était tout encombré, ce sous-sol où tu faisais refuge. Fallait enjamber des montagnes de livres et des débris de toutes espèces avant de se rendre jusqu'à toi. Ici-dedans, même le mot dépouillement serait inapproprié.

– J'en avais assez des objets, des meubles, des livres. J'en avais assez de l'accumulation parce qu'il n'y a dedans que du passé, et le passé ça ne porte que les signes de l'usure, c'est de la pesanteur, et rien ne s'accomplit dans la pesanteur. La pesanteur, c'est la mort.

– Ça ressemble à ce qu'on trouve quand on lit *Le gai savoir*. Cette solitude, cet au-delà de la solitude. J'ai noté un passage du *Gai savoir* là-dessus.

– Un passage ? Tout *Le gai savoir* ne parle pas d'autre chose que ce que tu appelles la solitude.

– Et de son au-delà. Laisse-moi un moment pour que je me rappelle comme il faut.

– Te force pas pour rien.

– Trop Tard. Nietzsche a écrit : on perçoit toujours dans les écrits d'un solitaire un écho du désert, quelque chose qui rappelle le murmure et la circonstance farouche de la solitude. Même dans ses paroles les plus violentes, et jusque dans ses cris, résonne encore une manière nouvelle, plus dangereuse, de se taire et d'imposer silence à sa parole.

– Je sais, je le sais. Nietzsche n'a pas fait là une grande découverte.

– Permets-moi de continuer. Je n'ai pas ta mémoire. Moi, j'ai passé des semaines à me mettre en tête les mots de Nietzsche.

j'ai mis de l'opium dans la pipe et l'ai allumée – arnold cauchon a sorti une petite boîte toute dorée de l'une de ses poches, l'a ouverte et pris dedans trois pilules verdâtres qu'il a avalées en même temps qu'une gorgée de café – la fumée de la pipe fait écran entre lui et moi : en voir le moins possible, en entendre le moins possible, laisser le temps faire son temps ! – arnold cauchon finira bien par se désagréger et quand la nuit aura viré casaque, il ne restera plus de lui assis sur la chaise aux lanières de babiche qu'un petit tas de cendres refrédies ! –

– Celui qui, année après année, a poursuivi nuit et jour un intime débat avec son esprit, celui qui en sa caverne, qui peut être un labyrinthe mais aussi une mine d'or, est devenu l'ours de cette caverne, ou un chercheur de trésors, ou un gardien de trésors, même ses idées prendront une couleur crépusculaire, une odeur d'abîme et de moisi, quelque chose d'incommunicable et de rébarbatif qui glacera ceux qui passent à sa portée. N'écrit-on pas précisément des livres pour dissimuler ce qu'on cache en soi ?

– Derrière toute caverne, une caverne plus profonde, je connais la chanson.

– Et au fond de cette caverne plus profonde, un monde plus vaste, plus étranger, plus riche, un tréfonds qui se creuse sous chaque fond. Et pourtant ! Ce quelque chose d'arbitraire faisant que l'écrivain et le philosophe se soient arrêtés ici pour regarder en arrière et autour d'eux, faisant qu'ils aient jeté leur pioche au lieu de creuser plus profond.

– De la méfiance, rien d'autre que de la méfiance.

– Pas seulement ça, selon Nietzsche. Mais cette vérité : toute philosophie dissimule une philosophie, toute opinion une cachette, toute parole un masque.

MASQUETAIRE

arnold cauchon me sourit, ses yeux vitreux se sont cristallisés, le blanc de la rétine rougeâtre passant à ce bleu très pâle qui monte de la mer océane quand le soleil levant l'irradie – malgré la fumée, je vois la métamorphose : ce très vieil homme qui, jadis, en l'autrefois, s'appelait narcisse, précieux, ridicule en son costume de hussard, bleu c'était, avec ganses et boutons dorés ! – une créature que le michaux aurait pu inventer, une créature dont il a peut-être écrit : je me scalpe, je m'écorche, des pieds à la tête, des pieds au front, que je m'arrache comme une souffrante pelure ! – je me martyrise, je n'ai pas l'imagination du bonheur ! –

je ne veux pas qu'arnold cauchon me parle encore du nietzsche, je voudrais qu'il n'y ait plus de paroles, je voudrais que ça s'en retourne au loin, n'importe où, au-delà du là-bas, sans proximité possible, sans représentation possible, sans perceptible image, même écorchée, même scalpée, même martyrisée : ça n'a pas ce que j'ai en trop, cette imagination du bonheur, celle qui te tient et te retient au mitan des petites choses comme au cœur des particules élémentaires, un proton, un neutron, un électron, voilà qui suffit pour que l'imagination du bonheur fasse corps – nul besoin de sentiment, nul besoin d'émotion : le sentiment et l'émotion, c'est ce qui tue l'imagination, c'est ce qui rend le bonheur inatteignable parce que le sentiment et l'émotion remettent le chaos au centre des molécules – l'imagination du bonheur était là avant que le tonnerre du bing bang ne se fasse entendre et, avec lui, le besoin de désirer, de durer, en son soi-même comme en celui des autres : une contrefaçon parfaite de ce qu'était le cosmos en son origine, sans désir, sans durée – cette simple imagination du bonheur avant l'invention du chaos ! –

– Un mot encore au sujet de Nietzsche, Arnold Cauchon dit.

– Pourquoi avoir entrepris ce voyage jusqu'ici-dedans, par tant de tempête, si c'est pour me raconter ce que je sais depuis toujours ?

– Toi, tu le savais peut-être, mais pas moi. Toute parole, un masque. Et tout masque, une parole. C'est ce que j'étais quand nous nous sommes connus. Pour le comprendre, il a fallu qu'on m'allonge sur une civière et qu'on me transporte à l'hôpital. Tu ne me demandes pas pourquoi ?

– Nul besoin d'être shaman pour le savoir.

– Mon cœur, il m'a lâché, on voudrait que je me laisse charcuter, mais il n'en est pas question. La vieillesse forcée ne me dit rien. Toi, la vieillesse ? Ça te désespère ?

– On désespère par manque d'imagination du bonheur.

– La solitude. La solitude, bien sûr.

TESTAMENTABLE

ce silence – rien que le bruit de nos tasses de café quand elles touchent les soucoupes, craquements du bois d'érable brûlant dans le gros poêle à bois, sifflement du vent prenant possession des anfractuosités, gémissements de mes chiens qui rêvent, couchés à mes pieds – ces mots de l'éluard, qui tombent du plafond comme de la neigeante neige, entre arnold cauchon et moi, je ne me souviens pas les avoir lus jamais : je fis un feu, un feu pour être son ami, un feu pour m'introduire dans la nuit d'hiver, un feu pour vivre mieux – j'étais comme un bateau en l'eau fermée, froid plein d'ardeur, froid plein d'étoiles ! –

– Pourquoi es-tu venu jusqu'à moi quand tu savais de quel bois se chaufferait mon accueil ? je dis.

– Toute ma vie, j'ai été un homme d'affaires compétent et j'ai engrangé biens meubles et immeubles. Quand mon frère Godefroi est mort, il m'a aussi légué ses possessions et ses avoirs. Je suis donc ce qu'on appelle un richard. Mais je n'ai aucune descendance, je vais mourir bientôt et je n'ai rien d'un pharaon : je n'emporterai donc pas la richesse que j'ai avec moi. Ce que je souhaite, c'est que tu acceptes d'être mon héritier.

– Je n'ai pas besoin d'argent. Je vis simplement, je mange peu, je change rarement de linge, je ne dépense que pour le nécessaire.

– Pense à l'œuvre que tu as écrite. Tu n'as même pas d'agent littéraire ! Je te répète qu'il n'aurait qu'à faire un tour du monde et tes livres se trouveraient partout, en toutes sortes de langues !

– Sont déjà assez nombreux ceux-là à qui ça arrive. À ce que j'en sais, ça ne change rien à la souffrance du monde. Ça serait plutôt le contraire : tous ces livres qui s'ajoutent les uns aux autres, ce sont de simples marchandises, à jeter après usage, parce qu'ils obéissent à la loi générale du capitalisme : je produis, tu consommes, il déchiquette, nous recyclons ! Un cercle vicieux ! Le seul éditeur qui a eu l'audace de le reconnaître et d'agir en conséquence, c'est celui qui a publié les premiers ouvrages d'André Gide. Un jour, il l'a fait venir à son bureau et il lui a dit : « Cherche-toi un autre éditeur : tu es devenu populaire, je vends trop de tes livres maintenant ! »

– Pour quelqu'un qui rêvait au prix Nobel de littérature avant même d'avoir écrit un livre, je doute de ta sincérité.

– Le Nobel, je l'ai gagné par-devers moi-même, sans avoir besoin d'en être confirmé par l'Académie suédoise. J'ai toujours su ce qu'est l'orgueil et j'ai toujours su aussi qu'être le meilleur n'a de l'importance que pour soi. Je l'ai appris, non d'un écrivain, mais du plus grand athlète de tous les temps : Mohamed Ali. Il aurait pu ne jamais se battre, mais ça n'aurait rien changé au fait qu'il se savait être le meilleur et qu'il l'était sans même avoir à donner un coup de poing. Il dansait. Quand la danse se porte à un tel niveau, on ne perd pas même quand on perd : la danse est au-delà de toutes les défaites, elle est cet orgueil et cette imagination du bonheur avant que le cosmos ne devienne chaos.

– Zarathoustra. Hilarant et dansant.

PÂTISSAGE

cet autre silence – je n'aime plus vraiment quand ça converse, se justifie, de la bagatelle pour un massacre, se parjure – tout discours en est un, ça ne concerne que l'épiderme, ça ne dit rien que le fugitif réel, pas la ferrigineuse surréalité par quoi on est habité de l'intérieur, pas de mots, ce qui ondule et vibre en est dépourvu, comme l'est la musique, une impersonnalité n'appartenant qu'à elle-même, un rythme, par petits jets invisibles de molécules, comme les canons de jean sébastien bach, collisionneurs parfaits des particules ! –

– Je n'ai aimé vraiment qu'une seule fois dans ma vie et c'était aussi pur que de l'eau de source, Arnold Cauchon dit. Même si tu m'as refusé cet amour-là, même si tu ne pouvais pas vouloir de cet amour-là, je n'en ai pas été malheureux. Je n'avais qu'à penser à toi et tout se passait aussitôt comme si je vivais avec toi. Je lisais et relisais tes livres, je comprenais, je te comprenais, même entre les lignes. J'ai souvent dormi tout en serrant l'un de tes livres contre moi. D'où la faveur que je voudrais que tu m'accordes : manger avec toi, puis dormir à tes côtés. Je m'en irai très tôt demain matin et sans même que tu ne t'en rendes compte.

sans doute est-ce l'effet de l'opium si je ne réagis pas à ce que me demande arnold cauchon – je me contente de regarder : ce très vieil homme en bout de route, si inoffensif ! – corps émacié, juste assez de peau pour que les os tiennent encore dessous, yeux envahis par la terre noire, avec un semblant de filet de lumière – amour, amitié, tendresse : comme une question dans ce semblant de filet de lumière qui résiste encore –

arnold cauchon avale un autre amas de pilules, boit une gorgée de café, grimace parce qu'il est tout refrédi – je vois tressauter la pomme d'adam de son col : c'est là-dedans que ça se meurt en lui – ultimes, ces soubresauts ! –

– J'ai fini de t'embêter, Arnold Cauchon dit. Je m'en vais maintenant.

il se lève, reste un moment immobile, la main sur le dossier de la chaise fait de lanières de babiche, puis ces quelques pas vers son capot de chat sauvage – se penche pour s'en saisir et l'enfile lentement en respirant fort – une chape de plomb, quelle idée d'en porter une quand ça craque de partout en soi ! – le bonnet de fourrure bien calé sur la tête, ses larges mitaines mises, s'en va vers la porte, s'arrête devant, se tourne vers moi :

– Un peu de compassion. J'aurais dû le savoir : juste un peu de compassion, c'était encore trop te demander.

ouvrant la porte, puis sortant – la compassion, le mot d'entre tous les mots que je déteste le plus ! – l'estie de compassion ! – depuis qu'ils ne gouvernent plus rien, les politiciens ne font que compatir ! – depuis que le capitalisme a converti l'homme en cette marchandise dont on peut se débarrasser sans honte ni culpabilité, les hommes d'affaires, tous des clones à l'uranium enrichi, ne font que compatir ! – compatir ! – un mot inventé par l'église judéo-chrétienne ! – à partir d'un autre mot : souffrir ! – tu souffres et je compatis à ta souffrance, non par un acte qui t'en libérerait, mais par l'idée fausse que je partage avec toi ta souffrance ! – je suis compatissant, ce qui revient à dire que je souhaite que tu te résignes au moins de ce que tu es, que je souhaite te voir accepter volontairement les maux que je t'ai infligés et dont je fais semblant de me repentir ! – pâtir, compatir, la bonne conscience de l'hypocrisie ! –

AFFAISSEMENT

je vois, en silhouette, passer arnold cauchon devant la fenêtre qui donne sur la galerie, j'entends le loquet de la barrière qui grinche, je vois encore arnold cauchon s'appuyer dessus, puis se redresser, cherchant après son souffle – il ramène vers lui la barrière, mais ne descendra pas les marches de l'escalier : il s'écroule tout d'un pan comme le font les vieux animals blessurés, la face dans la neige – je regarde, je ne bouge pas, j'attends – j'attends qu'arnold cauchon se relève et s'en aille enfin ! – mais ça reste là, allongé sous le capot de fourrure, comme recouvert par une meute de renards argentés qui se serait jetée sur lui pour le dépecer ! – la dévoration est une réalité, pas la compassion ! –

les chiens se sont mis à hurler, ils n'ont pas eu besoin de voir arnold cauchon s'écrouler pour sentir la mort prendre possession du fond de l'air – ai-je le choix ? – il faut bien que je quitte le fauteuil roulant, que je sorte de la meson et que je me rende jusqu'à la barrière – pouls très lent d'arnold cauchon, comme celui des animals en hibernation ! – corps si maigre que je devrais pouvoir le remettre sur ses jambes, mais je me suis défait de mon attelage, mon épaule et mon bras gauches s'affaissant dès que j'essaie de redresser arnold cauchon – le prendre par les jambes, joindre mes mains pour que les pieds ne m'échappent pas, haler le corps jusque dans la meson, jusqu'au matelas devant le gros poêle à bois, y étendre arnold cauchon, puis mettre une bûche d'érable dans la cuvette du poêle, puis prendre le poignet du vieil animal inconscient et compter les pulsations irrégulières du cœur – quand je reprends ma main, arnold cauchon l'empoigne :

– Un moment. À côté de moi. Juste un moment, il dit.

– Juste un moment ?

tout ce petit change que ça me prend pour m'allonger sur le matelas, arnold cauchon se tournant de côté pour que je ne vois pas son visage – je mets ma main sur son épaule, il s'en empare et la serre dans la sienne en la portant vers sa joue – larmes, ce qui tressaute, frette de la mort avant qu'elle ne survienne – et mes deux chiens qui se couchent le long de mon corps, tristesse de l'œil, tandis que se mettent à siffler, organons disloqués, les poumons d'arnold cauchon – antimusique, sans espoir cette vie en finale d'oiseau blessé, si difficile c'est de s'acquitter de la pesanteur du monde ! –

– Michaux, balbutie Arnold Cauchon.

– Michaux ? Quoi donc, Michaux ?

– Le poème. Sais-tu le poème ?

– Ça se compte par centaines, les poèmes du Michaux.

– Non. Un seul. Celui qui commence ainsi :

poussant la porte en toi, je suis entré
agir, je viens
je suis là
je te soutiens
tu n'es plus à l'abandon.

– Je ne sais pas ce poème-là.

– Ne me mens pas. Je sais que tu le sais.

– Même si c'était le cas, ce poème n'a pas été écrit pour être lu à voix haute ou basse. Ça ne s'adresse qu'à ce qui est silencieux en soi.

– Quand ça se meurt, ce n'est plus vrai parce que le silence n'est plus en soi, mais tout autour. Dis. Dis-moi la suite du poème. Dis-moi cette beauté-là avant que ça s'en aille. Dis. Dis-moi.

je m'aventure aux abords du trou noir de ma mémoire, je ne veux pas me faire happer par son œil proéminent, si violet ça se présente dans le champ de ma mémoire ! – comme avec des pincettes, saisir des bribes du poème, fermer la main dessus, puis écarter lentement les doigts, comme si je tenais une poignée de sable et que je la laissais couler, s'écouler, poussières dorables d'étoiles sur le corps souffrant d'arnold cauchon :

le fantôme de ta peur s'effiloche
j'ai ma force dans ton corps
insinuée dans ton visage qui perd ses rides
la maladie ne trouve plus son trajet en toi
la fièvre des marais
la fièvre de la maladie des villes
de la discontinuité des actions
te lâche –
j'apporte la paix
la paix des voûtes
la paix des voûtes effondrées
la paix des forces nouvelles –

ce corps qui ne voudrait pas se laisser prendre par les tressautements, ce corps qui ne voudrait pas que les larmes viennent brouiller ce qu'il reste de beauté quand la musique, mince fil suspendu au-dessus de la courbure de l'espace-temps, ondule, à peine est-ce audible, mais c'est là tout de même, entre chant et danse, entre éveil et ensommeillement –

– La fin. La fin du poème. Après, plus rien qui serait demandable, Arnold Cauchon balbutie.

les chiens ont mis la tête sur ma poitrine, et sillent, comme quand le train franchit le vieux pont de fer de tobune et qu'ils entendent par avance le bruit que ça fera sur les rails en passant derrière la meson – je dis :

mon chant t'anime
mon chant est animé
par un ruisseau de montagne
mon chant est nourri
par un niagara calmé

il n'y a plus que toi
il n'y a plus d'angoisse
où il y avait peine, il y a ouate
où il y avait dislocation, il y a soudure
où il y avait infection, il y a sang nouveau
où il y avait éparpillement, il y a ta volonté
comme un œuf d'ivoire
il y a paix
car j'ai lavé le visage de ton avenir –

repose la souffrance, s'est endormi le corps en son ultime restant de vie – et je n'ose pas bouger, et mes chiens n'osent pas bouger non plus de peur que ce qu'il reste encore de beauté ne s'en aille à jamais, petit, de plus en plus petit est le fil qui ondule, suspendu au-dessus de la courbure de l'espace-temps – est-ce encore entre chant et danse, entre ça qui fait doux et ça qui fait redoux ? –

EFFROYANCE

j'émerge de la nuit, lourd, métallique, sans dérive, sans dérêve, du plomb en galerie profonde de mine, si noir c'était au fond, sans image, sans souvenir – mes chiens me regardent, puis regardent arnold cauchon – je dois mettre beaucoup d'effort pour libérer ma main gauche de la sienne – ces doigts contractés, comme gelés raide, ce visage rigide, ces yeux à demi fermés, cette esquisse de sourire – odeurs d'urine, odeurs de défécation ! – je me redresse, je voudrais fermer les yeux d'arnold cauchon, mais les paupières sont déjà trop roides pour que je puisse les faire bouger ! – et ce vent qui souffle brusquement de la mer océane ! – la porte s'est ouverte, rhino apparaissant sur le seuil – ses yeux écarquillés, tant d'effroyance dedans ! – ça vire carré aussitôt, ça fuit, mes chiens derrière ! – ne m'approchez pas, je sens la trahison, l'effroyance sans larmes de la trahison ! –

7

De la nécessité du chaos

DÉCHAÎNAGE

jours salopés ! – nuits salopantes ! – temps mauvais dehors ! – temps mauvais en dedans ! – halluciné commencement d'hiver : neige, pluie, verglas, chutes brutales de nuages, puis remontées tout aussi déraisonnées : le vent souffle à écorner les bœufs ou fait chaude risette ! – ne plus savoir à quoi s'en tenir, ne plus savoir comment s'y détenir ! – ciels embraisés au ponant, ciels frimassants au levant ! – des volcans qui n'ont pas pris racines dans les profondeurs de la terre, mais quelque part au fond du cosmos ! – tornades, ouragans, typhons, tsunamis ! – sécheresse, disette, famine, décimation ! – grippes aviaires, porcines, économiques, sociales, culturelles ! – ça grogne, ça meugle, ça regimbe : l'espace-temps en distorsions, en vibrations ondulatoires, en musique dissonante, comme perce-oreille à défoncer les tympans ! – surdité ! – ce noir silence prenant possession du monde ! – mes chiens qui ne cessent pas de hurler à la lune, mes animals qui mettent bas avant terme : agneaux à trois pattes, chevreaux à deux têtes ! – images d'apocalypse partout, cinéma, télévision, radio, internet, journaux ! – jours salopés très beaucoup ! – nuits salopantes très beaucoup ! –

même l'esprit frappeur de la Table de pommier s'en est enmêlé ! – ne cessait pas de se faire aller sur un pied, puis sur l'autre ! – discours incohérent : quand la tête s'y trouvait, la queue manquait ; quand la queue battait fort dans le fond de l'air, la tête se faisait roue de feu tournant sur elle-même comme une toupie partie en épouvante ! – calixthe béyala ! ne cessait de marteler l'esprit frappeur – me la montrait habillée de guenilles et déambulant, somnambule, dans les rues de libreville, recherchant le fils handicapé, femme perdante, femme perdue, que le soleil ne cessait pas de brûler ! – et moi, courant après elle, m'égarant dans les faubourgs labyrinthes, m'arrêtant à tous les poteaux, devenu chien, chien sale toujours en train de pisser ! – cet esti de portable comme soudé aux baleines de mon corset, aimant malaimant piégé par tous les ordinateurs gabonais ! – ça venait, innombrables mots, s'amalgamer à mon portable, métamorphosant mon moi haïssable en débris technologiques, disques mous, onglets anarchiques, puces engorgées de sang putrescent, souris infirmées, à queue de leu loup, dentées solide, me frappant de leurs sornettes, me mordant de leurs lorgnettes, là ou restait encore un peu de peau à découvert sur mes os ! – saison d'enfer ! – saison en enfer ! – pris, mal pris dans la toile, plus une seule étoile pour en dénoircir les fils ! – rien d'autre qu'un cauchemar en massacre de bagatelles ! –

j'ai dû virer à l'envers la Table de pommier pour que cesse le bruit de ses pieds, pour que l'esprit frappeur ne puisse plus libérer les forces faibles et fortes de sa gravité – pas de risque à prendre ! – j'ai recouvert les jambes de la Table de plusieurs épaisseurs de crêpe noir pour que les vibrations ondulatoires et démentes restent prises dedans – la toile du monde ceinturée pour les araignées guettant leurs proies, œils globuleux et violets tournant vertigineusement dans leurs orbites – jours parfaitement salopants ! – nuits parfaitement salopées ! –

HÉRITAGE

la dépouille d'arnold cauchon, que pouvais-je en faire ? – comment pouvais-je m'en défaire ? – j'ai fait venir le médecin qui a demandé son transport à la meson des pompes funèbres, je me suis débarrassé du matelas souillé par l'urine et les défécations, j'en ai acheté un autre, aussi dur qu'un panneau de contreplaqué, j'ai donné le capot de chat sauvage, le bonnet de fourrure grec et les larges mitaines à la société protectrice des animals fourrés en fourrière, je n'ai gardé que le portefeuille d'arnold cauchon, une antique blague à tabac en peau de cochonnet ourlée de fils dorés : dedans, un trousseau de clés, une carte d'affaires en forme stylisée de pénis, une série de chèques de l'american express, un bout de papier illisible parce qu'écrit à l'encre, toute déteindue, et cette coupure d'une page de l'almanach beauchemin de l'an de grâce 1965 – photo de mon moi-même portant chemise blanche au col empesé, nœud papillon ; et dessous, ce court texte de ma main, moi lauréat du prix littéraire beauchemin ! – quinze ans j'avais, avec les cheveux faisant coq par devant, en mode elvis presley, gominés épais ! – autrefois ! – très lointain, cette autre fois-là ! – trop lointaine, cette autre fois-là ! – j'ai fait boulette de la coupure de l'almanach et l'ai jetée dans le gros poêle à bois ! – puis j'ai composé le numéro de téléphone imprimé en embossé sur la carte d'affaires en forme stylisée de pénis –

– Notaire Salomon Ben Levy. En quoi puis-je vous aider ?

– Qui êtes-vous ?

– Je viens de vous le dire : notaire Salomon Ben Levy.

– Quel rapport avec Arnold Cauchon ?

– Son chargé d'affaires. Et vous ?

– Abel Beauchemin.

– L'écrivain ? L'ami d'Arnold ?

– Si vous voulez.

– Pourquoi je le voudrais ? L'êtes-vous ou non ?

– Ça importe peu en les circonstances.

– Sont de quelle nature, vos circonstances ?

j'ai appris au notaire salomon ben levy la mort d'arnold cauchon, lui ai dit que sa dépouille avait été transportée au salon funèbre et que je ne savais pas quoi en faire –

– Impossible de vous répondre par voie téléphonique. Je ne peux pas ouvrir le testament d'Arnold si vous n'êtes pas là.

– Pas question que j'aille jusqu'au Grand Morial. Je ne vais plus nulle part à l'étranger.

– Pas vraiment un problème pour moi. Je serai chez vous en milieu d'après-midi.

– C'est six cents kilomètres de route, juste pour venir !

– Je sais.

– Il fait tempête. Même sur l'autoroute, ce n'est pas allable.

– Ça le sera pour moi, n'ayez crainte. Au plaisir de faire votre connaissance.

drôle de notaire que celui d'arnold cauchon ! – m'attendais à voir un petit juif à grosses lunettes, bedaine kasher, face blême et sans cheveux ! – une espèce de roi david, nabot mais nabab, fronde dans une main et torah dans l'autre ! – mais c'est goliath qui survint en ma meson, long comme un joueur de basket-ball américain ! – un ancien pilote de chasse de l'armée d'israël, un ancien sherpa ayant atteint par trois fois les sommets du kilimanjaro, de l'everest et du chomolungma tibétain, rien de moins que la mère du monde ! – ça s'est assis devant moi près du gros poêle à bois, ça a sorti de l'une de ses poches un médaillon que ça m'a offert : dedans, une pierre grosse comme le bout d'un pouce, provenant du plus haut pic de l'everest – j'ai pris le fixe sur elle, regardant sur ma paume ouverte le chaos empierré, du bout de mes doigts caressant les flancs acérés de la crête sur laquelle salomon ben levy s'était assis, et l'incroyable m'est arrivé : même avec un marteau, je n'aurais pu casser le morceau de roc tellement l'everest fait dur ! – et pourtant, un premier débris a coulé de ma main, puis un deuxième, puis un troisième ! – un cadeau de la mère du monde, empoussiéré ! –

ai remis la grenaille de pierre dans le médaillon, un tout petit œil grisâtre, l'esprit lointain de la mère du monde ! – ai pressé le médaillon en fermant le poing : coup de vent, craquements, plainte venant de la Table de pommier virée à l'envers sur le plancher ! – le notaire salomon ben levy lui a jeté un coup d'œil, puis a regardé les murs flambant nus :

– Vous vous apprêtez à déménager ?

j'ai haussé les épaules, glissé le médaillon dans l'un des carreaux de ma chemise, tandis que le notaire salomon ben levy sortait de sa serviette de cuir maroquin une enveloppe brune, puis la décachetant, en retirant quelques feuilles, m'en montrant une et me demandant si je reconnaissais là l'écriture d'arnold cauchon – j'ai assenti et le notaire salomon ben levy s'est mis à lire le testament en balançant lentement son corps – voix monocordante, comme font les prêtres juifs quand ils récitent la torah, peut-être aussi le talmud – cherzame, ouvre-toi ! – cherzame, décris-moi la caverne de l'arnold cauchon ! – lingots d'or, très chères terres en banlieue du grand morial, pâté de mesons rue de saint denis, nombreux les ouvrages du collectionneur, vignoble en la france du sud, petite île dans les caraïbes ! – un père né avant son fils, déjà riche, un frère pharmacien et pégreux, une sœur qui a fait fortune en mariant un magnat du cinéma hollywoodien pour mieux en divorcer trois mois après ! – à n'en plus finir, cette description de la caverne d'arnold cauchon ! –

– Assez ! Assez entendu.

– C'est la loi qui décide, pas moi. Je dois tout lire, sans faire saut par-dessus un seul mot. Patience, j'en suis rendu de toute façon à la question des funérailles.

j'ai mis une torquette d'opium dans la pipe, l'ai allumée, ai tiré dessus à l'enragé – je déteste tout ce qui survit à la mort, ces heures lentes et hypocrites, à serrer des mains, à entendre flopée de mots dénaturés : condoléances, sympathies, mes respects, votre courage ! – devant la dépouille exposée dans sa tombe, coussin de velours sous la tête, mâchoires crochetées de l'intérieur, langue enroulée sur elle-même comme papyrus de nile contrée, et ces esties de fleurs, encombrantes, plus mortes que le mort lui-même, si puantes ! – je voudrais ne plus rien entendre ! – arnold cauchon qui veut que son corps soit enterré dans le cimetière de trois pistoles après une grand'messe célébrée à l'église ! – pas d'invités, juste sa dépouille et mon moi-même ! – trois jours et trois nuits à veiller au corps, en ma meson, avant que ça ne descende pour tout de bon dans la fosse ! –

– C'est absurde ! je dis.

– Non. L'amour ne l'est jamais, absurde.

– Je n'en ai jamais voulu de cet amour-là ! Ce n'est pas parce qu'Arnold Cauchon est mort que ça va changer quoi que ce soit !

il a mis sur mes genoux un exemplaire du testament, m'a demandé comment se rendre au salon funèbre et s'en est allé, goliath juif, sa serviette de cuir maroquin sous le bras –

et moi restant las, assis en malaisie sur le fauteuil roulant, mon poing droit enserrant la jambe versée de la Table de pommier – flots de jurons, flopée blasphématoire, flottille de sacres moutonneux sur la mer océane : esti, crisse, ciboire, tabarnaque, boudeciarge, sainte étole, câlisse de bine, baptême de viarge sale ! – la panoplie judéo-chrétienne et crétine, si peu consolante pour un être immergé en contrée ubuesque, un être luttant de contre son engourdissement en sa surface liquide, entièrement nu, sans bras ni jambes, un pouesson en guidouille de février, fuyant l'enrut de la trinité, fuyant en volutes d'opium le corps mort de l'arnold cauchon, si décomposé en lointain passé, l'obsolète repassé ! – estie ! – estie toastée en ses deux bords et rebords ! –

BEBELLERIE

ai tant chanté, ai tant hurlé, ai tant sacré, ma rivière s'en est revenue à gué, tarie par tout le pavot afghan qui est tombé dedans ! – c'est ce que rhino attendait pour survenir par la porte qui donne sur les champs derrière la meson ! – sa bonne humeur l'excite : son casque de viking aux longues cornes sur la tête, elle se met au garde-à-toi et me fait rapport : a rempli de foin la tasserie, soigné les animals, décrotté l'étable, bichonné, étrillé, dodiché les petits chevals, fait longue conversation volatile avec les oies, redressé les oreilles des lapins-béliers et maintenant, elle voudrait savoir pourquoi la Table de pommier ne tient plus sur ses jambes ! – mon refus de lui en parler, mon moi haïssable lui disant plutôt ce que j'attends d'elle pour les trois jours à venir :

– Tu n'entres pas dans la meson, tu te contentes de prendre soin des animals. Si tu veux muser et amuser les chiens, t'auras qu'à siffler fort et ils vont t'accourir de suite.

– À matin, cet homme à tes côtés, j'aimerais que tu me dises.

– Il est venu mourir ici-dedans. Il ne m'a pas demandé mon autorisation pour le faire.

– J'aimerais que tu m'en dises plus.

– Trois jours et trois nuits, Rhino. Après, ça sera simplement de l'après.

elle marque de la tête son assentiment, recule à petits pas vers la porte de derrière, et je la regarde à peine s'en aller : ce casque de viking aux longues cornes dont le soleil embrase les cuivres, comme des coups de longue épée que ça fait sur les murs – la porte claque à cause du vent, puis ces bruyants sifflements pour que mes chiens sortent rejoindre rhino – n'en feront toutefois rien, resteront couchés à mes pieds, leurs museaux bas entre les pattes de devant – rhino va finir par se lasser de siffler pour rien et vrombira le moteur du vieux pick-up avant que ne l'avale tout entier la blanche poudrerie – je mets une bûche d'érable dans la cuve du gros poêle à bois, laissant ouverte la porte pour mieux voir les flammes licher l'écorce qui tousse, se retrousse, se trémousse – ne voulais pas, ne veux toujours pas penser à quoi que ce soit, ni métaphore, ni métafaible, pas de mots, même pas sous forme de grains de sable – la mort ne fait pas l'idée à moins qu'elle ne fausse, ne se fausse, par projection du ça de son soi-même dans le soi-même de l'autre – autrement, un acte manquant pour un acteur manqué ! – mon refus de toute image d'arnold cauchon, mon refus de toute odeur d'arnold cauchon ! – je vais résister toutefois à la tentation de mettre la Table de pommier sur ses pieds, je vais résister à la tentation d'ouvrir le tiroir là où se trouve le portable : un mot peut-être de calixthe béyala, diaphane rappel de la nuit passée avec elle dans la chambre d'hôtel de libreville – rappel ! – rappel au renversement ! – rappel au renversement parfait ! – rappel à l'embrassement du corps de fatigue par cet autre corps cuivré, bronze et or de la peau, joyeuseté des minces plis en senteur de lavande ! – alors que je vis en bebellerie, tant de bords, trop de bords encore pour si peu de centre ! disait le michaux –

VEILLANT

je dois ouvrir la grande porte en façade de la meson pour que les croque-morts puissent faire entrer le cercueil – ils voudraient exposer la dépouille au salon, mais je leur demande plutôt de remettre sur ses jambes la longue Table de pommier et de déposer dessus le cercueil – pas de place pour chandeliers, couronnes et vases de fleurs – à ramener au salon funèbre en même temps que le prie-yahvé et l'ancien testament malgré les protestations de salomon ben levy qui pensait veiller au corps avec moi en ânonnant la genèse juive et le suif malodorant qui coule, s'écoule de chaque mot – le sionisme, pas pour mon moi-même, esti ! –

– Vous avez fait ce que vous deviez faire, je dis à Salomon Ben Levy. Vous pouvez donc reprendre la route vers le Grand Morial.

– Je dois rester jusqu'à la fin des funérailles.

– Quelle importance, les funérailles, quand on est d'une religion qui enseigne que les morts doivent s'enterrer eux-mêmes ?

– Je ne suis pas juif à ce point-là. J'agis simplement en conformité avec le mandat que m'a donné Arnold. Vous voulez que je vous en fasse relecture ?

– Pas la peine. J'aimerais juste savoir pourquoi Arnold Cauchon a demandé à être enterré dans Trois-Pistoles plutôt qu'au Grand Morial ? À ce que je sache, il n'avait jamais mis les pieds par ici avant de venir pour y mourir.

– Ça aurait été le cas si vous l'aviez invité.

– L'inviter ? Pourquoi l'aurais-je fait ? La dernière fois que nous nous sommes vus, c'était il y a quarante ans.

– Il vous écrivait pourtant, au moins une lettre tous les trois mois. Personnel, confidentiel, urgent, ces mots-là étaient écrits sur toutes les enveloppes qu'il vous adressait.

– Je n'ai jamais lu le courrier que je reçois, et surtout pas quand, dessus, c'est écrit personnel, confidentiel et urgent.

– Par quelle motivation ?

– Je n'ai jamais eu besoin de rien qui soit personnel, confidentiel et urgent.

– Vous, sans doute. Mais les autres ?

– Je ne suis pas le père Ubu. Je ne peux pas changer d'être ni singer celui des autres.

– Je voudrais comprendre.

– C'est un autre besoin que je n'ai pas, que vous compreniez. C'est dans son ainsi, pas autrement.

– Je vais tout de même prier pour notre ami.

– Arnold Cauchon n'a jamais été mon ami. Priez si ça vous chante, mais faites-le pour que je n'entende rien.

salomon ben levy va vers le cercueil, ouvre le couvercle, puis tirant une chaise bancale, il en appuie le dossier à la Table de pommier ; il s'agenouille sur le siège de lanières de babiche, ses mains en paumes ouvertes appuyées au bord du cercueil – il ferme les yeux, se met à se balanciner comme un rabin de synagogue, ses lèvres se faisant aller comme si le feu était pris derrière – malgré le mouvement, on le dirait lui aussi figé dans la mort, ne manque que le fard rosissant son visage, ce rouge avide sur la bouche, cette lotion qui gomine les cheveux et les empêche de s'en aller à rebrousse-poil – je contourne la Table de pommier, m'arrête à son bout, ouvre le petit tiroir qui s'y trouve, tâtonne dedans, y cherchant les vieilles pièces de monnaie que j'y ai mises : deux deux piastres frappés en 1837 par la banque du peuple pour financer la rébellion des patriotes contre les estis de britanniques ! – les ai achetés d'un parent venu de la cuisse droite de louis joseph papineau en même temps que cette figurine du père manqué de la nation kebekoise, fabriquée pour la célébration du centième anniversaire de sa naissance : ceux qui achetaient une boîte de pâtes trouvaient dedans la figurine ! – mange-moi ! – ceci est mon corps en fuite vers la nouvelle angleterre parce que je ne voulais pas qu'on me pende ni comme patriote ni comme seigneur de montebello ! – mange-moi ! – ceci est ton corps mort de nègre blanc d'amérique ! –

je me suis approché de la dépouille d'arnold cauchon, je mets les deux deux piastres sur ses paupières et salomon ben levy cesse aussitôt de prier et de se balanciner, me demandant pourquoi j'agis de même – une coutume familiale, en ce temps-là qu'on n'embaumait pas encore les morts : il arrivait que leurs yeux s'ouvrent durant la veillée au corps, et c'était là le signe que des malheurs encore plus définitifs que la mort allaient venir – les grosses pièces de cuivre bloquaient les paupières, contrant ainsi les maléfices qui auraient pu s'échapper du corps pourrissant ! –

j'ai conduit mon fauteuil roulant devant le gros poêle à bois, ai mis deux bûches d'érable dans la cuve, ai rempli d'opium le fourneau de la pipe, puis je l'ai allumée, mes chiens couchés devant la bavette – je regarde simplement les flammes embraser le bois d'érable, je ne pense à rien, même pas à ces odeurs de la mort qui essaiment lentement de la dépouille vers tous les êtres de la meson – je ne débusque aucun sentiment dans ces odeurs-là – tu n'es plus cet enfant que ton grand-père fossoyeur emmenait avec lui quand il y avait veillée au corps mort : ça ne te faisait rien de toucher le visage et les mains de la dépouille, c'était juste roide et frette, comme quand le chien avait cassé sa pipe derrière la meson pendant une tempête de neige – gelé, congelé ! – ça ne galoperait plus nulle part, ça ne japperait plus nulle part, ça ne licherait plus, longue et épaisse langue râpeuse, nulle part : un certain temps, ça avait été là, ça n'y serait plus, juste une braise dans la mémoire, qui finirait par se désembraser, toute ! – un autre chien, beaucoup d'autres chiens après celui-là – beaucoup d'autres animals aussi, et beaucoup d'hommes, de femmes, de tits zenfants ! – des millions chaque fois que s'écroule une seconde ! – rien là-dedans pour s'enlarmer, disait le grand-père : venir au monde, c'est déjà singer sa fin ! – ça n'empêche pas qu'on puisse se rêver, comme disait le rimbaud : se rêver dans la prairie amoureuse, loin, très lointain ce là-bas, parmi boules lumineuses, parfums sains, pubescence d'or, en leur remuement calme vers l'essor, cuivre et bronze comme casques viking – réassort ! – réassort de la circonstance, rayon d'énergie, tout mince est le serpent ondulatoire, tout mince de corps et de temps, une seconde, mais beaucoup moins qu'une seconde, ce rêve dans la prairie amoureuse ! –

– Il est maintenant vingt-deux heures, je dis à Salomon Ben Levy. Fermez le cercueil et rentrez à votre hôtel.

– Je préférerais passer toute la nuit à veiller.

– Personne ne passe la nuit ici-dedans, même enveillé.

– Le corps d'Arnold Cauchon y sera pourtant.

– Justement, ce n'est plus rien qu'un corps. Un corps, c'est personne.

– Le corps peut-être, mais l'esprit ?

– L'esprit, c'est encore le corps. Rien en deçà ni rien au-delà du corps.

– La science prétend le contraire.

– Elle a aussi prétendu que la Terre était plate, immobile dans l'espace, Soleil et planètes tournant autour d'elle.

– Pourtant, pourtant, pourtant.

– Pourtant, vous devez maintenant vous en aller. Ne revenez pas avant dix heures demain.

– Si je devais en décider autrement ?

je fais claquer mes droits – les chiens se dressent aussitôt, montrant leurs crocs et grognant – salomon ben levy enfile ses bottes et sa pelisse, puis sort en m'admonestant, mais du bout des lèvres pour que je n'entende pas vraiment ce qu'il testamente de contre moi – m'en esti ! – je pense à mon épaule, à mon bras, à ma jambe gauche, me font mal, je pense au corset dont les baleines m'enserrent les côtes en bâbord et tribord ! – me défaire de l'attelage, de la prothèse et du corset, laisser le fauteuil roulant, m'allonger sur le matelas devant le gros poêle à bois, mes chiens prenant place, chacun sa chacune, mais restant assis et hurlant à la lune – je les laisse faire : que soient déportées au loin les odeurs de la mort ! – les lampes à l'huile vont s'éteindre, des grandes fenêtres ne filtrera plus que ce semblant de lumière au travers de la neige ne tombant désormais que par flocons mal rapaillés, mal s'épaillant – dormir, rêver peut-être ! – à cette mer de la veillée, telle que les seins d'amélie ! – avec, devant moi, la plaque du foyer noir, les réels soleils des grèves, les réels puits de magies ! – seul en vue d'aurore qui, cette fois-là, sera de bonne vague ! – hé ! – m'endormir sur ces mots si trafiqués du rimbaud, comme une bouteille jetée à la mer de tous les enveillements ! –

CITROUILLE

en l'empremier de l'hiver, les tempêtes ne durent pas long : le vent est vite à bout de soufflance, la neigeante neige se fait paresse, le frette se désagrège en petits fragments acérés comme le sont les dards des abeilles sauvages – ça pique la peau, mais ça n'y laisse pas de gélivures – sous la lune, la mer s'étale comme une nappe à carreaux, parfois gris c'est, parfois bleu c'est, parfois d'un noir d'encre c'est – y glisse la bouteille jetée cette nuit en l'eau de la mer océane, et ça ne me fait rien d'y cogner mes clous – à l'abri des oiseaux prédateurs furtifs ! – des pouéssons prédateurs furtifs, peut-être fugaces aussi ! – la terre, une citrouille ! – la terre, le ventre d'une énorme citrouille, et la bouteille vogue et vague entre les fils orangés qui relient les semences entre elles – allongé, les mains sous la tête, nerfs et muscles de mon corps relâchés, je crois bien que je rêvouille, car si je rêvais fort, comment pourrais-je entendre ces coups que donnent, l'un après l'autre, les pieds de la Table de pommier ? – si je rêvais fort, ça serait impossible pour la Table de seulement lever un petit doigt de pied : trop lourd le cercueil d'arnold cauchon qui est dessus, trop lourd le corps mort litté de velours – bing, bing, bing, bang ! – frappe, frappé, frappant, frappeur ! – des bulles dans l'eau, qui seraient impossibles à voir, même dans un collisionneur de particules, tant elles ont peu de masse ! – la citrouille-terre va s'en trouver remplie tantôt, de même que la bouteille en laquelle je me tiens allongé, les mains sous la tête, nerfs et muscles relâchés de mon corps – les bulles, je vois bien qu'elles s'amalgament dès qu'elles traversent les parois de la citrouille-terre, je vois bien qu'elles prennent forme au sortir du goulot de la bouteille – des ectoplasmes comme ceux que victor hugo aimait tant dessiner, corps invertébrés, multiples sont ses pieds retournés, on dirait les reliefs d'une île qui ne cesse pas de se transformer, matière gélatineuse et noire qui se ressemble, s'assemble, puis se défait, et se rassemble encore, s'assemble encore et se défait toujours ! – des yeux ! – soixante-dix-sept fois les yeux se forment, aussi noirs que l'est la matière dont ils parviennent et pourtant ! – je les vois ! – noir sur noir ! – de rondes billes même si c'est né de l'ectoplasme qui n'a ni volume ni pesanteur ! – si je rêvais fort, je prendrais peur parce que les yeux sont là pour regarder, non pour parler ! – et les yeux qui font la roue autour de mon corps, ils balbutient, murmurent, susurrent, mais quoi ? – je tends, je tends très raide l'oreille ! – bing, bing, bing, bang ! – je tends, je tends encore plus raide l'oreille ! – les yeux luttent contre tous ces virus qui cherchent par où les pénétrer malgré les anticorps leur faisant guerre ! – chaque fois que les anticorps en attrapent un, ils le font éclater, et ça devient une petite bombe à hydrogène, et ça devient : bing, bing, bing, bang ! – les yeux ont la voix du fils de calixthe béyala, on dirait une chorale dont werewere est le soliste, quelque part entre le printemps de vivaldi et le requiem de mozart, un canon peut-être, complexe comme ceux que composait jean sébastien bach quand il s'échappait de la gravité terrestre et devenait cette supercorde joyeuse faisant vibrer le cosmos jusqu'au tréfonds de l'intime ! – il me faudrait être greyé de l'oreille parfaite pour entendre vraiment, moi qui ne sais bien discerner que ce que disent mes animals, leurs cancans, leurs chêvrotages, leurs bêlements, leurs beuglements, leurs hennissements ! – que dis-tu ? – que dis-tu, werewere ? – ta mère trop orgueilleuse pour répondre à mes courriels insignifiants ! – mots si usagés ! – sans substance parce que le corps glorieux ne s'y trouve pas, parce que le corps glorieux n'est gloire que pour lui-même, ne partage ni ne se partage ! – ta mère ! – quoi donc encore ? – elle n'aurait pas dû te parler de cette nuit dans la chambre d'hôtel de libreville, tendresse sans déplaisir, beauté sans déplaisir, bonheur sans déplaisir, de la peau chaude sur de la peau chaude ! – depuis vingt ans que nous attendaient pareille surréalité, pareil bonheur ! –

pourquoi calixthe béyala ne m'en a-t-elle rien dit ? – t'as raison, werewere : c'était à moi de dire et de redire le premier mot, mais le premier mot est imprononçable tant que n'est pas terminée la traversée du désert, et ça faisait quarante ans que je puisais, m'épuisais dedans, sans que jamais n'apparaisse la terre promise ! – des mots ! – j'ai laissé mon corps s'en remplir à ras-bord, ce n'est plus l'idée qui en déterminait l'orientation, mais mes nerfs, mes muscles, mon sang, tous putrescents ! – entre solitude et esseulement ! – la solitude te permet de te survivre et l'esseulement te rend possible la mort sans que personne ne soit forcé de la vivre avec toi ! – non, werewere : je n'ai pas coupé tous les arbres du gabon, je n'ai pas détruit toutes les fleurs du gabon, je n'ai pas fait pourrir tous les fruits du gabon ! – tout ça ne brûlait qu'en moi, contre moi, malgré moi ! –

VISION

les innombrables yeux se sont mal gammés en un seul, si énorme qu'il prend toute la place dans la citrouille-terre, et d'un violet très violent ça devient, tandis que du canon de jean sébastien bach jaillit l'explosion ! – citrouille-terre éclatant en morceaux, verre de la bouteille en monceaux s'émiettant ! – le vent furieux de la mer océane me projette loin dans le fond de l'air, en tourbillonnage, en tourneboulance, en toupillement ! – et me voilà aussitôt assis sur ce rocher, à quelques centaines de pieds de la côte du gabon, face à libreville ! – enrivagée, statufiée, marbrée, calixthe béyala se tient sur une jambe, bras démesurés, peau si brûlée par le soleil qu'en perlent de fractales gouttes de sang ! – je voudrais crier : je suis là ! – je ne veux pas que tu souffres ! – laisse-moi venir jusqu'à toi ! – laisse-moi apprendre l'aimer et l'aimant ! – je me redresse, je me jette à l'eau, je pique drette vers le fond, puis j'en remonte ! – mais je ne sais pas nager et j'ai deux dalles de béton attachés à mes chevilles, et mon bras gauche s'est détaché de l'épaule et les requins-marteaux jouent avec lui, le mordillent, le lacèrent ! – seule ma tête résiste, seuls mes yeux résistent pour que je ne cesse pas de voir calixthe béyala qui se tient toujours sur une jambe, bras démesurés, peau si brûlée par le soleil qu'en perlent de fractales gouttes de sang ! – je t'aime si tant ! – trop d'eau salée dans ma bouche et ces deux aiglefins qui foncent drette sur moi, becs acérés pour me crever les yeux ! – je m'enfonce profond dans l'eau et me déraisonne en tout mon moi-même la fin du canon de jean sébastien bach : l'estie de mer de la veillée, telle que les seins d'amélie ! –

FLÛTES

mon visage tout mouillassé quand ça remonte des profondeurs de la mer océane – mais ce ne sont pas les eaux gabonaises qui ont fait trempette dessus : ce sont les chiens qui me lichent à grands coups de langue, comme ils le font toujours quand je m'endors mal – ils savent qu'autrement je ne serais pas réveillable, même s'ils me jappaient réveille-toi, leurs museaux collés à mes oreilles – plus dure qu'une bûche je suis ! – je m'essuie la face avec le bord du drap, je m'assois et regarde les braises en train de s'éteindre dans le gros poêle à bois – je respire à fond de cale – comme si j'avais les poumons pleins d'eau ! – peut-être est-ce à cause de la neige qui tombait hier soir et qu'un redoux venu par inadvertance a transformé en pluie – l'effet du el nino, l'effet de serre, l'effet des bouses de vache conchiées, l'effet de, n'importe quel effet de ! – vivaldi a écrit ses quatre saisons pour rien : n'en reste plus que deux désormais, long printemps humide que la pluie tombe dessus jour après jour, puis de l'hiver écourtiché, mais frette à fendre les pierres, et bancs de neige recouvrant mesons et bâtiments ! – le verglas aussi, une simple poussée de vent chaud suivie d'une averse, puis s'englacent les arbres, puis s'englaçent toutes les verticales, chunées, lucarnes, animals immobilisés, leurs tendons de pattes lacérés, s'offrant à la prédation, à la décimation ! – ailleurs, très loin par là-bas, de cuisantes sécheresses, terre brûlée et brûlante, plus de farine, plus que famine, pour ventres distendus, enfiévrés, en colère de choléra ! – le progrès, la civilisation, le monde triomphant de la marchandise, cette fuite en avant de l'humancité – grands galops d'animals qui ne veulent pas se ralentir dans leur course, qui ne peuvent pas se ralentir dans leur course – la loi générale du démocrate assis, la loi singulière du démographe tassé : toujours plus de marchandises pour toujours plus de monde venant mal au monde ! – le flu flux klan qui, même de la maladie, fait une marchandise ! – remédier les corps souffrants, les esprits se traînant ! – remédier en le dégènant l'anticorps social pour que la dépensée soit une, apostolique et universelle ! – ici, ça commence à crier, ça commence à crier, et dans ce cri il y a des flûtes qui se multiplient, des corails ! – ici, ça veut mourir peut-être ou danser, comme l'a dit le tristan tzara en sa maladie de l'imaginaire ! –

je me suis redressé pour enfiler prothèse, corset et attelage – je ne veux pas voir de suite le cercueil sur la Table de pommier : ce goût de mangue trop mûre que j'ai en fond de bouche, ça dérive peut-être de la dépouille d'arnold cauchon, comment savoir quelles sont les odeurs que dégagent les corps pourrissants ? – cochons éventrés de mon enfance, sentant la noisette sauvage ; chevals saignés aux jarrets de mon enfance, sentant la mûre sombre; vaches qui meuraient en mettant bas de mon enfance, en odeurs de moutarde forte; vieilles moutonnes de mon enfance, à moitié dévorées par les coyotes, sentant le charbon noir; grand-mère au ventre cancéré de mon enfance, sentant la moisissure de framboise! – chacun sa couleur de vie qui macule de son odeur le fond de l'air après la mort –

je m'approche du cercueil – en soulever le couvercle juste pour voir les deux piastres de la banque du peuple sur les yeux d'arnold cauchon – puis m'habiller et mettre la pipe d'opium dans la poche droite de ma cape et empoigner la canne à côté de la porte et sortir, les chiens prenant plaisir à glisser sur la couche de verglas – des toboggans agiles et rieurs, tandis que moi je dois m'aventurer prudemment sur la galerie en plantant comme il faut dans la glace le pic fixé au bout de ma canne – ce sera pire quand je me mettrai à descendre l'escalier: je ne pourrai pas me tenir à la rampe verglacée, je ne pourrai pas non plus me fier au pic de la canne, je devrai le ficher dans cette marche plus basse que celle où je me tiendrai – adieu, équilibre! – je m'assois en haut de l'escalier, puis je descends les marches sur les fesses! – en titbonhomme, comme ça se disait en temps d'enfance! – en titbonhomme, esti! –

les chiens ont couru vers l'étable et m'attendent devant la porte, assis sur leurs derrières et se faisant aller la langue de bord et d'autre, leur façon d'agir quand ils s'amusent à rire de moi – je fais semblant de les menacer avec ma canne avant d'ouvrir la porte – j'entre dans l'étable, les chiens passant entre mes jambes, attirés par les odeurs de l'agneau qui vient de naître en milieu de bergerie – ça sent le jus de citrouille quand on la laisse mûrir trop longtemps, qu'elle se fissure et que le liquide, épais, jaunâtre, s'écoule par bordées comme les injures, ça décape sans labeur commode, vaisselier, armoire et pattes de chaises : gomme-z'en le bois, une seul fois suffira, et plus de vernis ni de peinture, le grain d'érable, de merisier, de chêne tigré, redevenant tel qu'il était avant sa coupe ! –

la mère moutonne liche son petit, puis mange le placenta – mes chiens aident l'agneau laineux à se tenir debout sur la couche de paille – à genoux, rhino fait caresses à la mère moutonne et flatte le petit corps qui frissonne – tout noir c'est, de tête, de laine, de pattes – je m'accote à la mangeoire, je laisse le bouc et la chèvre fourmiller de leurs museaux en mes dessous de bras – odeurs vives de la vie, couleur sang de bœuf de la résistance, premier bêlement glorieux ! – j'allume la pipe d'opium pour que s'escamotent les odeurs de la nuit au profit de celles, encore à profondir, de l'agneau laineux – ça mangera le grain, ça broyera le foin de luzerne et de trèfle, ça ruminera, musique des mâchoires, douce, heureuse –

l'agneau s'étant blotti, rhino le berce, le dodiche, l'embrasse – elle sait que je suis ici-dedans, mais elle fait comme si je ne m'y trouvais pas ! – elle m'en veut sans doute de lui avoir interdit d'entrer dans la meson – si discrète pourtant quand elle s'y pourmène, déchaussée, ou assise au ras du gros poêle à bois, et me regarde seulement si je tiens la tête basse, grande feuille de notaire dessous, stylo feutre bleu à la main – elle imagine que je suis en train d'écrire une histoire quand je ne fais que résister aux mots qui pourraient bleuir la page : un simple trait parfois, un carré, un cercle, une tache, un ectoplasme, rien que des signes – terre, cosmos, courbure de l'espace-temps, formation de trous noirs, insignifiables parce que la pensée ne peut étendre sa corde d'argent aussi loin, réellement, surréellement ! – rhino redonne l'agneau laineux à la mère moutonne et se redresse :

– Si je ne peux pas encore entrer dans la meson, j'aimerais emmener les chiens là-bas, vers la mer Océane.

– Ils vont te suivre, ils sont de connivence avec les odeurs de ton corps.

– Ça veut dire ?

– Tes odeurs sont comme les leurs, qui captent la vie telle que ça s'adonne.

elle tourne la tête parce qu'elle ne veut pas que je voie la colère qui informe les contours de ses lèvres et les fait pulpeuses, à vif, trop rouges, malsanglantes –

– Je peux t'expliquer maintenant pourquoi il y a ce corps mort chez moi, pourquoi je le veille et pourquoi je devrai accompagner la dépouille jusqu'au cimetière.

– C'est trop tard. Mon deuil à moi est derrière.

– Ça veut dire ?

– Mon deuil à moi est derrière.

– Pourquoi tant de tristesse si tu dis vrai ?

– Je ne suis pas triste.

– Pas triste, sans doute. Mais la colère ?

– Où ça, la colère ?

– Ta bouche a pris la couleur du ressentiment.

– Comment tu peux voir ? Tu ne ressens rien, tu n'as pas de sentiment.

elle me regarde en sauvette, elle me regarde en dérobade – yeux d'encre chinoise, juste le temps d'un cligne, et ça suffit pour que je me méfie : il y a de la terreur là-dedans, mais autre chose aussi, qui ne se laisse pas déterminer, comme ces ceintures gazeuses entourant de leur désastre les trous noirs du cosmos –

– Va avec les chiens maintenant, je dis. Moi, je rentre à la meson.

je ne sortirai pas de suite de l'étable, me reste de l'opium à fumer, me reste les animals à regarder ruminer, si placides, si pleins des primitifs instincts : quel changement dans l'éclairage et les couleurs de toutes choses ! disait le nietzsche – nous ne sommes plus en mesure de comprendre la façon dont les anciens ressentaient les réalités les plus immédiates, les plus fréquentes, par exemple, le jour et l'état de veille : du fait que les anciens croyaient aux songes, la vie éveillée se trouvait placée sous d'autres lumières ! – de même la vie entière avec la réfraction de la mort et sa signification : cette ultime expérience répandait une autre lueur, car un dieu resplendissait en elle ! – de même, toute décision, toute perspective du lointain avenir ! – la vérité était autrement ressentie, car le dément pouvait passer jadis pour son organe, ce qui, nous, nous fait frissonner ou rire ! – de quelle nature était la joie, au temps où l'on croyait au diable et au tentateur ? – de quelle nature la passion lorsqu'on voyait les démons vous épier dans l'ombre ? – nous autres, nous avons donné de nouvelles couleurs aux réalités, nous ne cessons pas de les repeindre car notre instinct, qui donne naissance à la conscience, n'a plus rien d'animal : nous sommes désormais usinés comme l'est n'importe quelle marchandise : de la naissance à la mort, vivre naturellement n'est plus une réalité, l'enjeu étant, pour chacun, de sur-vivre le plus longtemps possible, comme c'est le cas pour les boîtes de conserve, ces produits de synthèse dont les gènes sont manipulés, les agents de préservation surabondants – une alchimie dont l'ennemi est précisément l'instinct, qui donne naissance à la conscience, ce vouloir multiple, tout à la fois collectif et individuel – et c'est ça qu'on tue un peu plus chaque fois que le jour se lève pour que ce qui est multiple en l'humanité ne soit plus habitable : un corps unique, privé de son instinct et de sa conscience, une dépensée d'énergie, sans finalité autre que l'exacerbation du sous-moi, si malléable, si changeant, si changeable en ce monde devenu apparence et inclusion de l'apparence ! –

me dis encore en mettant la pipe d'opium dans la poche de ma cape : voilà pourquoi nous ne cessons pas de donner de nouvelles couleurs aux réalités, voilà pourquoi nous ne cessons pas de les repeindre, pour que l'à-peu-près de ce qu'elles deviennent ne soient plus identifiables, trop éphémères et délibérément éphémères : impossible désormais de lier l'individu à l'individu, de relier entre eux les peuples, les patries, les nations, sinon par déraison spéculative – se liquifier en son soi-même comme dans le soi-même de tous les autres, comme se liquifiaient l'instinct et la conscience des macchabées dans le grand chaudron juif de l'indifférent ! –

TROUÉE

je laisse les animals à leurs mangeoires, je laisse rhino et les chiens à leur promenade, je sors de l'étable – ce crachin que souffle la mer océane vers l'arrière-pays, une poussière d'émeri faisant trouée dans le verglas ! – s'y enfonce sans effort le pic de ma canne et je passe sous les arbres dont le bout des branches saigne goutte après goutte – au-delà, devant la meson, est garé le corbillard, pareil à une bête monstrueuse et noire – à son côté, d'autre bêtes, noires aussi, mais harnachées plus modestement : ce sont les croque-morts – je n'aime pas qu'ils soient entrés dans la meson alors que je n'y étais pas, mais je me console en pensant que salomon ben levy a dû passer tout droit, aucune autre bête monstrueuse n'étant stationnée devant la galerie –

le cercueil est ouvert sur la Table de pommier, l'un des croque-morts s'affairant, mettant du fard au visage bleuissant d'arnold cauchon, puis du rouge à ses lèvres – les mâchoires crochetées de l'intérieur n'ont pas empêché la bouche de se tordre du côté senestre : hier soir, ça souriait ; aujourd'hui, on en est au rictus ; et demain, quand ça reposera six pieds sous terre, ce sera quoi, tout béant le trou, avec la langue enroulée dedans ? – les deux vieux deux piastres de la banque du peuple ne sont plus sur les yeux de la dépouille : le plus grand des croque-morts les tient en la paume de sa main et leur fait faire de petits sauts comme si elles étaient des puces savantes ! – je lui demande de me les remettre et je les range dans le petit tiroir qu'il y a à l'extrémité de la Table de pommier –

– Refermez le couvercle, je dis. La veillée au corps est terminée. Allons l'enterrer.

les croque-morts soulèvent le cercueil, enlèvent le crêpe noir dessous, puis s'arriment aux poignées et vont vers la grande porte du devant – je touche la Table de pommier du plat de la main et porte les doigts sous mon nez : odeur rance de la citrouille pourrissante – je fais couler de l'eau chaude dans un bol, j'y ajoute ce savon à la lavande, puis muni d'une débarbouillette, je lave la Table de pommier pour qu'elle ne m'en veuille pas trop de lui avoir imposé une mort qui ne la concernait pas – bing, bing, bing, bang ! fait l'esprit frappeur avant même que je n'aie le temps de me rendre au comptoir y déposer le bol d'eau et la débarbouillette – bing, bing, bing, bang ! – cette jambe qui se soulève et heurte le plancher, c'est criard mais sans flûtes dedans – juste hostile ! – je ne veux pas savoir maintenant jusqu'à quel point ça se manifesterait et je sors de la meson, descends l'escalier et me trouve aussitôt devant salomon ben levy – ça ne manque pas de flûtes ce qui lui sort du gosier ! – ça m'admoneste parce que ça aurait voulu voir une dernière fois le visage d'arnold cauchon pour le baiser au front ! –

– C'était juste un peu plus mort qu'hier, je dis. Et ça ne demandait pas davantage qu'hier à être vu et embrassé.

je m'installe à côté du chauffeur du corbillard, les croque-morts et salomon ben levy sur la banquette derrière nous – le crachin est redevenu neigeante neige, poussière d'émeri s'agglutinant en flocons ouatés – ce blanc dans lequel s'escamote et s'égare la pensée, les mots en effiloche dès qu'ils te viennent – au travers de la neigeante neige, seule résiste la flûte du michaux : patrie apatride ! dit la mélodie – et ce corps enserré dans le cercueil, je ne le distingue pas, je ne le vois pas, je ne l'entends pas, je le traverse – il n'est pas d'ici, il n'est pas de par ici, il n'est pas de mon peuplement, bien que ne me suis jamais promis à lui : un jour viendra et je le laisserai derrière moi et je le renierai et je l'abandonnerai : patrie apatride ! – rien comme d'aller lentement dans la neige pour que l'idée de patrie apatride devienne la seule qui ne soit pas désaisonnable : comment décrire l'épopée blanche, avec quelles odeurs et quelles saveurs, puisqu'elle en est la négation ? –

il s'est arrêté devant l'église, le noir corbillard – les cloches sonnent, mais ce n'est pas le glas qui se laisse entendre, ça n'a rien de triste ni de noir, ça se présente plutôt avec joyeuseté, saveur verte, couleur verdi, primevère au premier coup de soleil, pivert au deuxième coup de soleil, aigrefin bondissant au-dessus de la mer océane au troisième coup de soleil ! – je monte les marches jusqu'au parvis, le sacristain a ouvert les deux grandes portes centrales, je m'y engouffre et vais m'asseoir derrière la grosse colonne en faux marbre peint par cet italien et ce français qui ont laissé, en l'entrelacs des motifs, la botte romaine et la hache francisque – un prêtre et deux enfants de chœur tenant de longs cierges accueillent le cercueil, les croque-morts et salomon ben levy tout en balancement de corps derrière eux – le sacristain referme les deux portes et reste devant, grosse tête ravinée, ses mains arthritiques se retenant aux pans de sa veste – personne d'autre dans cette église aussi vaste que la cathédrale de notre dame du paris ! – salomon ben levy voudrait que j'aille m'asseoir sur le banc des marguilliers, mais je refuse : même enfant, je prenais place derrière la grosse colonne parce que je détestais tout ce qui a odeur de religion : les bonnes sœurs à grandes cornettes dans les jubés, la chorale des frères à bavettes blanches derrière la balustrade, les officiants gras comme les voleurs templiers, l'énorme arc-de-triomphe au-dessus de la statue de notre dame de la neige, l'encens, le camphre, l'huile de saint joseph ! – à l'abri derrière la grosse colonne, je regardais les grandes orgues, ses tuyaux cuivrés, et j'aurais voulu me glisser dans l'un d'eux pour y habiter à jamais – au cœur des vibrations ! – vibrer moi aussi dans ce cœur-là, des pieds à la tête ! –

la pipe d'opium à la main, je l'allume, je fume, je me dis comme le disait le pessoa : ni regret ni demande, ni désir ni croyance, si près de la mer océane en verdir, oublier même le fait que je ne suis possédé que par l'absence de tout émoi ! – j'attends ! – j'attends que se termine la cérémonie de l'après-mort, j'attends que dehors, autour de l'église, les chevals noirs de l'apocalypse cessent de traîner derrière eux la dépouille d'hector, ou celle d'achille, va savoir quand sont si menteurs tous les grecs ! –

je laisse le marteau sur l'enclume pour que les paroles à vide de l'officiant ne m'atteignent pas, je fume rapide et âcre pour que les odeurs de l'encens, celles du camphre et celles de l'huile de saint joseph contournent la grosse colonne sans se frotter à moi ! – tout autour de la voûte, sur les corniches, ces têtes d'angelots, leurs yeux révulsés regardant là-bas, vers le très-haut, là-bas, vers l'au-delà, très peu réel ce très-haut-là dans ce là-bas-là ! –

SOURCIÈRE

quand je ne suis pas à la meson, mes chiens n'aiment pas entendre l'esprit frappeur de la Table de pommier, c'est pire pour eux que quand vrombit le tonnerre ! – ils se serrent alors l'un contre l'autre, dressent haut leurs têtes et hurlent comme s'ils avaient les pattes prises dans des pièges ! – je colle mon oreille à la grosse colonne de l'église notre dame de la neige, c'est elle qui soutient vraiment la voûte au-dessus de laquelle pointe le paratonnerre capteur des ondes coléreuses qui voyagent dans l'espace-temps, s'y concentrent puis, une fois que c'est arrivé aux abords de la terre, ça fend à coups de hache les nuages, si violemment que la foudre en jaillit, barissante, beuglante, rugissante ! –

l'oreille toujours collée à la grosse colonne, j'entends bien les pieds de la Table de pommier heurter le plancher tandis que mes chiens hurlent – de la galerie d'où elle regarde vers la mer océane, essayant de voir la mince veine bleue qui s'y montre entre deux poussée de poudrerie, rhino se demande pourquoi les chiens sont si fortement aux abois : pas de train à venir sur les rails, pas de lune engrossée, plus de coups de tonnerre, que ce qui somnole dans le paysage en neigeante neige ! – rhino s'approche de la porte, elle regarde, elle ne voit pas grand-chose au travers du carreau, juste son souffle faisant de la buée sur la vitre

– elle met la main sur la poignée de la porte et la fait tourner, elle siffle, croyant que les chiens vont l'entendre et sortir de la meson – mais elle siffle pour rien et elle attend pour rien aussi ! – petit quart d'heure, petite dépense inutile d'énergie ! –

dès que rhino rentre, les chiens cessent de hurler et se précipitent vers elle, lui sautent dessus et lui lichent le visage – ce qu'ils lui disent, c'est que la Table de pommier leur fait peur, à cause de ses pieds dansant la danse du saint guy ! – obsédés sont les coups quand les pieds de la Table de pommier heurtent le plancher, pire c'est que les sirènes d'ulysse – depuis que les chiens sont silencieux, ça attire rhino, elle ne peut pas ne pas s'en aller tout drette vers l'esprit frappeur, elle ne peut pas ne pas ouvrir les mains et les mettre bien à plat sur la Table de pommier, comme un sourcier tenant la baguette de coudrier, qui ne peut empêcher les branchettes de coudrier de se tordre, parce que les vibrations sont plus pénétrantes que la fermeté de ses poings et celle de ses poignets, parce que les ondes qui montent de la terre sont vagissantes, ruisseaux, rivières, petits et grands lacs aspirés par le chas de la baguette – rhino ne sait pas qu'elle est une sourcière, elle ne sait pas que tous les androgynes sont porteurs de ces pôles positif et négatif qui permettent d'intercepter la lumière noire et de faire devenir matière l'antimatière qui se cache dedans – elle ne sait pas, rhino ! – et parce qu'elle ne sait pas, elle laisse l'esprit frappeur de la Table de pommier la dominer, elle ne lui résiste pas, elle ne peut pas détacher ses mains ouvertes de la Table de pommier, elle est forcée de danser avec elle la danse du saint guy : toureloure, à l'entour ! – à l'entour, toureloure ! – jusqu'à ce tiroir devant lequel je passe tout mon temps perdu, assis dans mon fauteuil roulant, à fumer le peuple de l'opium ! – n'ouvre pas le tiroir, rhino ! – ne l'ouvre pas ! – elle s'y livre pourtant, elle voit le portable noir, elle en soulève le couvercle, elle l'allume, elle clique sur la souris pour faire apparaître l'onglet boîte de réception, et c'est la surprise sous forme de message : mille excuses de mon silence, je vais mieux désormais, en espérant que ça aille mieux désormais pour toi aussi, calixthe béyala ! – les pieds de la Table de pommier accentuent le rythme de leurs coups et rhino clique encore sur la souris et le message de calixthe béyala disparaît aussitôt dans la corbeille des courriels supprimés ! – le tiroir refermé, rhino s'allonge sur la Table de pommier, en liche le bois, en baise le bois, s'enjouit de licher autant le bois, de baiser autant le bois, par ses deux sexuels énamourés ! – les pieds de la Table de pommier ne bougent plus, laissant le corps de la sourcière la pénétrer – cette vengeance contre moi parce qu'avec rhino je n'ai aucun sentiment à litter ! –

MONUMENTÉ

crau, crau, crau ! – c'est le râle respiratoire du corbeau ! – me dit le jarry – renverse l'entonnoir de ton oreille ! – crau, crau, crau ! criaillent les corbeaux maintenant nombreux et proches ! – vois : nous sommes des chouettes sur le larynx des cheminées, nous sommes des chouettes au velours empesé d'encre frette et raide ! – écoute : le mort sait râler lui-même ! – écoute, coute, coute, les corbeaux qui font crau, crau, crau ! –

j'ouvre les yeux, étonné qu'on soye déjà au milieu du cimetière de trois pistoles, devant cette fosse béante et cet épais crêpe noir recouvrant ce qui doit être la pierre tombale d'arnold cauchon – du corbillard garé tout près, les croque-morts ont sorti le cercueil et le posent sur ses étais au-dessus de la fosse – le couraillon frotte ses mains l'une dans l'autre et les enfants de chœur grelottent autant que les clochettes qu'ils tiennent en leurs mains nues – la neige tombe plus abondante, par grumeaux, comme l'est le lait caillé, comme l'est le gruau mal cuit – entre les pierres et les croix serpentine la poudrerie soufflée par la hargne des grands vents de la mer océane – me prend le bras salomon ben levy :

– À l'église, tu étais aussi roide qu'une barre de fer, il dit. Ton âme courait je ne sais pas où, mais c'était certainement fort loin. Y avait quoi en fin de la corde d'argent ?

– La corde d'argent n'existe pas davantage que l'âme. Ce sont là des mots qui ne nomment rien, ce qui signifie qu'ils ne créent rien aussi.

– Tu peux en nier la réalité, mais c'est tout de même là, à l'intérieur de soi comme à l'extérieur de soi.

– Lâche mon bras. Je déteste qu'on me tienne le bras.

les mots que dit le couraillon et les coups de clochettes des enfants de chœur, je ne les entends pas : le frette est si vif tout à coup que la moindre phrase dite gèle dans l'air avant de se rendre à destination – même le fossoyeur a hâte que soit terminée l'indifférente cérémonie : au bout de l'allée centrale, il a mis en marche le moteur de son tracteur, allumé les phares et redressé la grosse pelle munie de dents rouillées – une gueule toute ferreuse en un monde mort et blanchi jusqu'à l'ossature ! –

la dépouille enfin descendue dans la fosse, salomon ben levy prend congé : il doit s'en retourner dans le grand morial ; même s'il faisait vraiment tempête, ça l'exciterait plutôt que de lui faire peur : aux commandes d'un cessna, un ancien pilote de chasse israélien ne craint pas de fendre l'air ! – me dit qu'il va régler rapidement la succession d'arnold cauchon et qu'il va me le faire savoir quand ça sera le cas, puis il déguédine vers la rivière du loup au volant de la jeep qu'il a louée –

les enfants de chœur s'approchent de la pierre tombale et enlèvent l'épais crêpe noir qui la recouvre – esti ! – à la gauche du monument de granit noir, l'inscription ARNOLD CAUCHON 1919-2009 – à sa droite, ABEL BEAUCHEMIN 1945- 20XX ! – dessous, cette phrase de l'éluard : ENTRE LES HOMMES LES MOTS LA VIE ! – moi, je vais dormir aux côtés d'arnold cauchon pour l'éternité ? – quelle insanité ! – quelle insanité, esti ! –

– Je ne veux pas de ce monument-là ! je dis au croque-morts. Vous mettrez à la place un simple panonceau de bois blanc, le nom d'Arnold Cauchon dessus, et rien d'autre ! Maintenant, ramenez-moi à la meson !

ENTRE LES HOMMES LES MOTS LA VIE ! – une pieuse compassion que l'éluard a dû proférer quand l'europe était mise à feu et à sang par l'adolph nazi ! – ENTRE LES HOMMES LES MAUX LA MORT ! – c'est ce qu'il aurait dû écrire en grosses lettres rouges de son propre sang, l'éluard ! – LES MOTS LA VIE ! – estie de poésie disculpante ! – à n'en pas dérager jusqu'au lyrement dernier ! –

FORTICULE

les lampes à l'huile brûlent déjà quand je rentre chez moi, une bûche d'érable flamblant dans le gros poêle à bois – à l'indienne, rhino est assise devant – ça sent le poulet enfourné en train de cuire – les chiens couchés auprès de rhino se sont redressés pour venir flairer les odeurs de la mort qui imprègnent mon linge de corps ; queues basses, ils s'en retournent aussitôt se recoucher auprès de rhino – je mets la main sur la Table de pommier, porte le bout des doigts à mon nez : saveur de lavande – je me rends jusqu'au fauteuil roulant, je m'y assois et, face au tiroir, je tire sur le gros bouton de porcelaine : le tiroir ne bouge pas, coincé sur ses rails de bois mal usés – je suis le seul à savoir comment m'y prendre pour en forcer l'ouverture et accéder au portable – aussi frette c'est que la dépouille d'arnold cauchon en son cercueil – et rien dans la boîte de réception, et rien non plus dans éléments supprimés – sans saveur le blanc de l'écran ! – j'allume ma pipe, je vais attendre que l'opium rejette derrière moi la veillée au corps, rejette derrière moi l'enterrement d'arnold cauchon, rejette derrière moi entre les hommes les mots puis, ma rage devenue simples particules épaillées, je me lèverai du fauteuil roulant, j'irai vers le gros poêle à bois, je regarderai rhino, je regarderai le livre ouvert sur ses genoux et je dirai :

– C'est quoi c'est que tu perds tout ton espace-temps dedans ?

Des saveurs de l'utopium

MÊME

deux, peut-être trois semaines : comment compter les jours quand le déluge de neige, qui n'a pas cessé depuis la mort, la veillée au corps et l'enterrement d'arnold cauchon, a enpaysagé l'espace-temps en sahara blanc : à la grève de la rivière de trois pistoles, les chalets sont ensevelis sous des pieds et des pieds de neige ! – ici même, pour aller de la meson à l'étable, il faut mettre des raquettes à ses pieds, et trois fois le jour déblayer les fenêtres pour que les animals prisonniers dans la grange puissent jouir d'un peu de lumière – et ce frette arctique qui te transperce, comme longs couteaux de boucherie, de bord en bord du corps ! – du jamais neigé de même ! – du jamais venté de même ! – du jamais enfrédi de même ! – les capteurs d'électricité explosent sur les pylônes, les chasse-neige ne reconnaissent plus les routes et prennent le champ ! – heureusement que le gros poêle à bois chauffe fort et qu'à fond de cave ne manquent pas les bûches d'érable ! – heureusement que dans l'étable les petits animals sont venus nombreux au monde et que parents, amis et connaissances savent faire rangs doubles pour les réchauffer ! – mais l'eau a gelé dans les tuyaux souterrains qui emmènent l'eau de la meson à l'étable, et tous les jours rhino et moi nous devons faire les porteurs d'eau pour que les animals ne meurent pas de soif – ça devrait nous déprimer, nous inciter à faire l'ours et à hiberner, mais rhino et moi nous aimons cet hiver-ci comme quand nous étions enfants : ça nous excite, ça nous incite à sortir de la meson, à marcher à l'aveugle dans la neige, à faire de nos corps de gros bonhommes enneigés, frimassants, englacés ! –

rhino a acheté une motoneige pour pouvoir aller et venir dans le déluge jusqu'au motel qu'elle a loué à l'entrée de trois pistoles – elle ne peut plus se rendre sur les hauteurs du saint guy et je lui ai refusé la permission de coucher à la meson : je ne suis pas son père et je ne veux pas le devenir ! – je ne suis pas son frère et je ne veux pas le devenir ! – je ne suis pas son aimant et je ne veux pas le devenir ! – je n'y peux rien si ses père et mère sont toujours en prison et si c'est pareil pour diff et mioute qui se sont fait prendre à vendre de la drogue dans les rues du grand morial ! – rhino n'a rien dit quand je le lui ai fait part de mon vouloir : ça aurait dû la fâcher pourtant, ça aurait dû la convaincre de déguerpir de la meson ! – que non ! – elle a juste continué à soigner les animals, à jouer dans la neige avec les chiens – j'y vais avec eux parfois : quand les chiens en ont assez de courir, nous nous couchons dans la neige, nous nous tassons les uns contre les autres, et c'est comme si nous nous laissions devenir linceul blanc, cercueil blanc, profondeur blanche ! –

tous les matins, avant que ne survienne rhino, j'envoie un courriel à calixthe béyala – et tous les soirs, après le départ de rhino sur sa motoneige, j'envoie encore un courriel à calixthe béyala – j'essaie de me montrer attendri, je fais suppliance parfois, je lui ai même demandé une photo d'elle parce que commencent à m'échapper la profondeur noire de ses yeux, la beauté noire de son corps, les odeurs noires de son corps quand nous dormions l'un à côté de l'autre en cette chambre d'hôtel de libreville – moi, nostalgique ! – moi, sentimentaleux ! – esti ! – ça ne m'était encore jamais arrivé ! – je n'avais qu'à me dire : n'y pense plus, et ça ne se pensait plus ! – là, j'en suis rendu à psalmodier ce que le pessoa a écrit sur l'affection, le désirable et ce que ça fait en son soi-même quand ça vous atteint : tes fines mains, un peu pâles, un peu miennes, étaient posées cette nuit-là paisible ça et là sur tes cuisses de femme assise, à la place et à la façon des ciseaux et du dé chez une autre – tu songeais, en me regardant, comme si j'étais l'espace même, et je me rappelle pour avoir de quoi penser, sans penser ! – moi, me nourrir au pablum pessoa, esti d'esti ! – n'importe quoi d'autre plutôt que de m'y laisser prendre ! – que deviennent même éternel le blanc déluge, le vent blanc et frette soufflant de la mer océane ! –

assis devant la Table de pommier, mes mains jointes dessus, j'attends pour rien que l'esprit frappeur se manifeste – les pieds de la Table se sont prises dans la glace ! – impossible de les en dégeler, même quand j'assujettis l'en-dessous de la Table sur mes cuisses, que je fais un treuil avec mes genoux et que je force fort pour que ça cesse de résister ! – j'ai à nouveau pensé que les ondes stockées dans le portable pouvaient courcircuiter l'esprit frappeur – ne sont-elles pas devenues la source de toutes sortes d'effroyables cancers ? – j'ai coupé l'alimentation, j'ai privé le portable de tout chargement possible – un gros zéro, esti ! – et les gros zéros, ça ne change rien : les pieds de la Table sont restés figés, frigides, frigorifiés dans la glace, et l'esprit frappeur a continué de faire le mort ! – je me suis éloigné parce que je ne voulais pas devenir comme la Table et l'esprit frappeur, un iceberg condamné à le rester jusqu'à la fonte des neiges qui fait caler lacs, rivières et mer océane ! – dos à cette fenêtre, je me laisse pénétrer par les timides rayons du soleil traversant les carreaux – je pense à mon vieux père, je pense à ma mère vieille qui avaient toujours mains et pieds gelés même s'ils passaient leurs journées emmitouflés sous d'épaisses couvertures chauffantes, eux qui avaient pourtant vécu des dizaines d'hivers à besogner dehors, mal chaussés et sans mitaines de laine pour protéger leurs mains ! –

je m'abandonne à la maigue chaleur venant du soleil, je fume pour que l'opium empêche ma matière grise de frimasser – je vois la silhouette du nietzsche au travers le crachin, toute voûtée c'est à cause de l'énorme moustache dont chaque poil est devenu un long stalagmite : souviens-toi, ce n'est pas d'un seul coup, mais continuellement, que s'effritent nos capacités et notre grandeur – la minuscule végétation qui prolifère dans chaque interstice et parvient à s'accrocher partout ruine ce qu'il y a de grand en nous ! – l'étroitesse de notre entourage, ce que nous avons sous les yeux tous les jours et à toute heure, les mille racines minuscules de tel sentiment mesquin ou lâche, qui poussent autour de nous, dans nos fonctions, nos relations, notre emploi du temps ! – si nous ne prêtons pas attention à cette petite mauvaise herbe, nous serons détruits par elle sans nous en apercevoir ! – et si tu veux absolument te perdre, alors que ce soit d'un seul coup et subitement : peut-être subsistera-t-il alors de toi des ruines altières ! – et non, comme c'est à craindre aujourd'hui, des taupinières ! – avec, poussant sur elles, du gazon et des mauvaises herbes, vainqueurs minuscules, aussi humbles que ceux de naguère et trop misérables même pour triompher ! – mourir avant même que cesse de battre le cœur, mourir comme un débris glacé avant même que l'esprit, à force de se mal traîner, dise ce mot ultime : naître vraiment pour la première fois ! –

c'est le nietzsche qui fait des miennes dans le garde-guenilles, je regarde, je tends l'oreille : je devrais entendre le bruit que fait une plume d'oie quand elle grafigne le papier, celle-là même qu'utilisait le nietzsche quand il avait pour seuls compagnons les animals sauvages de la caverne de zarathoustra – je m'inquiète pour le livre : s'il fallait que ça ne s'écrive plus aussi de ce bord-là des choses entre le bouvard et le pécuchet ! – plus de gai savoir ! – plus d'intempestives vociférations ! – plus de crépuscule pour les idoles ! – plus d'antéchrist par-delà le bien et le mal ! – rien de pire que de se survivre à soi-même, disait le ferron – cette conscience qui saigne inutilement ! – je sais que je ne devrais pas, mais je m'approche du garde-guenilles, en soulève le loquet qui tient la porte fermée – n'ouvre pas, esti ! – la porte grinche sur ses gonds et ce qui me vient au-travers des yeux, c'est l'au-delà même de la mort : tous les livres du nietzsche et celui du flaubert, à peine visibles sous l'épaisse couche de glace qui les recouvre ! – des navires démâtés pris en pain dans l'eau gelée de la mer arctique ! – vite ! – referme cette porte, remets en place le loquet, prends le mors aux dents, précipite-toi vers la Table de pommier, allonge-toi dessus, caresse-la, embrasse-la, embrase-la, enbaise-la furieusement pour que l'état de glace ne prolifère pas jusqu'à ton corps, ne t'enserre pas par-dessus, par-dessous, par-devant et par-derrière ! – cette couverture chauffante que ta vieille mère t'a léguée à sa mort, comprends maintenant que tu n'aurais pas dû t'en débarrasser : tous ces coups de couteau qui l'ont transpercée, mise en lambeaux, ramenée à l'état de guenille ! – ce feu dans lequel tu l'as jetée, comme un ver ensanglanté c'était, comme un titenfant se tordant en douleur laineuse ! –

éjaculation : tamtemps, trous de vers, trous noirs même blanchis de force ! –

CHANGER

la porte s'ouvre et rhino entre, les chiens sur ses talons – elle va tout drette vers le gros poêle à bois, met deux bûches dans la cuve, puis s'assoit à l'indienne sur le matelas devant la bavette – elle regarde le feu cannibaliser les bûches d'érable, un livre ouvert sur ses genoux, les deux chiens couchés à ses côtés – elle fait semblant de ne pas me voir parce qu'elle n'aime pas que je sois allongé sur la Table de pommier, à courir après mon souffle – j'ai eu beau lui expliquer que c'est une séquelle de la poliomyélite et de l'hôpital pasteur où je devais dormir sur un panneau de bois, ça ne l'a pas convaincue : de la jalousie ai-je cru voir dans ses petits yeux sombres tandis que je lui parlais – sans doute aurait-elle voulu que je l'invite à venir s'allonger près de moi sur la Table de pommier, et elle m'aurait liché le visage, peut-être tout le corps aussi, comme le font mes chiens quand je râle trop long –

j'ai retrouvé mon fauteuil roulant, je fume un peu d'opium, je mets la main sur la jambe de la Table de pommier, celle qui se trouve à ma gauche : c'est moins frette que tantôt, la chaleur passe plus facilement du bout de mes doigts au bois de pin, ou du bois de pin à mes doigts : je ne suis pas en mesure de vérifier si le flux d'énergie émane de moi ou de la Table – je regarde rhino, assise à l'indienne toujours, faisant ployer son corps, puis le redressant, comme le musulman quand il marmonne le coran, tête tournée vers la mecque –

– Je peux savoir ce que tu lis ? je dis.

– J'ai déjà répondu à ta question.

– J'ai oublié de quoi tu m'as parlé.

– Des utopies. Je lis une histoire des utopies.

– Les utopies ? Quel intérêt, les utopies ?

– J'en sais encore rien, je ne cherche pas à comprendre, je me contente de passer au travers des mots, des phrases, des paragraphes, des pages. Quand j'en serai rendue à la dernière, je trouverai bien à me gouverner.

cette singularité de l'hiver quand la neige, le frette, la poudrerie et les grands vents font une somnolence de la pensée : ça réfléchit et se réfléchit mal quand disparaît toute balise ! – ils le savaient les coureurs des bois qui, jadis, s'égaraient dans la tempête, sens de l'orientation se perdant, et ça croyait s'en aller en ligne drette tandis que ça ne faisait que décrire des cercles, d'abord très grands, puis se mettant à rapetisser – des jours à essayer de s'orienter, des jours à croire qu'on se désembourbait et s'éloignait de la tempête alors que piégés, on restait prisonniers de son œil en forme de spirale, qui aspirait votre matière grise : plus de pages, plus de paragraphes, plus de phrases, plus de mots – que de la neige, que le frette, que la poudrerie : rien que du blanc, si épuisant, si malusant, si effroyable ! – cette épopée blanche des coureurs des bois en retournement d'utopie, car ainsi finissent toutes les utopies, par le renversement total : la mort en lieu et place de liberté, comme c'est arrivé avec samuel gulliver après sa voyagerie chez les liliputiens et autres étranges humidités : on le croit devenu fou et sans doute l'est-il, on le mène en prison, à l'asile, chez les lépreux même ! – le rêve, l'utopie sont des maladies, et de telles maladies sont incurables, sauf si on s'appelle bouvard et pécuchet et qu'on n'a pas suffisamment de conscience pour savoir ce qui se parle vraiment quand on en parle – défaut en la matière grise, toute horizontale ! – ne leur viendraient pas à l'idée qu'elle devrait se dresser à la verticale pour que l'utopie s'affranchisse vraiment de toute réalité : plus de lieux communs, plus d'idées reçues et déçues, que l'émergence de cette surréalité, seule en mesure de défaire le nœud gordien ! – pour que bouvard et pécuchet puissent y arriver, il leur faudrait être poètes et, comme le michaud, être capables de plonger vraiment, jusqu'au fond, le moi en coïncidence avec le moi, non plus observateur-voyeur, mais moi revenu à son soi-même et, là-dessus, en plein dessus nous, le typhon du vouloir ça ! –

bouvard et pécuchet, donc : deux vieux garçons qui sont fonctionnaires en ce paris de la fin du XXe siècle – se rencontrent par hasard sur un banc de parc, s'éprennent l'un de l'autre parce qu'un même rêve les habite, celui de quitter paris pour aller vivre loin, là-bas, à la campagne – n'y ont jamais mis les pieds, ne connaissent rien aux animals, à la culture de la terre, rien à la botanique, rien au rythme des saisons, et rien non plus aux gens qui y habitent – deux extraterrestres, de l'espèce des curcurbitacées, plus citrouillards que melons d'eau ! – ça se met à lire toutes sortes d'ouvrages plus tarabiscutés les uns que les autres, mais les tiennent tous pour raisonnés et raisonnables ! – comme ces fondamentalistes qui apprennent par cœur les livres sacrés, certains que la vérité s'y trouve et que, pour atteindre à la sainteté, il suffit d'être doué pour l'imitation – la foi ! – faut juste avoir la foi, même quand on veut élever du bétail ! – élever du bétail ? – rien de plus facile : achète des vaches, mets-les à pacager n'importe où et le lait va leur pisser des pis à pleins siaux ! – tu veux augmenter le rendement des sols ? – d'une simplicité désarmée : épands n'importe comment n'importe quel fumier, ajoute par-dessus une épaisse couche d'engrais usiné, et le champ de luzerne va devenir forêt ! – le problème, c'est que ça ne marche jamais comme dans les livres supposément raisonnés et raisonnables que fréquentent bouvard et pécuchet : des maladies impossibles à diagnostiquer tuent le bétail, détruisent les récoltes, font mourir les arbres et rendent stériles les plantes ! – bouvard et pécuchet doivent donc se colletailler à la fondamentale question : la science existe-t-elle vraiment ? – la philosophie pouvant seule répondre à une question pareille, ils se mettent donc à en étudier les tenants et les aboutissants – résultat : ils découvrent qu'il y a plusieurs vérités dans une seule vérité ! – une tour de babel dont la réalité change chaque fois que tu la regardes d'un point de vue différent : les effets peuvent être aussi des causes, et les causes de simples effets ! – tout à comprendre, mais rien de vraiment compréhensible ! – aussi, queue basse entre les jambes, bouvard et pécuchet désenchantés et ruinés doivent-ils prendre, en déroute, le chemin qui va les ramener en paris pâté – leurs emplois de gratte-papier et ce banc de parc sur lequel ils vont se rasseoir pour devenir ces statues conchiées par les pigeons ! –

CITÉ

je ne peux m'empêcher de rire et quand rhino me demande pourquoi je me fais aussi hilare, je ne réponds pas de suite – fumer un peu d'opium avant que du trou noir de l'espace-temps remonte le lointain passé, quand le monde n'était toujours qu'un mythe : caïn et abel n'avaient pas encore de noms, puisqu'on ne peut pas nommer ce qui ne possède pas encore d'individualité – dans la logique du mythe, caïn et abel n'étaient rien d'autre que des forces, et les forces sont tributaires de l'espèce humaine en tant que devenir – au commencement, ce n'est donc pas pour rien si caïn et abel sont nomades et bergers, car c'est ainsi qu'a commencé l'histoire du monde en cet espace sans limites qu'il fallait d'abord peupler pour que les forces se métamorphosent en humanité – la difficulté avec la force-abel, c'est qu'elle n'était pas pressée de franchir le seuil qui mène du présent à l'avenir, de l'espèce à l'individualité : champs fertiles, animals gras, espace-temps extrêmement lent ! – pourquoi la force-abel aurait-elle voulu sortir du quotidien des choses quand le quotidien des choses est si apaisant et qu'il suffit, pour que ça puisse durer, d'en remercier le père par des sacrifices dont la beauté est la seule exigence ? – la force-caïn n'avait pas cette patience-là dans la lenteur, aussi faisait-elle au père des offrandes dérisoires, toutes manquantes de cette beauté tranquille dont la force-abel était pleine – aussi, pas d'autre choix pour la force-caïn d'anéantir la force-abel : maudit par le père, la force-caïn a abandonné les champs et les animals pacageant dedans pour fonder la première ville de l'histoire, et la force-caïn est devenue l'homme tubalcaïn, celui qui forge, celui qui façonne, celui qui martèle le devenir ! –

– Mais ce devenir-là, le Père en maudissant la Force-Caïn l'a maudit aussi, Rhino dit.

– Ça va de soi. D'où le sort réservé aux villes quand elles deviendront les cités de l'homme. Sans cesse attaquées, rasées, brûlées, leurs habitants passés au fil de l'épée. Et sans cesse aussi rebâties, fortifiées, réaménagées pour que la colère du Père ne puisse plus les détruire comme elle a détruit la Tour de Babel, symbole de l'humanité naissante, symbole de la civilisation naissante, symbole du progrès de la connaissance dont la première qualité est d'être verticale pour atteindre le ciel même, le dépasser, afin que le cosmos, jusqu'alors habitation sacrée du Père, devienne aussi celle de l'homme. Une telle atteinte aurait signifié la mort du Père. Voilà pourquoi il a fait tomber la Tour de Babel : pour rester la Force-Paternité, il était primordial que l'humanité maudite lui reste assujettie. Le Père seul peut être Fierté, c'est-à-dire Orgueil.

– Ça n'a pas empêché les villes de proliférer.

– Ni de continuer à être rasées et ses habitants passés au fil de l'épée. Curieux tout de même.

– Curieux quoi ?

– Que l'homme se soit obstiné à perpétuer une idée, celle de la Cité, au nom de cette sécurité qu'elle devait assurer aux citoyens, alors que c'était là une utopie, même en l'art de les fortifier.

– Dans le livre que je lis, on parle d'Athènes comme d'une exception : Athènes n'était entourée d'aucune fortification.

– Parce que la Cité était dirigée par des philosophes qui croyaient avoir le pouvoir, à cause des connaissances qu'ils avaient acquises, de dépouiller le Père de son Orgueil pour s'en revêtir. Athènes fut une proie facile pour les Spartiates. Platon fut le premier penseur à comprendre que la Cité telle que la concevaient les philosophes constituait une menace pour l'humanité, et non son devenir triomphant. Platon fut le premier des utopistes de l'Occident, il rêvait de quitter Athènes avec ses disciples pour s'installer loin de toute Cité afin d'y établir la République de l'Esprit. De préférence à flanc de montagne, là où les cavernes sont nombreuses. L'utopie de Platon voulant créer la Cité idéale hors de la Cité elle-même, marque un retour aux origines, quand la Force-Abel était tout entière dans l'idée de nature. Chaque fois qu'une Cité vacille, puis tombe, l'utopie de Platon renaît en une forme ou en une autre, le meurtre d'Abel devant devenir retournement, car n'est-ce pas lui seul qui avait raison ? L'homme est nomade dans sa pensée. En conduisant ses troupeaux à travers plaines et plateaux, il est la Nature, et seule la Nature peut faire de toi un pasteur, celui qui garde parce qu'il sait regarder, parce qu'il sait se regarder.

– Et c'est toi qui prétends ne pas t'intéresser aux utopies !

– J'ai lu sur l'Histoire, les Cités, j'ai lu sur le N'Importe Quoi. On y trouve partout l'utopie et même si on ne s'y intéresse pas vraiment, ça reste tout de même là, en quelque part dans le trou noir de la mémoire.

j'ai rallumé ma pipe : odeur de l'opium, comme de chaudes caresses partant de l'intérieur du corps pour éclater à l'extérieur en petites molécules de saveurs –

– J'aimerais fumer moi aussi, Rhino dit.

je lui tends la pipe qu'elle se met en bouche, puis elle tire dessus, faisant venir, volutés, de petits nuages qui font écran entre elle et moi – quand la fumée se disperse en ses alentours, les chiens se redressent et vont se coucher sous la Table de pommier : ils n'aiment pas la fumée, aucun animal n'aime la fumée – trop de forêts détruites par la foudre quand l'espace-temps ne savait pas combattre les incendies, trop de vies louperivoises écourtées par le feu ! – il en est resté cette méfiance quelque part dans les gènes du chien, et ça ne s'apprivoise pas –

rhino me redonne la pipe :

– Parle-moi de la Cité. On n'en dit rien dans le livre que je lis.

– Attends. Attends que je me souvienne.

il faut que j'ouvre le bon tiroir de ma mémoire, que j'appuie sur le bon onglet, car il y en a des centaines de milliards qui gitent là, quelque part, en ma matière grise : la vie avant qu'elle ne me vienne, génétique ; ma vie après qu'elle me soit arrivée, corpusculaire ; ma vie après sa sortie de l'utérus maternel, corporative ! – tant d'empreintes, de signes, de stigmates gravés sur nanotubes, vaste forêt encombrée de corps morts, devenus sans usage par manque de provocation ! – comme les pages d'un énorme bottin qu'on aurait oublié de relier, que le vent a pris dedans pour les épailler n'importe comment, tête-bêche, pieds retournés, à remembrer si on veut se remémorer, si on veut revoir, si on veut ré-entendre, si on veut que ça se revive ! – va finir par réapparaître la cité athénienne, la plus glorieuse de toutes les cités jamais bâties, la seule utopie qui fut une réussite : une démocratie directe unique dans l'histoire de l'humanité ! – et grâce à cette démocratie directe, une effervescence dans la création que nulle cité n'a par la suite seulement égalée ! – et grâce à cette démocratie directe, le contrôle des mers, du commerce, de la richesse ! – pourquoi alors la tragédie de sa fin ? – une seule raison : son emplacement sur la montagne de l'acropole, mais à des milles et des milles de la mer : perdre le contrôle de celle-ci rendait la cité indéfendable, ce qui arriva quand la militariste et aristocratique sparte le comprit – les spartiates n'étaient pas des idéalistes, ils ne croyaient qu'à la force parce que c'est par la force qu'on devient riche, donc aristocrate, c'est-à-dire au-dessus du commun – la victoire de sparte, celle de la cité-état guerrière, fut telle que l'humanité en fit son modèle et que c'est toujours celui-là qui a cours partout sur terre : un seul but, celui de l'enrichissement, une seule morale, celle qui cautionne l'enrichissement comme étant une fin en soi, la connaissance n'ayant aucun intérêt si on ne peut pas en faire un savoir ! – d'où l'utopie républicaine de platon : une cité éloignée de toute autre cité, peu peuplée, car l'expansion démographique non contrôlée est la cause première de la faillite de l'état ! –

– Je ne comprends pas, Rhino dit.

– Pour Platon, seule une petite société qui pratique la simplicité volontaire peut espérer atteindre à la connaissance et à la sagesse qui en est la finalité. Dès qu'il y a multiplication, tout corps social devient malsain : il a besoin de plus de ressources, qu'il ne peut pas obtenir de la nature à sa proximité. Quand il en manque, comme c'est le cas de toutes les grandes Cités, le corps social est parasité par la maladie. Pour qu'il ne succombe pas, il doit aller chercher ailleurs ce dont il a besoin. Il lui faut donc s'armer et combattre parce que là-bas, en tout ailleurs, vivent aussi d'autres sociétés. Au besoin, on les exterminera pour s'approprier leurs biens meubles et immeubles. La haine de l'autre et celle de l'autre par-devers soi deviendra, ne peut pas ne pas devenir la règle commune. Pour ne pas avoir à la subir, il faut être mieux armé, avoir toujours plus de soldats à sa disposition. L'expansion démographique est donc une nécessité qu'on n'a pas à contrôler puisque la guerre, à toute fin pratique permanente, a remplacé la nature et qu'elle se chargera d'éliminer les parasites qui sucent le sang du corps social. Ceux qui résisteront malgré tout seront laissés à une telle misère qu'ils finiront bien par disparaître d'eux-mêmes.

– C'est de la société d'aujourd'hui dont parle Platon !

– Pas tout à fait. À l'époque de Platon, Athènes était loin d'être une mégapole du genre de celles qui existent aujourd'hui. Quelques années avant la naissance de Platon,

Athènes avait perdu au moins le tiers de sa population à la suite d'une épidémie de peste, conséquence de la guerre que lui livrait Sparte. Si on ajoute les dizaines de milliers de soldats morts au combat, l'Athènes de l'enfance de Platon comptait peut-être cent mille habitants traumatisés par l'épidémie de peste et la défaite contre Sparte. Le climat y était malsain, autant pour l'esprit que pour le corps : on y était cynique et morose, on n'y rendait plus hommage aux dieux, chacun ne s'occupant plus que de sa simple survie. C'est ce désabusement collectif qui inspira à Platon son utopie républicaine de la petite Cité par opposition à la grande.

– Cette petite Cité-là, ça fonctionnait comment ?

– Comme une société égalitaire, mesurée et mesurable, tous les citoyens faisant corps avec la nature parce que libérés de l'idée de la pervertir par besoin de domination. Selon Platon, ce n'est pas la nature qu'on doit changer, mais soi-même en tant qu'humain : connaître, c'est se reconnaître, et toute cueillette est un recueillement dont la finalité est l'harmonie. Une philosophie de la sagesse, pour ne pas dire une surréalité de la sagesse. Platon y renonça, l'entreprise étant au-dessus de ses forces. S'il avait été juif et s'était appelé Moïse, qui sait ? Son utopie aurait pu devenir le fondement de tout l'Occident.

– Quel rapport entre Moïse, le fait qu'il était juif, l'utopie et l'Occident ?

– Platon n'a pas imaginé son projet utopique par esprit de vengeance contre la société grecque, ni même contre la société spartiate. Il ne portait pas la haine en lui. Mais c'était le cas de Moïse issu d'une petite communauté nomade et belliqueuse que les Égyptiens combattirent victorieusement et réduisirent à l'esclavage. Mais les juifs étaient de si mauvais esclaves que le pharaon les chassa de son empire, ne leur donnant plus que le désert à habiter. Moïse en eut un tel ressentiment qu'il ne pensa plus qu'à se venger. En ce temps, la Cité égyptienne était une société ouverte, aux dieux nombreux, tant mâles que femelles. La déesse Isis, qui incarnait la joie de vivre et le bonheur, était la plus populaire de toutes les déités. C'est à elle que Moïse s'attaqua quand il mit au point son utopie : faisant du peuple juif le seul élu de Dieu, il fit du monothéisme la pierre d'assise de son projet. Au contraire de tous les autres dieux existant jusqu'alors, voués à l'établissement de l'harmonie, Yahvé, né de la haine de l'autre, ne pouvait être que sanguinaire, jaloux et destructeur. La déesse Isis fut donc combattue avec une grande violence, le nouveau dieu juif ne tolérant pas de partager son pouvoir absolu avec une déesse qui faisait de la femme l'égale de l'homme. Il faudra à l'utopie juive plusieurs siècles avant que ne disparaisse définitivement la déesse Isis, symbole de la joie de vivre et du bonheur. Quand le judaïsme donnera naissance au christianisme, l'utopie de Moïse triomphera : la femme n'y aura aucune place, sinon celle de procréatrice. Comment aurait-il pu en être autrement pour une société obsédée, non par la joie de vivre et le bonheur, mais par l'apocalypse et l'infernal jugement dernier ?

– Je ne suis pas encore certaine de comprendre.

– Quoi donc ?

– Pourquoi l'Occident, issu de la pensée grecque, s'en est détourné au profit de l'utopie juive ?

– À cause de l'Empire romain, le premier à mettre vraiment le capitalisme sauvage au premier rang de ses priorités. On faisait la guerre aux autres peuples pour que Rome s'enrichisse à leurs dépens. Rome ne s'intéressait guère aux nations qu'elle écrasait, pas plus à leurs religions qu'à leur culture. Du moment qu'elles se soumettaient et remplissaient à ras bords les coffres de l'Empire, on leur laissait une relative liberté. Mais la moindre résistance était sévèrement réprimée. La destruction de Carthage en est l'exemple parfait : rasée de fond en comble, tous ses habitants passés au fil de l'épée ou vendus comme esclaves. La politique de Rome était suicidaire, parce qu'elle fit de plusieurs peuples des laissés-pour-compte de l'humanité, un terreau fertile pour le christianisme promettant le paradis éternel à ses adeptes. Quand Rome comprit que la nouvelle religion menaçait d'effondrement son Empire, l'empereur Constantin, par pure stratégie, embrassa la foi nouvelle et força tout l'Occident à y adhérer : tu crois ou tu meurs ! Un seul Dieu belliqueux, un seul empereur sanguinaire ! Politique et religion, même combat !

– Pour le peuple juif, quelle conséquence ?

– Il était celui qui avait tué le Christ. On l'expulsa donc de toutes les terres, on le força à se disperser, on lui interdit tout accès à l'administration de la chose publique, on le confina aux métiers les plus vils, dont celui de prêteur sur gages, d'usurier. La vengeance parfaite par-devers Moïse qui avait décimé son peuple parce que celui-ci adorait le veau d'or, symbole de la puissance de l'argent ! Et c'est ce que les juifs devinrent partout en Occident, cette formidable puissance d'argent qui leur permettait sans que ça n'y paraisse trop de contrôler l'économie dont la religion et le politique sont tributaires. Ainsi germa lentement l'utopie sioniste, un état national pour le seul peuple élu de Dieu. En parallèle germa aussi l'antisémitisme dont Adolf Hitler fut le monstrueux prêtre-guerrier, au nom là aussi d'une utopie, celle de la race allemande, supérieure à toute autre parce que parfaitement pure. Hitler se regardait dans un miroir et l'image qui s'y reflétait était celle de Moïse : les deux avaient la certitude qu'ils étaient là, à ce tournant de l'Histoire qu'ils symbolisaient, pour dominer la Terre. Des missionnés de l'utopie haineuse.

– Il n'y a rien de ce que tu dis dans le livre que je lis.

– Normal. Les historiens de l'utopie ne se sont toujours intéressés qu'à celles qui sont du bon côté des choses ou paraissent l'être. Ce n'est donc pas pour rien s'ils croient que l'utopie chrétienne soit la seule qui ait réussi en Occident, comme ils croient que l'islamisme soit la seule qui ait réussi en Orient. Les deux ont la même origine et les mêmes fondements : l'établissement de la Jérusalem nouvelle, à la fois sur Terre et au ciel, ce qui satisfaisait tout le monde : les riches y trouvaient leur profit immédiat et les pauvres le réconfort d'un au-delà paradisiaque après une vie de misère et de souffrance. Quelle autre utopie aurait pu promettre autant et tenir autant ? Aucune, esti !

– Tu vas trop vite pour moi.

– Et trop long aussi. Je ferais mieux d'aller soigner mes animals tandis que tu te remets à ta lecture.

– J'y vais avec toi.

– Je préfère que tu restes ici-dedans. J'ai besoin de me trouver fin seul avec mes animals. J'en ai de l'ennuyance. On s'en libère mieux sans les autres.

PROPHÉTIES

déjà la brunante – et ces deux pieds de neige dans lesquels je m'enfonce sans déplaisir malgré ma jambe gauche traînante – j'ai toujours aimé l'hiver et le frette qui vient avec, glaçonnant la barbe et faisant rougir les mains – cette blancheur partout ! – beauté sauvage et souveraine parce qu'elle se suffit à elle-même ! – n'a nul besoin de nous, ne se trouve à la merci ni des incidents ni des accidents, est indéfigurable contrairement à l'été qui se laisse cannibaliser par tout ce qui se targue de porter vie ! – une fois vraiment rendu au bout de mon âge, j'aimerais bien disparaître à jamais au milieu d'une tempête de neige – statufié, gelé roide pour toujours ! – un mammouth laineux comme gâteau englacé ! –

devant l'étable, je m'arrête pour reprendre souffle – je regarde la neige que ma jambe gauche a labourée et que la poudrerie aura tôt fait de combler, et je me dis que j'ai traversé le désert blanc pour atteindre la terre promise, l'arche de noé montée sur des skis comme jadis on imaginait que les mesons pourraient être munies de roues pour se déplacer au vouloir de leurs habitants, pareilles aux tortues, préfiguration de ces mesons motorisées d'aujourd'hui qui permettent de fuir la neige et les grands frettes vers les plages sablonneuse et soleilleuses de la floride –

je fais le tour de l'étable, caressant chacun des animals qui y ruminent – me paraissent moins enjoués qu'avant, me laissent à peine le temps de leur caresser le chanfrein ou de leur tapoter la croupe, puis s'en vont aux confins de leur espace-temps, indifférents à mes appels ! – seul le vieux bouc prend encore plaisir à ce que je le touche, sa grosse tête collée à mon ventre tandis que je joue dans sa barbichette et gratte du bout de mon majeur cet espace qu'il y a entre ses cornes – pour les moutons, je peux comprendre leur indifférence : ils n'ont que la mémoire des odeurs de celui qui en prend soin : change le berger, ne serait-ce que pour quelques jours, et change aussi leur loyauté ! – pas pour rien si on en fait le symbole du peuple kebekois, kebekor, kebekrire : je mange dans n'importe quelle main n'importe quel fourrage car pavloviennes sont mes attitudes, aptitudes, altitudes ! – aussi bien m'approcher des oies et leur siffler cet air auquel je les ai habituées depuis leur naissance – mais les oies ne me répondront pas vraiment, se contentant de dresser leurs longs cous et de fixer sur moi leurs petits œils tout bleus – ce n'est pas moi que les animals attendaient, mais rhino et les saveurs de son corps ! – je devrais m'en inquiéter, comme je devrais m'inquiéter du fait que les chiens ne sont pas venus avec moi jusqu'à l'étable, préférant rester avec rhino, à lui licher les pieds devant la bavette du gros poêle à bois – pourquoi je ne cherche pas à savoir ce que me veut vraiment cette jeune paumée, car c'en est une, rien qu'à regarder ça se voit, yeux sombres comme le sont les trous noirs, et ce corps maigue de l'androgyne, quelque chose d'insinueux dedans, quelque chose d'insidieux, entre le capteur de rêves et le piège renardien : tu te promènes paisiblement dans la forêt, tu regardes loin et haut, tu fais confiance à la terre qui te porte, puis crack ! – le piège renardien se déclenche, ses dents s'enfoncent dans ta cheville et si tu ne veux pas mourir là au bout de ton sang, tu dois te couper la jambe avec un morceau de silex, un débris de pierre ponce, une galée de tuf acérée en lame de rasoir ! –

je vais vers la berçante suspendue au plafond, je détache la corde de son crochet vrillé à la poutre, et la chaise tombe sur ses chanteaux au milieu de l'étable – puis j'ouvre tous les enclos avant de m'asseoir dans la berçante : une fois que mes odeurs se seront bien mêlées à celles des animals qui sortiront de leurs enclos et viendront frôler leurs corps laineux à mon corps, les saveurs de celui de rhino s'estomperont et le paradis perdu reprendra forme, force et bonne fortune –

j'allume la pipe d'opium – volutes de fumée qui mettent du temps à se dissiper, comme mes animals vont mettre du temps à quitter leurs enclos pour occuper l'espace au milieu duquel je me berce lentement – je pense encore à rhino, au mensonge que je lui ai fait quand je lui ai dit ne pas m'intéresser aux utopies – alors que je n'ai fait, toute ma vie, que me colletailler avec elles ! – je pense à l'occident chrétien, figé en sa croyance de travailler à l'émergence de la jérusalem nouvelle comme si l'empereur constantin vivait encore et que le monde n'avait pas bougé depuis – pourtant, on est à mille nuits et une nuit de ce temps-là : les guildes des artisans ont été dissoutes au profit des ouvriers que réclame l'industrie naissante, les richesses de l'église ont été confisquées et la noblesse oisive ne sait pas comment s'arranger avec cette bourgeoisie qui émerge grâce aux ambitieux entrepreneurs pour lesquels la machine-mère remplace l'homme-dieu de la théologie occidentale : comme de multiples golems jumeaux œuvrant en l'espace-temps fermé de l'usine, les ouvriers vivent dans le ventre de la machine-mère – sont payés juste ce qu'il faut pour qu'ils puissent consommer ce qu'on n'arrive pas à vendre sur les marchés extérieurs – production de masse dont les profits ne sont pas redistribués en masse, mais appartiennent d'office à celui qui possède la machine-mère ! – les cités se mettent rapidement à lui ressembler, les architectes les machinant comme ils dessinent les plans de leurs usines : des pâtés de mesons en forme de rectangles soudés les uns aux autres, le long de rues rectilignes pour qu'on puisse se rendre plus rapidement à l'usine ! – écoles et prisons sont bâties aussi comme le sont les usines, puisqu'elles doivent servir aux mêmes fins : former les ouvriers dont la machine-mère a de plus en plus besoin, et éliminer les inserviables ! – à des années-lumière de l'utopique république de platon en sa simplicité volontaire ! – à des années-lumière aussi des origines de ce christianisme promettant la vie éternelle en échange de l'instauration de la jérusalem nouvelle sur terre, qui ordonnait aux humbles de le rester, aux pauvres de le rester, aux souffrants et aux malades de le rester ! – la machine-mère offre davantage et l'offre, non en l'au-delà de la mort, mais de suite, grâce au fils-économie venu au monde en dépit du refus du père porteur des tables de la loi désormais passée, dépassée, trépassée ! –

le fils-économie devint une science, mieux : il devint toutes les sciences ! – pour être de plus en plus productive, la machine-mère a besoin d'ingénieurs, d'architectes, de savants en tous genres : astronomes, botanistes, physiciens, mathématiciens et géomètres ! – leur but n'est pas de ré-inventer la cité, puisque la cité est désormais secondaire par rapport aux marchandises qu'on y produit, de plus en plus nombreuses et, pour une bonne part, si perverties qu'elles ne répondent même pas à l'esprit d'utilité ! – pourtant, ces marchandises, il faut bien les vendre ! – le fils-économie met donc toute sa complaisance en ces hommes d'affaires pour qui l'expansion de la matière devient la seule vérité ! – la découverte du nouveau monde ne serait pas venue aussi rapidement sans cette vérité-là ! – les matières premières ne sont pas inépuisables et les métaux précieux non plus : on ne peut pas commercer avec l'étranger si on ne possède ni l'un ni l'autre en quantité suffisante, et d'autant moins si, aux limites de l'occident, l'empire musulman vous refuse le droit de traverser son territoire jusqu'à l'asie ! – ce n'est pas le nouveau monde que voulait découvrir christophe colomb, mais une route navale qui permettrait aux marchands occidentaux de se rendre aux indes et en chine sans avoir affaire aux musulmans intraitables et déterminés par la guerre à prendre leur revanche sur l'occident –

quand christophe colomb laisse son navire et explore les côtes du nouveau monde, si convaincu il est d'avoir atteint la terre promise qu'il emmène avec lui un juif converti qui parle l'hébreu et l'araméen ! – la conviction de christophe colomb d'être au cœur même du paradis retrouvé se renforce quand il rend visite aux indigènes : si pacifiques, si amicaux, si hospitaliers, si confiants ! – ne connaissent ni la convoitise ni la propriété privée, et n'ont aucun système économique ! – égalité absolue, même dans la distribution des biens ! – l'innocence de l'homme avant le péché originel du dieu chrétien, parfaite est leur harmonie avec la nature ! – pour christophe colomb, comme pour plusieurs de ses contemporains, la découverte du nouveau monde annonce, ô paradoxe, la fin de l'histoire : dans son livre des prophéties, il affirme que la diffusion de l'évangile doit être réalisée avant que ne sonnent les trompettes du jugement dernier, ce qui ne saurait tarder ! – et les bons sauvages, que deviendront-ils ? – selon christophe colomb et l'église chrétienne, les sauvages, si bons soient-ils, n'ont pas encore d'âme parce qu'ils ne sont pas baptisés ! – il faudra donc qu'ils se convertissent avant que l'antéchrist ne prenne vie parmi eux ! –

l'église de rome et les grands faiseurs de marchandises refont donc alliance et partent en croisade, non contre l'ennemi héréditaire musulman, mais contre les peuples enfants du nouveau monde : exterminations de masse ! – vols des richesses et esclavage des survivants ! – au nom de la sainte croix et des bannières sacrées, prétendent-ils, alors que seul l'appât de la richesse les détermine, aussi bien les faiseurs de religion que les faiseurs de marchandises ! – coloniser le nouveau monde, c'est l'occidentaliser par l'affairisme économique et religieux ! – quand sera atteint le but, on essaimera en asie, puis l'asie devenue affairiste et chrétienne, les musulmans n'auront plus que le choix de se convertir à leur tour : il n'y aura plus qu'un seul peuple, qu'une seule église, qu'un seul Dieu, qu'une seule économie, celle de l'occident devenue planétaire ! – face à cette machine-mère qui prolifère comme les métastases du cancer, que peuvent bien représenter les élucubrations des utopistes pour qui l'antéchrist, l'apocalypse et le jugement dernier ne sont que des chausse-trappes dont le seul but est de transformer la réalité en croyance hystérique ? – des coups d'épée dans l'eau, des créations absurdes : est absurde tout ce qui ne peut pas être réalisé sans que ne s'arrête le mouvement du monde – figée dans l'immobilité, la république de platon, parce que sa finalité est la perfection ! – figée dans l'immobilité, l'abbaye de thélème de rabelais prétendant aussi à la perfection ! – alors que cette flèche lancée dans l'espace-temps que constitue la suprématie du dieu-marchandise ne s'arrête pas comme a dû le comprendre thomas more quand on lui a mis la tête sur le billot, pour avoir été l'auteur de la première utopie visant non plus quelques individus, mais la société tout entière : élaboration d'une constitution parfaite, établissement d'une société équilibrée comme un mobile voué au repos perpétuel, voilà ce que proposait thomas more – une utopie inacceptable pour la machine-mère qui s'est emballée et produit de plus en plus de marchandises pour des peuples de plus en plus éloignés et de plus en plus atteints par l'envie de consommer, au point d'y perdre sans profit leurs propres richesses ! – le dieu-marchandise n'a que faire de la nature et de la culture : il gobe, il gobe, il globe, puis vomit, façonné en pacotilles, tout ce qu'il avale ! –

la machine-mère a désormais sa loi économique, l'enrichissement de quelques-uns aux dépens de tous les autres, elle ne veut rien savoir des misérables qui ont quitté leur campagne natale, animés par l'espoir du bien-vivre au cœur des nouvelles cités : on aura beau les en chasser en les envoyant par pleins bateaux à la dérive sur la mer océane, en les enfermant dans asiles et prisons ou en les condamnant aux galères : rien n'y fera, les misérables ne cesseront pas d'augmenter ! – un poids et une menace pour le dieu-économie ! – comment se débarrasser des misérables ? – par la charité, comme le propose l'église chrétienne ? – une absurdité, rien d'autre ! – les idolâtres du dieu-économie proposent leurs solutions miraculeuses : limitation des naissances, élimination des tarés, des contrefaits, des vieilles et des vieux, enrôlement forcé dans l'armée des sans-emplois pour que deviennent chair à canon les misérables, toutes les nations n'acceptant pas le nouveau dieu-économie tel que conçu par les idolâtres de la machine-mère : on doit donc les combattre pour qu'elles entrent de force au royaume des marchandises ! – la russie résiste en inventant l'utopie collective du communisme : la société étant pourrie par le haut, il faut lui couper la tête et lui substituer le misérable : athéisme, réforme agraire, remodelage des cités, une seule loi : celle de la dictature du prolétariat ! – nul besoin de lui demander, à ce prolétariat, ce qu'il en pense puisque ceux qui promeuvent le communisme sont des sages, des éducateurs, des savants, qui se surnomment eux-mêmes les petits pères des peuples ! – seuls possesseurs de la vérité ! – les récalcitrants exterminés par millions ou envoyés mourir dans les goulags ! – et la cité devint à l'image du dieu-prolétaire, laide, morne, avec des clôtures partout : société d'esclaves au service d'une oligarchie sanguinaire ! – lénine et staline, réincarnations du dieu-moïse totalitaire ! –

le dieu-économie d'occident invente une utopie de compromis : le socialisme, ce partage de la richesse entre tous les citoyens éclairés par les lumières des philosophes – une impossibilité depuis que le simple citoyen n'est plus au centre du monde, mais en périphérie du cycle des marchandises ! – marchandise, il en est d'ailleurs devenu une lui-même, que consomme voracement la machine-mère ! – la cité radieuse des utopistes devient, non plus une surréalité, mais un sous-réel contrôlé de haut en bas : les enfants naîtront dans des éprouvettes, puisque si l'eugénisme est profitable par-devers les animals, pourquoi serait-ce différent pour l'homme ? – de meilleurs reproducteurs feront de meilleurs producteurs, de sorte qu'on pourra usiner toujours plus de marchandises dont on pourra tirer toujours plus de profits ! – le mythe de la race supérieure par l'eugénisme n'est pas l'invention du peuple allemand : toutes les nations rêvant d'expansion territoriale et de domination du monde l'ont pratiqué et le pratiquent encore, ne serait-ce que par la guerre : ces bombes atomiques tombant sur hiroshima et nagasaki, tuant des centaines de milliers de citoyens, qu'ont-elles symbolisé sinon la forme extrême de l'eugénisme ? – la solution finale d'adolph hitler par-devers les juifs, c'est encore une représentation de la forme extrême de l'eugénisme ! – l'empire britannique en avait déjà laissé partout l'empreinte, en exterminant ces sous-humanités qu'étaient les peuples zoulous, boers et papous ! – pour arriver à quoi ? – à mieux faire oublier l'eugénisme en inventant la transgenèse, cette victoire totale sur l'idée de nature, fondement de l'humanité ! – esti ! –

les amériques devaient devenir l'habitation de la jérusalem nouvelle, le bon sauvage converti en représentant la pierre d'assise – quelle naïveté ! – un pays fondé par des pères puritains, qui s'appellerait bientôt les états-unis d'amérique comme si tout le continent, de l'arctique à l'antarctique, leur appartenait ! – le pays de la libre entreprise, du capital souverain, un aigle le symbolisant comme il a jadis symbolisé l'empire romain : le roi des prédateurs ! – qui enserre, écharogne et dévore tout ! – jusqu'aux confins du cosmos ça essaimera ! – comme l'a prévu le cyrano de bergerac dans son histoire comique des états et empires de la lune qu'il écrivit tout juste après la découverte du nouveau monde : si on avait réussi à franchir la mer océane, pourquoi le cosmos ne nous serait-il pas accessible ? – et pourquoi donc le cosmos ne serait-il pas habité comme l'est la terre ? – le cyrano s'enferme dans une meson de campagne, et invente la première fusée fonctionnant à l'énergie solaire : voici comment je me donnai au ciel ! a-t-il écrit, attachant autour de moi quantité de fioles pleines de rosée, sur lesquelles le soleil dardait ses rayons si violemment, que la chaleur qui les attirait, comme elle fait les plus grosses nuées, m'éleva si haut, qu'enfin je me trouvai au-dessus de la moyenne région ! – mais le cyrano, avant de se rendre à la lune, doit d'abord passer par le nouveau monde, dont le bon sauvage, prétendent les philosophes français, est l'auteur et l'acteur de la seule utopie réalisée – le cyrano atterrit donc en la grande place de kebek, centre de l'utopie sauvage pour les français – il est accueilli par le vice-gouverneur avec qui il devise d'astronomie : je crois, dit le cyrano, que les planètes sont des ondes autour du soleil, et que les étoiles fixes sont aussi des soleils qui ont des planètes autour d'eux, c'est-à-dire ces mondes que nous ne voyons pas d'ici à cause de leur petitesse, et parce que leur lumière empruntée ne saurait venir jusqu'à nous – pour le cyrano, c'est le hasard qui a fait naître les hommes, et comme le cosmos ne peut fonctionner différemment de la voie lactée, le hasard ne peut pas ne pas avoir donné vie, comme sur terre, à une infinité de créatures et, pourquoi pas, à des hommes plus civilisés que nous ! – la vue des bons sauvages de kebek, dépenaillés, n'ayant rien pour se nourrir, atteints par les maladies et dépendant du vice-gouverneur pour leur simple survie, convainc le cyrano que le nouveau monde n'est pas une utopie et ne pourra jamais en être une, les français ayant emporté avec eux sur le continent leur esprit marchand, qui prime tout autre sentiment : le nouveau monde n'existe que pour une plus grande production de marchandises et, grâce à leur trafic, vise à satisfaire la cupidité de ceux qui aiment à s'enrichir rapidement ! – ou le bon sauvage deviendra l'esclave de cette production de marchandises ou il sera exterminé ! – le cyrano sauve au dernier moment sa fusée qu'on s'apprête à brûler, comme on brûlait naguère les sorcières en la grande place de kebek, et s'envole jusqu'à la lune ! – il y alunit, juste à côté de l'arbre de vie et du paradis terrestre qui se cache derrière ! – n'est pas très optimiste la leçon qu'on peut tirer de ce voyage sur la lune : l'arbre de vie, on ne cesse pas de le couper sur terre, de sorte qu'au lieu du paradis, on n'y trouvera en définitive que l'enfer ! – avec le cyrano, l'utopie trouve pour la première fois ses racines dans le cosmos : là-bas, très loin en l'espace-temps, est tout avenir, tout devenir ! –

RÉSURRECTION

harnaché en mon moi-même à la fusée de bouteilles de rosée du cyrano, j'échappe à la gravité lunaire et sors de mon assoupissement – je mets du temps à me réhabituer à la pénombre, à revoir mes animals en train de ruminer, quelques-uns d'iceux couchés à mes pieds ou certains d'eux autres couchés à leurs pieds : l'étable s'est chargé de l'électricité solaire de mon corps, des odeurs de mon corps, des saveurs de mon corps ; ne reste presque plus rien de celles de rhino ! – bing, bing, bing, bang ! – les jambes de la Table de pommier se sont remises à bouger, et l'esprit frappeur, débarrassé de la glace qui le recouvrait, se remet à marteler – qu'a-t-il à me dire maintenant, lui qui est resté silencieux depuis des jours et des séjours ? – écoute, coute, coute ! – veille, surveille rhino ! – ça s'incruste, ça se carapace dans ta meson, ça va finir par la faire devenir sienne ! – vois tes chiens ! – si fidèles, si loyaux hier encore ! – voilà que ça se désintéresse de toi, que ça risque bientôt de te considérer comme un étranger parmi eux autres ! – pense à tes animals ! – il t'a fallu toute la soirée pour que l'harmonie renaisse entre eux et ton toi-même ! – et la Table de pommier, et moi-même l'esprit qui frappe, pourquoi avons-nous été piégés de force par l'hiver de glace, tout comme le garde-guenilles, cet iceberg pour le nietzsche et le flaubert ? – éveille-toi ! – réveille-toi ! – fais remonter la berçante jusqu'au plafond, enchaîne-la à la poutre ! – dis bonsoir bonne nuit à tes animals et sors de l'étable avant qu'on ne mette des roues, des patins, des skis à ta meson, et qu'on s'en aille avec en l'arrière-pays du saint guy ! –

estis de rêvassages ! – esties d'utopies ! – esti de monde pas plus fin qu'en son commencement, qui court tout droit vers le royaume de la pensée unique, mondialisation économique des esprits et des corps, fondamentalisme religieux, fanatiques les chrétiens et fanatiques les musulmans, avers et envers de la même médaille, démentielles croyances, antédiluviennes superstitions ! – noirs sont les chevals piaffants de l'apocalypse, au rythme de trente images-seconde sur les écrans de tous les téléviseurs de la planète, nature rendue furieuse, impuissance de l'homme en cervelle de mou de veau ! – à la meson de suite ! – à la meson, esti ! –

TISONNIÈRE

je sors de l'étable, il fait gueule noire de loup, je vais à l'aveugle avec cette canne qui s'enfonce n'importe où dans la neige ! – au bout du monde est le garde-fou de la galerie ! – et juste devant, cette vieille cadillac blanche, longs ailerons lumineux, dont le moteur tourne ! – je touche à la carrosserie, espérant que ma main va passer au travers de la tôle, mais je ne fais que me cogner les jointures dessus ! – rêvasseries, esti ! – utopies, esti ! – j'en ai encore plein le dedans de la tête ! – au-dessus de mes forces que de simplement reprendre conscience par le petit bout de la lorgnette-réalité ! –

et la réalité, elle me frappe en pleine face dès que le seuil de porte franchi, je me trouve dans la meson ! – rhino se tient près du gros poêle à bois, un tisonnier à la main – mes chiens jappent, mais après quoi ? – esti ! – sont assis au bord de la Table de pommier, diff et mioute, bras croisés ! – diff hurle des insanités et mioute, incapable d'en faire autant, ressemble à une ouananiche tellement ses yeux sont exorbités ! – et ce filet de bave qui lui coule de la bouche jusqu'au menton ! –

– Que c'est que vous faites ici-dedans ? je dis. Que c'est, esti ?

– Pas compliquée, notre affaire : on est sous libération conditionnelle. Pourquoi tu resterais en prison quand on t'offre d'en déguerpir ? On n'a pas crossé ni fourré personne, nous autres. De la mari, du hash, du pot, tout le monde en deale ! Ç'a rien pour s'en ruiner la babinerie !

– Dans ce cas-là, expliquez-moi le charivari ! Tu gueules comme un enragé et si Rhino brandit un tisonnier à bout de bras, c'est sûrement pas parce que ça va pour le mieux dans le meilleur de votre esti de monde !

– Mes frères veulent que je m'en retourne avec eux au Saint Guy ! Rhino dit. Qu'on fasse vie commune comme avant. Sauf que moi, je ne veux plus vivre comme avant. Je suis bien ici-dedans, j'ai pas l'intention de m'en aller. Je suis, je reste !

quand je demande à diff pourquoi lui et mioute tiennent tant à ce que rhino reprenne corps et esprit avec eux, la réponse vient, aussi véloce qu'une flèche zen :

– Parce que t'es un crisse de pas bon ! Diff dit. On l'a compris quand on a essayé de faire campagne électorale pour toi. De la marde, de la marde mal chiée ! Tu voulais pas devenir député, c'était Rhino qui t'intéressait. Les vieux débris comme toi, c'est tous des vicieux, crisse ! T'as couché avec notre sœur ! Elle sent plus rien de ce qu'elle sentait avant ! Elle pue la charogne, comme toi, crisse !

– Je fais rien d'autre que de prendre soin des animals et de chauffer le gros poêle à bois ! Rhino dit. Je dors même pas ici-dedans !

je devrais prendre la défense de rhino, mais ne le ferai pas : l'homme vieillissant que je suis n'a pas besoin de la violence des autres, il n'a plus le vouloir primitif d'y répondre, pas davantage par la déraison que par la raison, il ne tient plus, comme le disait le michaux, qu'à garder son intelligence en liberté, qu'à rester en contact avec l'inconscient, l'inconnu, le mystère – de la tranquillité, de l'apaisement, de l'abandon, du recueillement ! – nul criard dissuadant ! – nul criard halluciné ! –

– Emmenez Rhino avec vous, je dis. Moi, je ne suis pas Passoa : je déteste tout ce qui s'appelle intranquillité.

rhino ne s'attendait pas à ce que je dise pareille énormité, elle en échappe même le tisonnier qu'elle tenait à la main – éberluée, ses yeux noirs affolés, tout son corps pris de tressaillements ! – incapable de dire quoi que ce soit, mâchoires contractées raide ! – diff et mioute s'approchent d'elle, mais comme un chat sauvage elle devient aussitôt : ça voudrait faire étau, griffer, mordre, ça se débat pareil à une démone de loudun qu'on voudrait mener au bûcher ! – je dois retenir les chiens pour qu'ils ne se jettent pas sur diff et mioute qui courent autour de la Table de pommier après rhino – ils vont s'en saisir, la soulever en ses dessous de bras et de jambes, et s'en aller avec, du sang leur coulant de la face, les griffes du chat sauvage ayant labouré profond dedans ! – je rends leur liberté à mes chiens – ils vont vers la porte, gratte le bois, chialent, puis s'arrêtent brusquement et me regardent – vont s'élancer ensuite vers moi, ouvrant grand leur gueule pour me mâchoirer les chevilles ! – je laisse faire, je dis rien, mes chiens ont raison d'être fâchés contre moi, c'est normal qu'ils veuillent me mordre – leurs crocs s'enfoncent dans ma peau, mais avant qu'elle ne cède, mes chiens lâchent prise, vont vers la porte, se couchent devant, me tournent le dos et geignent ! –

je mets de l'opium dans la pipe, j'allume, je tire sur le long tuyau, je me remplis les poumons, je me remplis le corps de fumée, et l'esprit aussi, pour que s'escamote la colère de diff et de mioute, pour que disparaisse la haine qu'il y avait dans les yeux noirs de rhino, et la tristesse de mes chiens, allongés l'un à côté de l'autre, leurs museaux entre les pattes, et geignant toujours ! – je siffle pour qu'ils viennent vers moi : je les caresserais et je les embrasserais et je leur chanterais monsieur guindon en tapant des pieds et ils se mettraient à jappouiller, à se dresser sur leurs pattes, à danser, toureloure, à danser, toureloure reloure, comme les bêtes nietzschéennes au fond de la caverne de zarathoustra ! – ils ne veulent pas m'entendre, ils mettent leurs pattes sur leurs oreilles, ne rouvrent même pas les yeux ! – je m'en vais vers eux, me croupis, m'accroupis, puis allonge la main pour les toucher à la tête – mais ça déguédine aussitôt sans se redresser, comme des serpents qui onduleraient sur le plancher jusque derrière le gros poêle à bois ! – je m'assois à même la large bavette, je colle mon dos au rebord de fonte, je laisse le peu de chaleur qui s'y trouve encore me réchauffer les omoplates – venir à bout de ce frette qui a envahi tout le côté gauche de mon corps parce que la haine dans les yeux noirs de rhino était glaciale, mille fois et une fois plus arctique que la dépouille d'arnold cauchon quand je le veillais au corps ! –

LIBREVILLE

je me dis : tu n'as rien promis à rhino, tu ne lui as rien donné non plus, un peu de ta gentillesse, un peu de la gentillesse de tes animals aussi, un peu de la gentillesse de tes champs, de tes étangs, de tes sous-bois, de la mer océane ! – était-ce vraiment amical ? – de l'accointance plutôt : ce qui se reconnaît, ce qui se tolère, ce qui s'accommode et accommode, mais sans que le vouloir n'y prenne vraiment part ! – une enfantôme, rhino, comme dans les films de science-fiction, si peu corporel c'est : translucide, traversant les murs, traversant le corps, traversant l'esprit, mais sans que rien ne s'y attarde, même pas les mots, trop de matière noire en eux autres, trop de pesanteur en eux autres ! – ça sort de la bouche et ça tombe aussitôt par terre, ça disparaît sous le plancher pour s'enfoncer creux dans le ventre de la terre – de minuscules fœtus sans devenir ! – tous les enfantômes en sont pleins ! –

réchauffé par le rebord de fonte du gros poêle à bois, je ne sens plus le frette dans le côté gauche de mon corps – c'est pareil pour la Table de pommier qui s'est débarrassée de la couche de glace la recouvrant pour que se libère l'esprit frappeur – je m'éloigne de la large bavette du poêle, je vais vers le fauteuil roulant, je m'y assois et je le fais rouler jusqu'à la Table – ne mettre que la main gauche dessus pour que l'esprit frappeur ne me dise rien de rhino : elle était là, elle n'y est plus, je ne céderai ni à la compassion ni à quoi que ce soit qui ressemblerait à l'ombre de la queue d'un sentiment ! – pas la première fois que ça arrive depuis que je suis au monde : seul, on l'est tout le temps, les autres ne font que tourner autour de soi, comme ces lucioles qui n'ont que la saveur rouge de la nuit pour phosphorer l'éphémère ! – les lucioles sont interchangeables malgré les différentes formes qu'elles prennent et l'esprit qui les habite : c'est la dépendance qui les fait se mouvoir, c'est la dépendance qui les force à vouloir te crocheter afin que tu deviennes leur semblable et assujetti à leur vouloir – je ne suis pas fait pour ça, je ne me déferai pas pour ça, la contrefaçon m'écœure trop, esti ! –

un coup imprévu me frappe au ventre : le tiroir de la Table de pommier a glissé tout seul sur ses rails de bois, faisant apparaître le portable ; et se redresse de lui-même le couvercle – ce noir absolu de l'écran dont je n'arrive pas à détacher les yeux, comme si en dessous fourmillait une vie secrète, peut-être celle de calixthe béyala ? – j'allume l'ordinateur, mais n'autorise pas la souris à cliquer sur l'onglet qui donne accès à la boîte de réception – que j'aguirais donc ça cette nuit vivre la déception ! – mon vouloir renaissant le prendrait mal, ma solitude revenue se ferait déferlante pour s'éparpiller en fragments de nerfs, de muscles et de sang ! – ces éclats de verre aux arêtes affilées comme des épieux, sur lesquels je m'empalerais du fondement jusqu'au cabochon, comme s'éjouissait à le faire le comte dracula de ses victimes valachiennes ! – trop fatigué, mon corps ne résisterait pas longtemps aux arrêtes s'enfonçant dans mon restant d'humanité ! – lambeaux de chair devenant le manger sanglant des animals féroces de la nuit ! –

bing, bing, bing, bang ! – vas-y ! que me dit l'esprit frappeur de la Table de pommier ! – cesse de regarder cet esti d'écran noir ! – ce n'est pas l'œil crevé de ton vieux bouc, ce n'est pas un petit pois sombré dans l'aveuglement ! – clique sur la souris pour que s'illumine l'écran ! – tu peux, tu dois, tu veux maintenant t'éjouir depuis que tu es à nouveau libre ! – plus d'enfantômes qui puissent empêcher désormais les mots de se rendre à destination ! – vite ! – vite, mon esti ! –

je clique sur l'onglet de la boîte de réception, puis j'écarquille les yeux : là, sur l'écran, noir par-dessus blanc, ce message de calixthe béyala, que je ne parviens pas à lire vraiment, trop de fébrilité dans mon corps ! – y dansent si prodigieusement les mots que mes yeux sont impuissants à en décrypter le sens ! – je vais devoir me calmer et fumer un peu d'opium pour que mon sexuel n'avale pas tous muscles, tous nerfs et tout sang de mon corps ! – attendre, je me dis, attendre, les yeux fermés, sans penser ni jongler, sinon à la voix de calixthe béyala, une rauquerie singulière, non malvenante, mais bienveillante, comme quand souffle, petites risettes enchaudées, le vent en festival d'été de la mer océane ! –

si peu compromettants les mots de calixthe béyala : je t'ai écrit quelques fois pour te donner des nouvelles des miens, de moi – aussi de la maladie de werewere, cette peur dans mon ventre que ne finisse jamais la souffrance ! – me suis agrippée à cette nuit passée avec toi, en ai oublié les vociférations dont tu m'as toute salopée par après – je te l'ai dit sans aucun mensonge dans mes courriels – mais tu n'as répondu à aucun d'eux – ton silence ! – je ne t'écrirai donc plus – ta solitude ! – que deviendrais-tu sans elle qui te protège ? – de quelle peur de tes entrailles a-t-elle jailli pour te fermer les yeux ? – je ne t'en veux plus, je te souhaite un peu de joie, mais pas celle du consul d'au-dessous du volcan, ces tout petits répits dans son grand malheur ! – alors je te dis adieu, moi calixthe béyala, ce jourd'hui ensombré en libreville –

je relis, et relis, et relis encore ! – je voudrais que l'onglet de la boîte de réception s'agrandisse à l'infini pour que je puisse voir les mots recouvrir tout l'espace autour de moi, pyrogravés seraient-ils dans tous les murs de la meson, pyrogravés seraient-ils dans l'écorce des épinettes noires et des érables qui ceinturent d'aiguilles et de feuilles la meson – partout ! – en toutes choses, profond dans la neige, profond dans le fond de l'air ! – je relis, et relis, et relis encore ! – la mémoire immédiate me fait défaut, elle n'enregistre rien – peut-être à cause de cet émoi, je n'en ai jamais éprouvé un pareil de mon estie de vie ! – je ris à m'en décrocher les mâchoires, je pleure à me noyer dans le niagara ! – les chiens me regardent, ne comprennent pas ce qui m'arrive, ne m'ont jamais vu en pareil état, ne savent pas comment réagir, se dressent, font quelques pas vers moi, puis détalent vers la petite porte qui donne sur les champs derrière la meson – désaison ! – déraisonnement ! – rien d'autre qu'une lueur d'espoir quantique en fin fond de chose ! –

bing, bing, bing, bang ! – elle exulte, la Table de pommier, et danse tant l'esprit frappeur que je voudrais être zorba le grec, exulter, jinguer et giguer moi aussi, pieds nus dans le sable en bordure de la mer océane, toute la nuit, jusqu'à ce que le soleil incendie l'espace-temps ! – je soufflerais comme le rorqual bleu, des trombes d'eau gicleraient de l'évent pour devenir cette rafraîchissante rosée dans laquelle ça me ferait tant de bien que de seulement reposer ! –

un petit bing, que suit un dernier bang pour que rhino, ectoplasme à peine visible dans l'air, enfantôme aussi transparent que les méduses en fond de mer, sorte à jamais de ma meson avec toutes ses odeurs – quand je pense ! – elle volait les messages que m'envoyait calixthe béyala, elle les faisait brûler dans le gros poêle à bois pour que je ne puisse pas les lire ! – ça jouait à l'innocence, ça voulait que ma meson devienne la sienne, et mes chiens, et mes animals, et mes champs, et mes jardins ! – pour que ma solitude devienne chaos prenable, à emprisonner dans son vouloir à jamais ! – j'aurais dû savoir les dangers qu'il y a à se chauffer de pareil bois : la solitude, quand elle se montre paisible, est comme un aimant attirant celles et ceux qui n'ont pas l'équipette qu'il faut pour en tirer la mouelle et s'en sustenter sans mettre le trouble partout ! –

je voudrais taper comme il faut sur les touches du clavier, mais je suis trop excité et mes doigts s'enfoncent tout de travers sur plusieurs lettres à la fois – urgence de me désemballer en tout mon moi-même, je n'aime pas l'excitation, la fébrilité, l'hystérie – et c'est pourquoi, dès l'enfance, j'ai pratiqué le silence comme guillaume d'orange, dit le taciturne, dont j'avais lu l'histoire dans l'encyclopédie de grolier : je maintiendrai, point n'est besoin d'espérer pour entreprendre, ni de réussir pour persévérer ! disait-il – le taciturne savait ce que devient le corps vieillissant quand l'émotion, qui a longtemps couru après lui sans profit, le rattrape, le fait verser, le rend obscène et devient à lui seul tout ce peuple qu'inspire la fièvre et le cancer, comme l'a écrit le rimbaud : cette infirmité ne demande plus qu'à être bouillie comme c'est arrivé à guillaume d'orange, dit le taciturne, parce qu'une fois seulement il s'est rangé du côté des mots multiples ! –

j'embrase l'opium, je fume, petites bouffées que j'aspire, puis que je rejette dans le fond de l'air : en remplir la meson pour qu'elle retrouve ses odeurs et ses saveurs du naguère ! – ça ne saurait être long, les ectoplasmes et les enfantômes, même androgynes, ne laissent pas grand-chose derrière eux quand se défilent à l'anglaise ce qu'ils sentent – la preuve ? – mes chiens, qui viennent tout juste de rentrer, s'approchent sans même que j'aie besoin de les appeler – ils mettent leurs têtes sur mes genoux, demandent à être caressés, dodichés et catinés ! – je vais prendre tout le temps qu'il faut, jaser joyeusement avec eux autres, comme ça se faisait avant que rhino ne vienne rendre trouble le mouvement taciturne : ces reposantes spirales lentement ondulatoires qui font de la solitude une renaissance ! –

je vais maintenant taper sur le clavier de l'ordinateur, simplement ceci pour que ça puisse recommencer vraiment : calixthe béyala, je –

9

De l'accélération des particules

ENFENESTRÉ

curieux, inquiétant, apocalyptique même, que change dans une telle anarchie l'espace-temps ! – l'hiver – j'ai fait bouillir l'eau puis, la bouilloire à la main, j'ai dégivré la fenêtre pour pouvoir regarder dehors – l'hiver ! – quelle ressemblance avec l'homme vieillissant que je suis : ça n'a plus l'endurance de naguère, ça a de moins en moins de suite dans les idées parce que la nature en a de moins en moins aussi : ça s'enfarge dans ses raquettes de neige, ça perd brusquement pied, ça s'emmitoufle égoïstement dans sa ouate de phoque, ça bâille grand aux corneilles ! – puis quand on croit l'hiver givré à demeure par la verglasserie, la frimasserie et l'englaçonnage, l'hiver se défait sans prévenir de ses gélivures : ça se prend en redoux pour un naissant papillon, un harfang des neiges peut-être aussi, et ça se met frénétiquement à combattre des ailes – trop lourd pourtant pour que ça puisse s'envoler ! – ça reste donc à pilasser sur place, ça se prend pour les palmes d'un moulin à vent, et ça vire tellement vite que le redoux est chassé au loin, ameutant encore l'espace-temps des tempêtes, comme c'est le cas depuis hier : en allé le faux printemps, ramené le mauvais temps, les brutales averses de neige, la poudrerie et ces vents à se faire décorner les bœufs ! –

elle brasse de plus en plus mal ses cartes, la nature, et de plus en plus anarchiquement : trois jours et trois nuits durant, une tempête de neige et de frette arctique, puis cette pluie antédiluvienne qui, pareille à des clous carrés à tête anglaise, a frappé la toiture de tôle de la meson, durant trois jours et trois nuits aussi – et ce matin, en faisant le tour des bâtiments, mon étonnement de voir les crocus sortir de leur hivernation au travers de la neige en état de fonte, tout comme ces pousses de chiendent, pareil à du duvet d'agneau le long des solages ! –

ce dérèglement de l'espace-temps, on sait quelles en sont les origines : la mécanisation de l'humanité en commencement de XXe siècle, conséquence de la démographie galopante – il fallait bien qu'on la fasse travailler autrement, ne serait-ce que pour la nourrir – il fallait bien aussi que les déjà-riches puissent le devenir encore davantage puisque seule la cupidité est la mesure de toutes choses depuis que l'homme, s'enorgueillissant de sa prétendue intelligence, l'a mise toute du bord de l'enrichissement à tout prix – d'où l'invention de la mécanisation, d'où l'invention de l'industrialisation : grâce à la machine, la conquête et la domination de la nature pouvaient enfin être possibles ! – qu'importe les déchets, les détritus, les ordures, les excréments ! – qu'importe que le monde habité devienne ce gigantesque trou du cul ne cessant plus de déféquer ! – il y avait tant d'autres lieux où vivre, tant de nature sauvage à vaincre ! – la ruée vers l'or ! – la curée vers l'eldorado ! – pour la gloire des seuls pays assez puissants pour imposer la loi de la dépense économique, qui ne doit pas cesser d'être prédatrice, puisque c'est la prédation qui en est le fondement : impossibilité donc de freiner l'expansion économique, et c'est tant pis pour tout ce qu'on doit exterminer ! – que chaque jour meurent de nombreuses espèces ! – que chaque jour produise sa décimation ! – fin des diversités, fin de leur foisonnement ! – la dépense économique : une fin en soi, cette course éperdue vers tout ce qui est éphémèrement exploitable, sous terre, sur terre, dans le ciel ! – la dépense économique : pour s'en approprier, ne serait-ce que la part la plus mauvaise, les peuples qui ne sont pas encore des pays doivent aussi se mettre à l'heure avancée du grand capital, devenir haineux eux aussi et s'enrichir, comme l'uranium, à tout prix ! –

la terre devenue universaliste et apostolique (ce qu'on forme et ce qu'on rend conforme) ! – une spéculation, dont le sens premier était celui d'observer, d'examiner avec attention ! – c'est devenu par glissement de terrain l'essence même du grand capital : n'est observé que ce qui peut donner matière à la spéculation – mesure du flux des monnaies, mesure des placements et de leurs déplacements en bourse ! – rendre prévisibles les profits qu'on peut en tirer et s'en graisser sans avoir à besogner, sans avoir à se salir les mains, sans avoir à user de son corps ! – besogner, se salir les mains, user de son corps, laissons ça aux simples travailleurs, des esclaves, les rouages d'une machine qui les considère comme les bouche-trous de ce que le nietzsche a appelé les lacunes de l'esprit d'invention ! – le nietzsche disait ausssi : croire que l'on pourrait remédier par un salaire plus élevé à l'essentiel de la détresse des travailleurs, des ouvriers esclavagistes, je veux dire leur asservissement impersonnel ! – se laisser persuader que grâce à un accroissement de cette impersonnalité, à l'intérieur d'une machine nouvelle, que la honte de l'esclavage pourrait devenir vertu ! – avoir un prix auquel on cesse d'être une personne pour devenir un rouage ! – êtes-vous complices de la folie actuelle des nations qui ne pensent qu'à produire le plus possible et à s'enrichir le plus possible ?

– est-ce que notre tâche ne serait pas de leur présenter l'addition négative : que les énormes sommes de valeur intérieure sont gaspillées pour une fin aussi extérieure ? – mais qu'est donc devenue votre valeur intérieure si vous n'avez même pas une minimum de maîtrise de vous-même, si vous êtes trop souvent dégoûté de vous comme d'une boisson éventée, si vous prêtez l'oreille aux journaux et lorgnez votre riche voisin, mis en appétit par la montée et le déclin rapide de la puissance, de l'argent et des opinions, si vous n'avez plus foi en la philosophie qui porte désormais des haillons, si vous n'avez plus foi en la liberté spirituelle de l'homme sans besoins ? – vos oreilles entendent résonner en permanence le pipeau des attrapeurs de rats socialistes qui veulent vous enflammer de folles espérances, qui vous ordonnent d'être prêts, et rien de plus, prêts du jour au lendemain, si bien que vous attendez que quelque chose vienne du dehors, que vous attendez une fièvre et une folie, et que se lève enfin dans toute sa gloire le jour de la bête triomphante ! –

mais ce jour-là ne viendra jamais, vocifère le nietzsche, et c'est pourquoi, à l'opposé, chacun devrait penser par-devers soi : plutôt émigrer, chercher à devenir maître en des régions du monde sauvages et intactes, et surtout maître de soi ! – changer de place aussi longtemps qu'un signe d'esclavage se manifeste à moi – n'éviter ni l'aventure ni la guerre, et me tenir prêt à mourir si cela devient désespéré pourvu qu'il ne faille pas supporter plus longtemps cette indécente servitude, pourvu que l'on cesse de devenir amer, venimeux et comploteur ! – les travailleurs devraient déclarer désormais qu'ils sont une impossibilité humaine en tant que classe, au lieu de se déclarer seulement, comme il arrive d'habitude, les victimes d'un système dur et mal organisé, ils devraient susciter un âge de grand essaimage, tel qu'on n'en a encore jamais vu, et protester par cet acte de nomadisme de grand style contre la machine, le capital et l'alternative qui les menacent aujourd'hui : devoir choisir entre être esclave de l'état ou esclave d'un parti révolutionnaire ! – au loin seulement, on pourra enfin reconnaître combien de bon sens et d'équité, combien de saine méfiance la maternelle europe a inculqués à ses fils, ces fils qui ne pouvaient plus supporter de vivre auprès d'elle, auprès de cette vieille femme abrutie, et qui couraient le risque de devenir moroses, irritables et jouisseurs comme elle ! – et qu'importe si en europe on manque un peu de main-d'œuvre : peut-être se rendra-t-on alors compte que l'on s'est habitué à de nombreux besoins seulement depuis qu'il est devenu si facile de les satisfaire ! – on désapprendra quelques besoins, car il y a ici de quoi inventer ! –

c'est au beau mitan du XXe siècle que le nietzsche *inventa* sa pensée utopiste alors que partout en la vieille europe on essaimait déjà vers les nouveaux mondes – mais rien de ce qu'il prévoyait n'arriva, ne pouvait arriver : dans la tête de tout un chacun, la machine-rouages avait déjà pris toute la place de sorte que, bien loin d'*inventer*, on y devint protecteurs des vieilles habitudes prises en la vieille europe : *in god we trust* fut gravé sur les pièces de monnaie, face du fondamentalisme qui serait la marque de la société étasunienne – en son envers, l'aigle américain, symbole de tous les peuples européens rêvant de devenir impériaux, de l'utopie romaine à l'utopie napoléonnienne, et de l'utopie napoléonnienne à l'utopie nazie, qui fit du monde une horreur sans précédent au nom de la race élue, de la machine-rouages, symbole de la suprématie de la nation tout aussi expansionniste que le capital sauvage qui en devint le seul moteur – furent repoussés les foisonnements de la nature, pillées les ressources, chacun prenant pour la liberté intérieure ce qui n'était que la forme ultime de l'aliénation, la dépense économique ! – le nietzsche n'eut raison que sur un point, celui de l'essaimage : le XXe siècle fut celui des grands mouvements de déplacement des populations européennes, mais contrairement à ce que croyait le nietzsche, l'occident ne manqua pas de cette main-d'œuvre qui aurait permis de désapprendre les inutiles besoins : on y encouragea les naissances et quand celles-ci ne suffirent plus à faire marcher davantage la machine-rouages, on fit venir des colonies les plus pauvres des hommes pour que la main-d'œuvre des esclaves ne manquât pas, pour que la nouvelle loi économique, celle de la production à tout prix, crée toujours plus de besoins artificiels à satisfaire ! –

ainsi l'homme perdit-il tout sens de l'harmonie et fit-il du gaspillage la condition essentielle de son prétendu développement en pillant la nature systématiquement – fini le mythe de la valeur intérieure : pourquoi penser quand la dépense économique, toute extérieure, promet en même temps la terre et le ciel ? – et le promet dans l'immédiat, l'avenir ne faisant plus sens ? – dans le monde de la production à tout prix, seule la circulation des marchandises et leur consommation importent – d'où l'extrême cruauté qui fit un carnage sans précédent du XXe siècle : invention de la guerre bactériologique, invention de la bombe atomique, le bras armé de la dépense économique et le symbole que la machine-rouages a pris définitivement le dessus sur l'humanité même – sa destruction massive et la seule réponse à la déferlante démographique : tuer tout ce qui n'a pas les moyens de consommer, ou laisser mourir par la pauvreté et la maladie toutes celles-là et tous ceux-là qui peuplent les bas-fonds de la sous-humanité – et les gens fortunés, pour lesquels l'idée de devoir n'est plus qu'un lointain susurrement, ont tous les droits, même celui de procréer par assistance : insémination artificielle, mères porteuses, bébés-éprouvettes ! – je n'aime pas mon corps ? – la chirurgie est là pour qu'il puisse passer de l'être au paraître, quitte à ce qu'on fasse une habitude du kidnapping des enfants pour leur voler leurs organes, pour leur prendre leur corps, pour les assassiner comme s'ils n'étaient plus eux aussi qu'une marchandise – car seuls ceux qui font profit avec les marchandises ne ressentent ni culpabilité ni remords ! – imputabilité, un mot obsolète pour celui qui trône au sommet de la pyramide ! – c'est que le cerveau, en un tel monde, n'est plus une nécessité : dans les profondeurs des océans, n'y a-t-il pas ces nombreuses créatures qui se meuvent, se nourrissent et se multiplient même si elles sont dépourvues de cerveau ? –

COLLISIONNEUR

me suis levé de mon fauteuil roulant, suis allé chercher une couverture laineuse et en ai calfeutré le bas de la porte du garde-guenilles : je ne suis pas encore prêt à ce que le nietzsche m'interpelle, je ne suis pas rendu assez loin ni en savoir ni en connaissance, je ne sais pas quelle somme de valeur intérieure est restée emmagasinée dans ma matière grise, je ne sais pas s'il y a dedans de quoi inventer vraiment – j'ai cru si longtemps à l'écriture, je m'y suis enfoncé si profond que le réel a pu m'échapper ! – j'ai décris beaucoup – descriptio ! – hypotypose, ce qui frappe en dessous ! – ce qui frappe en dessous de toute description, l'hysterikos, cet utérus situé dans la cavité pelvienne, entre vessie et rectum, au-dessus du vagin, qui contient l'œuf fécondé – si proche c'est des déjections du corps que ça ne peut naître que par crevage d'eaux usées, que par déluge sanglant ! – peut-on décrire davantage, peut-on décrire mieux l'humanité qui naît, non par le haut, mais par le bas, si souillée déjà, avec si peu de matière grise – des mois pour que ça devienne cerveau, et encore n'est-ce que pour se rendre conforme à celui qui l'a fait venir au monde – rien d'autre que pour s'habituer, esti ! – rien d'autre que pour désapprendre l'inventivité, esti ! –

INCRUSTATION

je ne devrais plus regarder depuis long le bleu qu'il y a de l'autre côté de la fenêtre – tant d'affaires se font pressantes depuis que rhino ne passe plus ses journées à la meson ! – mes animals à soigner, le ménage à m'occuper pendant des heures dedans, la nourriture à préparer, le corps à bichonner pour que ne lui vienne pas la vague à l'âme ! – toutes choses à conjuguer au présent même s'il n'y a que du passé, repassé, trépassé ! – depuis l'enlèvement de rhino par ses frères, tous les jours même jour, toutes les semaines même semaine – me réveille avec le petit matin, étonné chaque fois que mes chiens ne soient pas à mes côtés sur le matelas devant le gros poêle à bois ! – en train de virailler autour de la meson et des bâtiments, et pourquoi c'est faire, sinon parce qu'ils cherchent toujours, sous la neige, ce qu'il pourrait bien y avoir encore des saveurs du corps de rhino ! – esti que ça me fatigue de les voir galipoter ainsi, incapables de se déshabituer, incapables d'inventer ! –

et moi, suis-je mieux que mes chiens ? – si morose c'est en mon moi-même, rien d'autre que ces petits mots que j'envoie à calixthe béyala, peu souvent parce qu'elle m'a demandé de faire ainsi – ne veut pas que je prenne place en elle ailleurs que dans le souvenir, et encore faut-il que le souvenir n'y soit qu'allusif, comme ce qui reste d'un feu de camp quand on l'a éteint du bout du pied : un peu de cendre, quelques brimbales de fumée, rien dans lequel on puisse trouver le réconfort en guise d'espérance : rester à distance, a écrit le michaux, sans pouvoir lancer vraiment la longue lance téléphonique ! – pour que mon nom s'efface en toi, que mes traits s'embrouillent en toi, que ma personne se dérobe en toi ! – rester à distance de toi, gravir des monts sans fin, tomber dans une forêt de cordes, être emporté par un onagre, par un troupeau de bisons, par un rhinocéros furieux, par n'importe quoi, n'importe qui – de l'infection, de la putréfaction, de la dissociation, par viduité, par bouchage, par glaciation, à distance, à distance, à distance ! –

mon seul recours : cet opium que je fume, assis dans mon fauteuil roulant devant le gros poêle à bois – ça désamorce tout ce qui pourrait devenir grenade dans ma main, ou mine antipersonnelle sous mes pieds, ou béretta chargé qui pourrait s'appuyer contre ma tempe si chaude ! – mal humeur, bonne humeur, qu'importe ? – rapetisser au point de devenir quark, photon ou boson, quel changement cela peut-il bien faire en regard de l'espace-temps élastique, des galaxies qui s'éloignent, décontractées ? –

ce bruit que j'entends enfin : mes chiens, les voilà enfin à bout de course, langue longue, respirs profonds – je leur tends la main droite qu'ils dédaignent et vont tout droit vers la Table de pommier –

esti ! – rhino est allongée dessus, bras écartés pour que mes chiens y enfoncent leurs museaux ! – quand est-elle entrée dans la meson, pourquoi, comment ? –

– J'avais trop d'ennuyance pour ne pas venir, Rhino dit. À Saint-Guy, il n'y a plus rien de mes odeurs. Elles sont toutes ici, si bien mixées au fond de l'air que c'est impossible pour moi d'être ailleurs. Une heure ! Accepte que je reste une heure, puis je m'en irai sans faire l'histoire.

une heure ! – ça ne sait plus se compter, soixante minutes, quand le collisionneur de particules fonctionne à l'envers, ralentissant l'espace-temps plutôt que de l'accélérer ! – les secondes mettent une éternité à traverser mon corps : c'est toujours le cas quand, en son soi-même, tout se trouve en suspens, nerfs, muscles et sang en état de désarroi, en état de désabois, en état de désamour – je vais devoir forcer mes chiens pour qu'ils descendent de la Table de pommier, je vais devoir forcer rhino à se décrucifier avant de lui montrer la porte :

– Décabane, je dis. Je ne veux plus de toi ici-dedans. Bonjour, bonsoir !

elle s'agrippe au chambranle de la porte, ses ongles entrant dans le bois de pin comme s'ils étaient des serres –

– Je reste, dit-elle. Je veux te raconter ce que j'ai lu de nouveau sur les utopies, le réchauffement de la planète, la biodiversité menacée. Savais-tu qu'il y a cent ans, l'humanité se nourrissait d'une centaine de plantes et qu'il n'y en a plus que six maintenant ? L'apocalypse nous guette et je pourrais porter l'antéchrist dans mon ventre sans même m'en rendre compte !

je devrais prendre rhino par ses pleumats et la projeter dans le banc de neige qu'il y a devant la galerie – mais l'opium que j'ai fumé n'est pas de cet ordre-là des choses : les molécules flottent en tout mon moi-même, elles s'épaillent trop pour que je puisse faire juste semblant de me fâcher ! – mollasson, miévreux, mélasseux, mellifère ! –

– Je reste, bon. Je reste, bon.

impossible de la faire bouger du chambranle de la porte, elle fait chambre commune avec, elle vocifère, elle chantepleure, elle geint, elle jingue, elle me menace, elle parle d'incendies, de feux de roussis, de brûlures, de rôtissements, de cendres, d'ossements blancs comme l'hiver de force ! – folie ! – rien d'autre que jubilante folie, injurieuse, en forme perverse de jugement dernier ! – et moi, restant penaud, comme un chat persan, si bien en son soi-même dans les jardins suspendus en babylone, que les mongols ne l'effraient pas même s'ils sont là pour faire la table rase ! – heureusement que surviennent diff et mioute ! – ils vont me menacer eux aussi, mais je n'en prendrai aucune note, trop content qu'ils me débarrassent enfin de rhino ! – mes chiens vont encore me bouder, mais l'opium n'existe pas pour rien : en mettre à ras bord dans la pipe, faire jaillir le feu d'une allumette, puis simplement aspirer, œils fermés, oreilles fermées – juste un peu de jour, juste un peu de nuit, juste un peu d'entre chien et loup et le michaux dont les particules se collisionnent en mes nerfs, mes muscles et mon sang : dans les testicules, une grande circulation d'écorchés – précautionneux, précautionneux à l'extrême, ils avancent, mains étendues en avant, car un cheveu, un seul long cheveu volant à leur rencontre les ferait sursauter horriblement ! –

Dormir, rêver, mourir aussi sans doute : pourquoi pas ? – Z est la lettre de toute nuit ! –

je n'ose pas ouvrir la grande, large et massive porte qui enjolive la façade de la meson pour que l'air printanier puisse y entrer : entre la moustiquaire et la porte a été déposée une épaisse enveloppe jaune, à cause que c'est un champ de blé qu'on a imprimé sur le papier – c'est depuis que je lui interdis d'entrer dans la meson que rhino envoie ses épîtres au corinthien que je suis ! – elle se donne beaucoup de mal, mais bien inutilement, puisque si j'ai lu sa première missive, d'une écriture si mince que les lettres ont l'air d'hiéroglyphes égyptiens et les mots de cartouches incompréhensibles, je n'ai pas touché à celles qui sont venues après – ça s'accumule entre la moustiquaire et la porte, et je fais semblant de ne pas les voir ! – il pourrait y avoir de l'anthrax dedans, du vitriol, de l'encaustique, un morceau de tissu contaminé, de l'opium chargé de molécules en si grand nombre qu'une guerre bactériologique pourrait bien faire apparaître les grands chevals fous furieux de l'apocalypse ! –

ça ne se passe pas mieux du côté de l'étable quand je m'y rends soigner mes animals ! – même si j'ai mis des loquets intérieurs aux demi-portes et à la trappe qui s'ouvre sur le fenil, rhino trouve toujours moyen de s'introduire dans le bâtiment : quand j'y arrive, les animals sont déjà soignés, bichonnés, étrillés – la paille avec ses étrons a été mise sur le tas derrière l'étable et les carreaux des fenêtres sont si propres qu'on pourrait passer sa main au travers de la vitre sans s'en rendre compte ! – même la berçante qui devrait être suspendue au plafond ne l'est plus : au beau mitan de l'étable, elle attend que je m'y assois –

parce que je ne veux pas penser à rhino ni à rien d'autre, j'entonne monsieur guindon s'est levé de bon matin – dix ou quinze minutes à fredonner ainsi, œils fermés, oreilles fermées – la chanson terminée, je peux allonger le bras pour caresser la mère moutonne qui s'est emmenée entre mes jambes, son gros ventre enceint de trois petits, si énorme il est que je me demande comment ça se fait que les bebés n'en sortent pas ! –

esti ! – le choc que j'ai quand je me rends compte que ce n'est pas la grosse mère moutonne que je caresse, mais rhino qui est assise entre mes jambes, sa tête appuyée sur mon genou dextre ! – me redresse aussitôt, et me mets à haler rhino jusqu'à la porte ! – s'agrippe à mes jambes, boa constricteur qui se déploie et m'enserre le corps jusqu'au cou ! – cette bouche qui s'ouvre, cette fourchue langue qui me darde, ces venimeux crocs qui cherchent mes joues pour s'enfoncer dedans ! – je me bats, je me débats, je combats, tandis que la berçante verse sur le côté, et nous voilà dans la paille et le bran de scie, à rouler entre les pattes des animals, moi forçant pour me libérer, rhino forçant pour que je m'étouffe raide ! –

– Je reste, bon. Je reste, bon.

esti ! – ça ne finira jamais cette lutte, car la folie de rhino est ingénieuse et sauvage : ce coup dans mes testicules, porté avec assez de puissance pour que je me mette à crier comme un cochon qu'on castre ! –

enfin, des coups de pied sont assénés sur la demi-porte, le loquet se brise, et s'engouffrent dans l'étable diff et mioute ! –

– Mon crisse de pervers, tu baises notre sœur ! Dans la marde en plusse ! Diff dit.

je voudrais bien répondre que je n'y suis pour rien, mais mes couilles me sont remontées jusque dans la gorge, nouant entre elles mes cordes vocales – et tandis que diff hale rhino vers la demi-porte, mioute m'assène tant de coups de pied que craquent les os de ma triste figure et que brûle tout le champ de ma conscience – ne plus rien voir, ne plus rien entendre, même pas cette tronçonneuse qui, à l'intérieur de moi, me découpe en lamelles, en tranches, avec tout ce sang qui pisse, par grandes ruades comme dans les abattoirs ! –

je devrais rentrer à la meson, mais je ne veux pas entendre l'esprit frappeur de la Table de pommier, je suis assez tuméfié de même, je perds assez de sang de même – me traîner jusqu'à la porte qui donne sur les champs derrière l'étable, me redresser même si j'ai une grosse cloche en guise de tête et que ça malsonne dans tout mon corps – je vais descendre l'allée des chevals, des moutons et des chèvres, je vais descendre lentement vers l'étang qu'il y a aux confins du pacage – couchés sous une épinette, mes chiens font semblant de ne pas me voir passer et moi je fais semblant de ne pas voir qu'ils font semblant de ne pas me voir passer ! –

siffler parce que les oies qui me suivaient se sont arrêtées au milieu de la côte, leurs longs cous dressés vers le ciel : y passe une volée de bernaches sauvages, en route printanière vers les contrées esquimaudes – devront disparaître dans un banc de brume avant que les oies ne répondent à mes sifflotements et se mettent à trottiner pour me rattraper et me dépasser en voletant – elles savent d'instinct que l'étang a commencé à caler et qu'au milieu une cuvette s'est formée – vont courir s'y jeter, battant fort des ailes, puis plongeant sous l'eau, en sortiront toute blanches et joyeuses ! –

me suis assis sur une souche et les regarde – j'aimerais comme elles pouvoir braver l'eau froide et me jeter dedans à corps éperdu ! – mais la glace est mince, elle pourrait céder sous mon poids et je ne sais pas nager – me contenter de délacer mes bottes et de les enlever pour que mes pieds nus s'enfouissent dans l'amas de neige cristalline qui s'est formé devant la souche – me contenter de prendre par poignées la neige et d'en recouvrir ma triste figure ! – je faisais ainsi quand j'étais enfant et que je me blessurais : la neige force le sang à retraiter sous la peau, les nerfs et les muscles – mais le frette devient vite mal endurable et si je ne pouvais pas fumer une bonne pipée d'opium, je deviendrais aussi raide qu'un glaçon, mon corps changé en statue de gel – l'espace-temps en est chargé de statues de gel, la seule mesure du cosmos, celle qui lui donne son unité, non pas la chaleur mais le frette extrême – je commence à le ressentir, ce frette extrême, mes pieds nus bleuissent et je n'arrive plus à faire bouger les muscles de ma triste figure – remettre mes bottes au plus sacrant, les frapper l'une contre l'autre pour que la saveur de la neige cristalline ne reste pas prise dedans et, du plat de la main, frapper aussi ma triste figure – puis, à petits pas, remonter l'allée – mes chiens ne sont plus couchés sous l'épinette, ils n'auront pas à faire semblant de ne pas me voir passer et moi je n'aurai pas à faire semblant de ne pas voir qu'ils font semblant de ne pas me voir passer ! –

combien d'heures se sont ainsi écoulées, tandis qu'assis sur ma souche je laissais l'espace-temps faire la corneille au-dessus de moi – quelques heures ? – un jour ? – un jour et une nuit ? – des semaines ? – une année peut-être même ? – toute durée est illusoire et c'est là la première leçon que vous donne l'opium, cette relativité en toutes choses : c'est parfois très lent et c'est parfois très rapide, c'est parfois très court et c'est parfois très long – à moins que ce ne soit en même temps l'un et l'autre, aussi bien dire inexistant comme ça se présente quand on rêve, ni passé, ni présent, ni avenir, qu'un trou de ver impossible à se conjuguer dedans ! –

je m'assois dans le fauteuil roulant devant le gros poêle à bois que les bûches d'érable flambent dedans – je suis las, et là-bas même ici, à courir le noir pays de libreville, cherchant après les odeurs de calixthe béyala – peut-être sont-elles dans l'ordinateur, quelques mots aux couleurs de peau cuivrée ! – attendre que ma triste figure se replace en tous ses morceaux, puis ouvrir le tiroir de la Table de pommier, allumer l'ordinateur, et qui sait ! – le temps est peut-être conjugable après tout ! – en même temps passé, présent et avenir ! –

SEMENCE

je l'entends : véloce, le train passe sur la voie ferrée – coup de vent, amplifié par celui qui vient de la mer océane – ça arrive jusqu'à moi, ça a odeurs de terre noire, de sillons fraîchement labourés, hersés et engrainés – demain, je mettrai en terre les plants de citrouilles, de courges et de melons – demain, je ne serai plus cet homme vieillissant à la triste figure tuméfiée, je serai débougriné comme en ce temps-là de l'enfance, quand je volais à ma mère ses graines de carottes, de petits pois et de haricots pour les enterrer à flanc d'écores, là où je cultivais mon jardin secret – mes citrouilles seraient les plus grosses de tout l'arrière-pays : dès qu'elles feraient de petits poings dans le paysage, je les abreuverais au lait riche de vache et ça deviendrait comme dans les contes quand la graine jetée en terre se transforme de suite en un arbre géant et plein de fruits ! –

j'ai parfois un tel besoin de courir, comme quand j'étais garçon, que je me prenais pour alexis le trotteur et faisais l'homme-cheval de bord et d'autre du rang rallonge – des milles et des milles sans essoufflement, ni mal aux jarrets ! – puissance des mollets, puissance des cuisses, puissance des poumons ! – le bon temps, le beau temps, le printemps ! – si loin désormais en mon moi-même, ombrages fugaces dans la matière grise : ce casque d'aviateur, cette veste de cuir d'aviateur, ces longues bottes fourrées de laine moutonneuse d'aviateur ! – la liberté ! – une seule fois la liberté vraie, et pourtant n'en garder à peine qu'une fantômatique remembrance ! –

du nerf, esti ! – ma triste figure me fait mal, mais ce n'est pas une raison pour que je fasse le chien de faïence devant le gros poêle à bois – au loin l'inertie ! – au loin la pipée d'opium ! – au loin le décousu de la rêvasserie ! – reprendre palace derrière la Table de pommier, ouvrir le tiroir, allumer l'ordinateur, cliquer sur la boîte de réception *:* lire un courriel de calixthe béyala, ça serait comme de marcher pieds nus au petit matin dans la rosée ! –

– J'ai frappé à la porte. Pas de réponse. Je reste ou tu préfères que je revienne plus tard ?

je fais faire demi-tour au fauteuil roulant afin de me trouver face à la musique – soupir de soulagement : un moment, j'ai eu peur de voir rhino dans l'embrasure de la porte et braquant un pistolet par-devers moi ! – je regarde le notaire salomon ben levy, je regarde les deux valises qu'il porte à bout de bras et je ne trouve rien à dire –

– T'as le visage comme une forçure, Salomon Ben Levy dit. T'as couru après le trouble ou c'est le trouble qui t'a sauté dessus ?

– Ça serait une trop longue histoire courte à raconter. Tire-toi plutôt une bûche et profite du fait que les particules s'accélèrent en mon moi-même. Comme ça ne risque pas de durer, fais vite.

il s'assoit sur la chaise capitaine, tourne lentement la tête, regarde murs, plafonds, plancher, comme s'il était un appareil photographique ou une caméra faisant travelling à cent quatre-vingt degrés –

– Ç'a m'a l'air tout pareil comme avant, mais on dirait quand même que tout est changé ici-dedans. Tu n'as plus tes chiens ?

– Sont quelque part dans les sous-bois derrière la meson. Ils font bouderie.

– Pourquoi faire ?

– Aucune importance pour l'affaire qui te concerne. Pourquoi es-tu ici-dedans ?

– Je t'ai téléphoné trois fois pour que tu viennes me voir dans le Grand Morial. C'était là un des souhaits d'Arnold Cauchon : que tu voies de tes yeux vus les possessions qu'il t'a léguées.

– Je t'ai dit que je n'avais aucune intention de me rendre dans le Grand Morial.

– Ouais. Tes saprées bêtes à soigner. Me semblait que t'avais trouvé une jeune femme pour s'en occuper.

– Elle aurait profité du fait que je m'absente pour s'emparer à demeure de mon espace-temps et le courber à ce point que je serais devenu un étranger dans ma meson : déjeté de moi, de mes animals, de mes champs, de mes odeurs, senteurs et saveurs !

– T'es misogyne pas ordinaire !

– Non. Je suis simplement contre la pensée reptilienne, et les femmes que je connais en ont la matière grise toute pleine.

– Oui, misogyne, et pire que tous les juifs que je connais.

– Ne m'en parle pas à moi, mais à ton Yahvé qui en a fait la pierre d'assise de sa religion sans femmes. De simples fabriques de guerriers, comme le disait le cynique empereur Napoléon.

– Je me permettrai toutefois d'ajouter...

– Non, n'ajoute rien là-dessus. Ça me passerait par une oreille et ça me sortirait aussitôt par l'autre. Dis-moi plutôt pourquoi tu me rends visite bien que je t'ai demandé de n'en rien faire.

– Je suis notaire et exécuteur testamentaire d'Arnold Cauchon.

– Je t'ai déjà dit que je ne voulais rien de lui.

– Je me conforme à la loi. Une fois que tu sauras de quoi il s'agit vraiment, tu te gouverneras comme tu veux. Ça sera ton problème, pas le mien.

il ouvre la première valise, en sort cet écran mince comme une feuille de papier, l'installe sur la Table de pommier et empile à côté une dizaine de dvd.

– On commence, dit-il, en mettant un premier dvd dans le vagin sous l'écran.

défilent les premières images me donnant à voir la grande meson qu'habitait arnold cauchon rue saint denis : le rez-de-chaussée, une longue série d'appartements séparés par des couloirs – arnold cauchon habitait le premier, parmi des meubles de l'époque louis le quatorzième, pleins de lourdes enjolivures, têtes d'angelots, aigles sculptés sous les appuis-bras, hauts pieds ressemblant à de fines jambes d'homme montées sur de hauts talons – de l'argenterie partout, des vases partout, peut-être même celui de soissons s'y trouve-t-il – et ces larges boiseries, dorées comme dans le château de versailles, et ces toiles des grands maîtres dans cette galerie faite en forme d'entonnoir pour que le van gogh accroché au fond force le regard à s'y faire prisonnier – une manière de pierre de rosette a été mise sous la toile, et je veux lire ce qui a été gravé dans le marbre –

– Rien de plus simple, Salomon Ben Levy dit. Je clique sur zoom in et tout devient possible.

l'inscription sur la pierre de rosette, c'est de l'antonin artaud : le regard de van gogh est pendu, vissé, il est vitré derrière ses paupières rares, ses sourcils maigres et sans repli – c'est un regard qui enfonce droit, il transperce dans cette figure taillée à la serpe comme un arbre bien équarri – mais van gogh a saisi le moment où la prunelle va verser dans le vide, où ce regard, parti contre nous comme la bombe d'un météore, prend la couleur atone du vide et de l'inerte qui le remplit – mieux qu'aucun psychiatre au monde, c'est ainsi que le grand van gogh a situé sa maladie : je perce, je reprends, j'inspecte, j'accroche, je descelle, ma vie morte ne recèle rien, et le néant au surplus n'a jamais fait de mal à personne : ce qui me force à revenir au dedans, c'est cette absence désolante qui passe et me submerge par moments, mais j'y vois clair, très clair, même le néant je sais ce que c'est, et je pourrai dire ce qu'il y a dedans ! –

– Je n'y comprends rien, Salomon Ben Levy dit. Qu'est-ce que ces mots-là peuvent bien signifier ?

– Jaune. L'importance du jaune comme couleur et saveur.

– Me semble pas avoir lu ce mot-là nulle part sur la pierre.

– Pourquoi y serait-il ? C'est sur les toiles de Van Gogh qu'il faut chercher et comprendre.

– En attendant, je fais quoi ? On continue ?

je ne réponds pas, laissant les images défiler sur l'écran : cette grande pièce, avec plein de vitrines dedans – des dizaines de costumes de hussard, mantes bleues, ganses et boutons dorés, comme il aimait à les porter, arnold cauchon ! – pour quel besoin intérieur ? – pour masquer quel corps sous le corps ? – visage fardé, tour de l'œil grimé, rouge vif les lèvres ! –

– Plus vite, je dis. Plus vite.

ce vaste salon double ceinturé de bibliothèques : papyrus, manuscrits en forme de tablettes, incunables, livres rares, livres épuisés, livres dédicacés, œuvres complètes tirées à cinquante et cent exemplaires ! – la bibliothèque d'alexandrie ou celle du vatican, babelique, biblique – et au beau mitan d'elle, deux presses d'imprimerie, celle sur laquelle gutenberg aurait imprimé un premier opuscule, celle qu'aurait inventée didot pour y expérimenter le papier vélin, fait à partir de peau de veau et de mouton ! –

tout au fond de la meson, ce dernier appartement servant de librairie postale à arnold cauchon : des livres de femmes et d'hommes nus, des gravures, des dessins, des lithographies, gentiment ou férocement érotiques comme les œuvres du marquis de sade aux dos en cuir repoussé noir : elles étaient déjà là la première et seule fois que j'ai mis les pieds chez arnold cauchon ! –

– Tous ces meubles, ces toiles, ces livres et ces objets d'art, ça représente une véritable fortune, Salomon Ben Levy dit. Ce n'est pourtant que la pointe de l'iceberg.

– Je n'ai pas besoin d'en voir davantage.

– Faut que je te montre tout.

– Pas la peine, que je viens de te dire.

– Je ne décide rien et toi non plus. Aussi contentons-nous de faire simplement ce qui doit l'être. Voyons les biens immeubles maintenant.

me montre les images de ce pâté de mesons en plein cœur du quartier saint denis – me montre cette tour d'habitation sur l'île des sœurs et cette autre en bordure de la rivière des prairies et cette autre encore dans la pointe aux trembles, bâties jadis par le frère d'arnold cauchon, le gros pharmacien pégreux qui était l'amant de la mère de judith ! –

– Quoi d'autre encore ? je dis, en espérant que Salomon Ben Levy n'ait plus rien à m'annoncer.

– Une villa à Sainte Marguerite des Laurentides et une autre en Charlevoix. Un petit palais à Paris et un autre en Californie. Une chaîne d'hôtels au Mexique et au Brésil.

– Tout ça payé grâce au trafic des stupéfiants et, sans doute aussi, avec plein de meurtres crapuleux.

– Dans mon métier, ce n'est pas notre affaire de questionner l'enrichissement. Et puisqu'on en est là, aussi bien en terminer avec le portefeuille tel qu'il était constitué à la mort d'Arnold.

– J'en ai déjà trop entendu.

– Il faut pourtant prendre les choses pour ce qu'elles sont. Personne ne peut rien y changer désormais. La spéculation boursière relève du grand art et les Cauchon ont été de formidables artistes.

– Sur le dos du pauvre monde !

– Ce pauvre monde dont tu parles, à quoi servirait-il sinon ? Partout sur Terre, il est maintenant trop nombreux pour qu'il puisse être utile à quoi que ce soit d'autre. Le peu de biens qu'il possède malgré tout, on est forcé de le lui enlever parce qu'il ne sait que le gaspiller. Ça serait sans profit pour l'humanité de le lui laisser. Si toutes nos Cités-États sont des échecs, la faute en revient à cette démographie qu'on a laissé s'emballer : du temps de ce qu'on a appelé les premières grandes civilisations, l'humanité comptait peut-être deux millions d'individus. Au XVIIe siècle, on en recensait plus d'un demi-milliard et bientôt, la population mondiale dépassera les neuf milliards. Tu crois que c'est là quelque chose de normal ?

– Pour le seul peuple élu de Dieu, j'imagine que la réponse est non. Pourquoi, ça je n'en sais rien.

– C'est pourtant fort simple : depuis son origine, l'homme est un prédateur. Tant et aussi longtemps que la sélection naturelle a joué, il ne pouvait pas se multiplier au point de dominer la nature : il devait faire avec. Il ne prélevait donc parmi la faune et la flore que ce dont il avait besoin pour sa survie. La chose lui a si bien réussi qu'il a connu un boom démographique qui a changé toutes les données de l'histoire : pour que la race ne s'éteigne pas, l'homme a inventé la culture.

– L'art de cultiver la terre, de construire des Cités-États, d'inventer des lois et des règles de vie pour que l'humanité ne sombre pas dans le chaos. Mais ça n'a toujours été qu'une apparence : qui dit Cité-État dit accès à la propriété, et qui dit accès à la propriété dit nécessité de la guerre qui, elle seule, rend possible l'enrichissement. Et l'enrichissement détermine la culture, en dessine l'évolution. Communiquer a d'abord été quelque chose de physique : construction des voies de communication, non pour se rendre à l'étranger par besoin culturel, mais parce que la Cité-État, avec ses alentours déboisés et mal cultivés, ne pouvait plus répondre aux besoins de sa population. Il lui fallait donc en déposséder les autres. Ce fut pendant des siècles la seule préoccupation des Cités-États qui ne pouvaient donc pas se rendre compte que l'explosion démographique qu'elles encourageaient ne pourrait que dresser l'humanité contre l'humanité, et en faire deux classes inconciliables : de petits ensembles ayant accès à toutes les richesses, donc à la culture, et tout le reste des hommes considéré comme esclave et bétail. Est-ce que les choses auraient pu se passer autrement ?

– Pourquoi pas ?

– Impossible. Notre cerveau est le même que celui que nous avions il y a cinquante mille ans, il n'a été l'objet d'aucune modification morphologique d'importance. C'est toujours la prédation qui le détermine malgré toutes les avancées de la culture et de la technologie que cette culture-là a fait venir.

– Ainsi s'expliquerait l'autodestruction de l'humanité par le saccage de la nature dont l'homme fait pourtant partie ?

– Peut-être est-ce là le fond du problème : l'homme est-il vraiment naturel ? L'a-t-il déjà été ? Ne serait-ce pas là une idée reçue qui n'a rien à voir avec le réel ? Le réel suppose un équilibre des choses qui permet l'harmonie. C'est la base même de toute musique. Dans nos sociétés, l'équilibre est rompu, l'harmonie y est impossible et la musique n'est plus que cette bruyanteur autodestructive.

– Ce n'est pas très encourageant pour l'avenir. De l'humanité, je veux dire.

– L'avenir, ce n'est rien d'autre que notre fin. La prédation n'est pas une évolution, mais la dissolution ultime dans la décimation ultime.

– Trop inquiétant pour moi. Vaut mieux que j'en revienne à mon simple métier de notaire et au testament d'Arnold Cauchon. Que comptes-tu faire avec ce qu'il te lègue ?

– Tu mets tout en vente.

– Je suggère que tu y réfléchisses.

– Je n'ai plus le temps de réfléchir. Dans un collisionneur de particules, on ne réfléchit pas.

– De quoi tu parles ?

– Aucune importance. Fais-moi voir le document que t'as dû préparer pour devenir mon chargé d'affaires.

– Pourquoi penses-tu que j'en ai préparé un ?

– T'es juif et notaire. Ça va donc de soi.

il me tend quelques grandes feuilles de notaire, comme celles sur lesquelles j'ai toujours écrit, je lis rapidement les phrases qui s'y trouvent, puis je signe –

– Maintenant que c'est fait, tu remets ça dans la valise et tu vas porter ça au salon.

– Un salon, ce n'est pas très sécuritaire. Un coffret bancaire serait préférable.

– Fais juste ce que je te demande.

il referme la valise et s'en va vers le salon – quand il en revient, il tient à la main un petit colis qu'il met sur la Table de pommier :

– Toutes mes excuses. J'ai failli oublier ceci.

– Pourquoi c'est emballé ?

– Arnold ne faisait pas les choses à moitié. J'imagine que ça avait beaucoup d'importance pour lui. Je sais qu'il l'a emballé, désemballé et ré-emballé plusieurs fois. C'est en chagrin, je crois.

– Une peau de chagrin, tu veux dire.

– Oui, une peau, mais qui est tout de même en chagrin.

je fais semblant de ne pas comprendre l'allusion :

– Bon retour dans le Grand Morial, je dis.

– Avant que je m'en aille, je peux te demander quelque chose ?

– J'aimerais mieux pas.

– Je voudrais que tu viennes avec moi au cimetière. Pour Arnold.

– Pas la moindre envie.

– Comme tu veux.

je lui tourne le dos, prends place devant le gros poêle à bois, bourre la pipe d'opium, allume et tire sur le tuyau – au travers des flammes qui jaillissent de la cuvette, je vois ces milliers de bisons tombés de la falaise américaine, jambes cassées, cous cassés, dos cassés, qui hurlent les douleurs de la décimation, tandis qu'alignés comme le sont les pelotons d'exécution, des dizaines de cow-boys hilares leur tirent dessus à répétition ! – les estis, si fiers de leur perversité ! – feront des montagnes avec les squelettes des bisons et juchés dessus, se feront prendre en photos ! –

je ne cesse pas d'éternuer : cette puante odeur de lotion que salomon ben levy a laissée derrière lui ! – me rappelle trop celles, trafiquées par les croque-morts d'arnold cauchon quand je veillais au corps ! – insupportable malgré l'opium que je fume ! – me redresse, prends les clés de ma voiture, me rends sur la galerie, agite violemment le trousseau, et siffle – je sais que les chiens sont quelque part derrière la meson, toujours en train de bouder à cause de l'absence de rhino – mais ils aiment trop monter avec moi en voiture et faire voyagerie dans l'arrière-pays pour résister à mes appels – j'insiste donc, faisant se heurter les clés les unes contre les autres, et criant à la cantonade parce que je n'arrive plus à siffler, mes lèvres trop sèches ! –

les estis ! – font exprès de m'endêver, restent là où ils sont, sans doute dans ce trou qu'ils ont creusé sous la racine d'une grosse épinette noire – tant pis pour eux ! – je m'en irai tout fin seul avec mon moi-même parce que j'ai trop besoin de ce qu'il y a de singulier dans le fond de l'air quand on se trouve sur les hauteurs de l'arrière-pays, là où l'on voit l'encolure du saguenay, pareille à une vulve s'offrant toute grande et bleutée ! – et cette idée qui me vient, à défaut d'emmener avec moi mes chiens, d'ouvrir le tiroir de la Table de pommier, d'y prendre le portable avant de sortir de la meson ! – esti que ça fait grand bien ! –

TRAVERSE

j'aime mon pays, j'y suis né, je viens de lui, il m'a façonné à sa manière, à son modèle, je serais peut-être devenu un grand sapin, une épinette branchue, un long bouleau jaune si j'avais eu le temps de laisser mes pieds prendre racines dans la terre noire, vaseuse, riche de toutes sortes de nutriments – mais le hasard, quelques molécules en moins ou quelques molécules en trop s'amalgamant ou se disloquant, ont fait d'une matière prévisible un tout autre amas, me privant de la simple beauté d'être un arbre paisible, pacifique et de longue patience : en lieu et place de cette liberté, un cerveau mal formé, fait pour entrer en collision avec les autres, ses pareils et ses dissemblables, hostile, obsédé par la guerre et la destruction – un hasard de l'évolution, peut-être seulement un manque de protéines qui, plutôt que la vie, a mis la mort au beau mitan du vouloir – ni raison ni déraison, la matière ne pense ni ne se pense, à moins qu'on prenne pour de la pensée ce qui explose en permanence, ce qui implose en permanence ! – cette vanité de croire qu'on puisse en contrôler le mouvement et faire sien l'espace-temps comme si on était essentiel à sa durée ! – deux ou trois molécules en moins, et que devient cette matière infinitésimale qu'on appelle le corps ? –

je ne fais pas attention aux mots qui me traversent comme ils traversent le paysage, tandis que j'arrive sur les hauteurs de l'arrière-pays – chaque fois que j'y viens, une renaissance ! – je n'ai qu'à m'arrêter au bord d'un ruisseau cascadeur, je n'ai qu'à écouter le bruit frappant les pierres, je n'ai qu'à trouver une grosse roche plate où je puisse m'asseoir, qu'à me joindre en mes mains et mes pieds nus, qu'à regarder les oiseaux fendre l'air et, parfois, un chevreuil assoiffé mettre son mufle dans l'eau puis, étonné par ma présence, déguerpir en bondissant, et le monde, en apparence si lent, n'est plus qu'accélération – si vivifiant ! – ça me remplit le corps d'adrénaline au point que j'arrive même à dresser mon bras gauche mutilé au-dessus de ma tête et à agiter la main vers le soleil comme si j'étais libéré de toute infirmité, de toute possibilité de souffrance, d'angoisse, d'inquiétude, de peur et de mort ! – tout me paraît possible, puisque la nature n'est pas encore à bout de force, qu'elle résiste jusque dans ses particules élémentaires, et fait mieux encore : proliférante dans cette prolifération qui est toujours commencement, jamais finitude ! – même si venait à mourir l'idée de l'homme, la nature ne subira jamais la décimation totale, car elle est l'esprit même du cosmos et ce plaisir profond qu'il prend à l'être ! – le nietzsche l'a écrit dans cet ainsi-là : me voici suspendu à une branche torse, balançant ma solitude ! – d'un oiseau, je suis l'hôte invité, c'est un nid et j'y repose ! – où suis-je donc en réalité ? – ah loin, si loin ! – la blanche mer s'étend endormie, et le pourpre d'une voile se dresse ! – une roche, un pommier, la tour et le port, idylle alentour, des brebis qui bêlent ! – innocence du midi, accueille-moi ! – déjà je sens courage et sang et sève, vers une vie nouvelle, un jeu tout neuf ! –

je n'ai pas pour rien pris le portable avec moi : si haut dans l'arrière-pays, la lumière est d'une telle pureté et les ombres d'une telle harmonieuse saveur que ça ne pourra pas être différent si j'ouvre le portable et clique sur l'onglet boîte de réception – j'y trouverai ce mot de calixthe béyala, son moi-même peu jasant, presque toutes ses courtes phrases portant sur werewere et les poèmes qu'il collige sur l'afrique noire – à lire les premiers, je devine de suite que c'est à sa mère, à sa sœur, à sa compagne, qu'il rend hommage, puisque que calixthe béyala est pour lui non seulement l'afrique, mais son au-delà, mais son assomption :

On aurait souhaité
Qu'elles tremblent qu'elles frémissent
Qu'elles tremblent qu'elles frémissent
On aurait souhaité
Qu'elles tremblent qu'elles jaunissent
Qu'elles tremblent qu'elles jaunissent
Les feuilles d'un arbre
A-t-on peur qu'elles verdissent ?
A-t-on peur qu'elles parlent ?
On secoue toutes les calebasses
On tend tous les filets
Tous les arcs
Toutes les cordes
De quoi a-t-on peur ici ?
Qui parle ici ?
Qui noircit par nature ?
Pourquoi tant de bruit ?
Y a-t-il le feu dans la meson ?
D'où vient cette fumée
Fabriquée de toutes poudres ?

D'où vient cette angoisse
Qui saisit tous les ancêtres à la gorge ?
La tradition est-elle en péril ?
À quoi joue-t-on ici ?
Quel masque porte-t-on dans ce labyrinthe ?
Mais l'arbre est toujours là
Planté devant la meson
Ses feuilles murmurent et verdissent
La tranquillité
L'équilibre
La non-tradition
Le non-troupeau
La femme !

ce poème devrait me regaillardir, sinon m'apaiser, mais tandis que je le lisais, la Table de pommier s'est mise à faire des siennes pour que l'esprit frappeur monte de la mer océane jusqu'à moi assis sur la grosse roche plate, face à l'encolure béante du saguenay – pourquoi ce réveil de l'esprit frappeur ? – pourquoi cette accélération dans son rythme, ce martèlement de plus en plus intense ? – est-ce relié au poème, à calixthe béyala qui préserve l'arbre de vie qu'elle est, ce bananier géant dressé au-dessus de toutes choses parce que devenu femme triomphante ? – respirer profond ! – mais le fond de l'air, si savoureux tantôt, est comme plein de petites aiguilles, cendreux c'est, pareil à ce qu'il reste d'un tas de fardoches une fois que le feu lui a passé dessus ! – respirer plus profond encore ! – ce mal dans mes poumons, les pieds de la Table de pommier y sont devenus multiples et frappent sans arrêt au cœur des alvéoles ! – vite ! – éteindre le portable, monter dans ma voiture, prendre la route ! – ma meson, mes bâtiments, mes animals : est-ce de là, comme le dit le poème, que me vient cette angoisse qui a saisi tous mes ancêtres à la gorge ? – plus vite, estie de machine ! – plus vite, esti ! –

IRRÉALITÉ

ce désastre qui m'attend quand, l'arrière-pays traversé, j'arrive devant chez moi : l'étable est en train de brûler, un gros camion-citerne obstrue l'allée bordée d'érables, les pompiers arrosent la couverture qui risque de s'effondrer – des œils-de-bœuf du fenil sortent des flammes qui font étincelles partout ! – je cours vers l'enclos, saute par-dessus la clôture, tombe au milieu de mes animals serrés les uns contre les autres dans le boxon de fortune qu'on a érigé près de la route – ils sont tous là, à peine roussis quelques poils, quelques bouts de crin, quelques plaques de laine, quelques bouts de cornes ! – je serre les animals contre moi, je les embrasse, je les liche, je les dodiche, je leur impose mes mains pour que restent inoffensives les odeurs de fumée et les saveurs dénaturantes des flammes ! – mes chiens jappent furieusement en tournant autour de la voiture de police garée dans l'entrée – je demande à mon voisin qui arrive de rester avec mes animals et m'en vais vers l'auto-patrouille : assis sur la banquette arrière, diff, mioute et rhino regardent droit devant eux, leurs poignets menottés ! –

– Ce beau monde-là cultivait de la mari dans un boisé de Saint Guy, me dit le policier qui monte la garde près de l'auto-patrouille. Quand on s'est amenés chez eux pour les prendre avec leurs mains dans le sac, ils se sont évacués par un chemin de traverse. On les a rattrapés ici, en train de mettre le feu à votre étable. Apparence que c'est pour se venger par-devers vous.

– Se venger ?

– Ouais. La petite pègre, faut jamais frayer avec.

les chiens se sont calmés et, tête basse, queue entre les jambes, ne font plus que se frotter sur moi : veulent me dire que les odeurs de rhino les ont trompés, qu'ils le savent et le regrettent – je leur tapote la tête pour qu'ils comprennent que je ne leur en veux pas, puis alerté par les coups frappés sur la vitre de la portière arrière de l'auto-patrouille, je me tourne vers elle : c'est rhino qui, ne pouvant se servir de ses mains, heurte de son front la vitre, violemment – de la racine de ses cheveux jaillit un filet de sang : la vitre en sera bientôt toute maculée si les coups ne cessent pas –

– La jeune femme veut vous parler, je crois bien, le policier dit.

– Je ne veux rien savoir d'elle ! Je ne veux rien savoir de ses frères non plus ! Sortez-les d'ici, ça presse en esti !

le policier monte dans l'auto-patrouille – tant et aussi longtemps que ça ne partira pas, je vais regarder la tête hystérique de rhino frapper la vitre et la souiller, assommoir, abattoir, odeur de boucherie, mutilation, cette folie dont le monde est plein, cette déraison en forme de retournement ! – le sens n'est plus que du sang mal versé et ça n'a plus rien à voir avec les choses extérieures : c'est en soi-même que ça pourrit, c'est en soi-même que se désœuvre la vie, c'est en soi-même que l'hémorragie se fait suicidaire ! –

l'auto-patrouille en allée, je reste là au milieu de l'entrée, à regarder l'étable qui ne sera bientôt plus que de fumants décombres, puis mes chiens se remettant à japper, mais sans fureur, avec une tristesse infinie – me revient cette angoisse qui, sur les hauteurs de l'arrière-pays, a saisi tous mes ancêtres à la gorge – à voir les chiens, leur tête passée entre les barreaux de la galerie, et se plaignant si profond, je comprends que le feu mis à l'étable n'est qu'un élément du désastre qui m'attend dès que j'aurai passé le seuil de la meson – je voudrais retarder le moment de m'y trouver, je voudrais aller vers mes animals et m'asseoir parmi eux afin de me conforter avant de faire face à l'irréalité, mais les chiens sont au bout de leur voix : n'en sortent plus que vermine, vers, vermisseaux, vermée, verrues et vert-de-gris ! –

catastrophique ça se présente dès que je franchis le chambranle de la porte ! – tout sans dessus ni dessous ! – la Table de pommier virée à l'envers, ses pieds coupés n'importe comment, l'un presque à ras de table, l'autre à hauteur de jarret ! – et ces bouts de pieds-là qui flambent dans le gros poêle à bois, la porte de la cuvette ouverte, les étincelles embrasant la bavette ! – trop tard pour sauver les pieds de la Table de pommier, ça ressemble déjà à des os cendreux ! – et le colis emballé sous peau de chagrin, qu'arnold cauchon a demandé au notaire salomon ben levy de m'apporter, le voilà tout écrabouillé et pire qu'écrabouillé : démis de sa reliure, en pièces détachées, un amas de feuilles, déchirées, tombées à l'aveugle dans l'évier sur le comptoir et le plancher, ou agrippées aux clous qui servaient jadis à accrocher tableaux, portraits d'ancêtres, mots, courts ou longs, des écrivains que j'aimais, tels le michaux, le jarry, l'éluard ou le rabelais – un viol ! – les femmes savent mieux s'y prendre que les hommes, elles ont subi tant de cruautés, tant de mutilations, tant de tortures, tant de défaites humiliantes, que l'idée de vengeance, longtemps refoulée en leur corps, ne peut être que déraisonnable ! – ramasser les morceaux de papier, les uns après les autres, les empiler sur le comptoir, mon esprit trop altéré pour que je pense à faire de l'ordre dans le chaos et le bran de scie, là où les pieds de la Table de pommier ont été malproprement coupés, comme des gouttes de sang s'immisçant dans les craques du plancher ! – je remets la Table de pommier sur ce qu'il lui reste de pieds, tout bancal c'est, tout blessuré c'est ! – esti ! – redresser mon fauteuil roulant qu'on a jeté par terre, m'asseoir dedans, puis nouer les mains et les poser à plat sur la Table comme si je ne savais pas déjà que l'esprit frappeur ne se manifestera plus jamais ! – j'aurais beau mettre des cales sous les pattes, ça ne serait pas mieux que la prothèse, le corset et l'attelage que je porte : ça ne rendrait pas à la Table de pommier la vie dont c'était plein avant ! – bien que ça aille de bâbord à tribord et inversement quand le vice s'y met, je m'allonge sur la Table de pommier, j'enserre ses bords de mes mains, je fais bouger mes hanches, je voudrais éjaculer ! – ça ne viendra pas, la Table de pommier basculant à bâbord, puis à tribord – et chaque fois qu'un pied mutilé frappe le plancher, c'est un cri agonique qui se fait entendre, dont je ressens tout le désespoir dans mon corps ! – je voudrais vomir, mais je suis fait comme ma mère, je suis incapable de restituer ce que j'ai avalé, je suis incapable de restituer de ce qui m'a avalé ! –

DEDANSDEHORS

écervelé ! – dévertébré ! – assis dans le fauteuil roulant, sans que ne me vienne la moindre pensée – réduit à n'être que ce golem qui, mécaniquement, rapaille de ses mains bouseuses les amas de papier défigurant la meson

– tandis que dehors, dans le boxon aménagé loin de l'étable, bêlent les moutons et les chèvres, hennissent les petits chevals, cancanent les oies, s'égosille le coq ! – c'est après moi qu'ils chialent et mes chiens le savent, de leurs griffes labourant la porte pour que je sorte de mon hébétude – me ressaisir grâce à l'opium, mettre à ma ceinture la lampe de poche, prendre ma canne, puis sortir avec les chiens – cette nuit épaisse comme une écoulée d'huile usée, ces milliards d'étoiles terrées dans la noirceur, les deux faces de la lune invisibles – j'ouvre la portière de la voiture, y prends le portable que j'avais laissé sur la banquette, j'allume ensuite la lampe de poche, me dirige vers le boxon, me mets au milieu de mes animals, leur dis que si le feu a détruit l'étable, sont restés tels qu'ils étaient l'étang et le pacage aux confins de l'allée qui y mène : il y a toujours de l'eau et de longues herbes, et c'est là-dedans que nous passerons ensemble la nuit – même si je sais bien qu'ils ne peuvent pas comprendre ce que je leur dis, je leur parle tout de même de rhino, de cette irréalité qui l'habitait, qui s'est condensée en cette fureur autodestructive comme quand explose et implose en même temps le chaos : les particules sont projetées sous forme de hasard, et le hasard n'est même pas une idée, ni bonté ni malveillance : des tas de molécules anarchiques qui vont simplement au bout de leur lancée, sans intention, sans attention ! –

vers l'étang et le pacage, je vais en repoussant la ténèbre du feu de la lampe de poche ; les chiens courent devant, mes animals suivent derrière – plus on s'éloigne de l'étable incendiée, et plus le fond de l'air se charge des odeurs d'habitude : les oies plongent hardiment dans l'étang, moutons, chèvres et chevals se mettent aussitôt à brouter, tout près, dans mes alentours – moi, je me suis assis sur la grosse souche, je fume encore un peu d'opium, les chiens couchés à mes pieds – paisible la nuit, ombres calmes, le portable sur les genoux – je ne vais pas résister longtemps à l'envie de l'ouvrir, à l'envie de cliquer sur l'onglet boîte de réception – les mots apparaissent sur l'écran, à peine plus gros que des quartz, et dansent devant mes yeux – calixthe béyala ! – bien qu'elle ne me parle que de ce qui arrive au gabon, je devine le chagrin qu'elle a et l'angoisse qui l'habite : depuis la mort du roi-nègre omar bongo, qui a terrorisé son peuple pendant vingt ans, au profit de l'occident, au profit de la chine, on voudrait bien que bongo fils lui succède pour que les grandes puissances puissent continuer à se nourrir de la sustantifique mouelle du pays – des élections truquées, des rébellions noyées dans le sang ! – symbole du nouveau régime : ce défilé de mode, fait au nom de la nouvelle démocratie, une douzaine de mannequins français, antillais et sénégalais qui vont gratuitement exhiber à libreville ce que la mode mondialisée offre à celles et à ceux qui se sont enrichis du travail mal payé des ouvriers du gabon et d'ailleurs ! – but de l'outrage : la restauration du pays qui a autant de chance de se réaliser que la liberté promise aux gabonais ! – ça s'appelle se déculpabiliser à bon compte, comme s'il suffisait que des mannequins noirs défilent à l'occidentale sur une scène pour que les modistes gabonais aient aussitôt le pouvoir de vendre du levant au ponant les vêtements qu'ils créent ! –

je comprends la colère et le désarroi de calixthe béyala : tandis que le pouvoir gabonais se prostitue au profit des grandes puissances, la misère sociale et le peu de cas qu'on fait d'elle est une tragédie : pour que les orphelins qu'elle a adoptés aient juste de quoi manger, calixthe béyala a dû hypothéquer sa meson et sa librairie ! – je devine la fatigue dans les mots qu'elle écrit, la typographie sur l'écran change presque à toutes les lignes : des majuscules là où les minuscules seraient de mise, des points manquants ou en trop, comme quand on oublie d'enlever son doigt sur la touche, des commencements de phrases en italique, qui se perdent en chemin, des sauts de mouton en milieu de paragraphes, des bouts de lignes sans espacement entre les mots ! – ça a dû s'écrire au bord de l'épuisement quand s'engourdit la pensée parce que le corps, si magané, ne peut plus résister – tEendres, aFFFFFFection, *poooorte-toi BIEN*, caxxxlixxxthe... bYaYaYA la ! –

quoi répondre ? – message reçu ? – touché, ému, voudrais que les choses changent ? – tant d'urgence partout ? – mon étable incendiée, mes animals comme des orphelins eux aussi ? – mon ennuyance de calixthe, de werewere et des autres enfants ? – quoi répondre, esti ? – que tout ce que nous sommes encore comme individus est piégé, à moins de faire partie de cette prétendue élite qui a essaimé de l'occident partout sur terre, déguisée en ces entreprises multinationales qui saignent le monde comme on saigne les cochons, pour l'enrichissement de dix pour cent de la population et l'appauvrissement de tout le reste ? – et l'appauvrissement aussi des ressources, leur saccage, leur gaspillage ? – quoi répondre, esti ? – que l'humanité ne se reconnaît plus que dans l'idée d'autodestruction qui rend futile toute tentative de la raisonner ? – que bientôt nous serons onze milliards d'individus, que l'eau et le pain manqueront, que des contrées entières auront été transformées en déserts ou en lacs salins, qu'on verra des déplacements de populations comme l'humanité n'en a jamais connus, qui feront venir les rébellions, les guerres civiles et religieuses, les extinctions de masse, les maladies inguérissables ? – quoi répondre, esti ? – qu'il aurait fallu y penser dès que la première cité s'est écroulée, emportée par la seule idée qui lui avait donné naissance : son enrichissement, non pour bonifier le bien commun, mais pour l'empêcher de s'épanouir de l'intérieur, ce bonheur qui, jamais, ne peut être marchandise ? –

Femme !
Ô femme ! Cœur solitaire
Au milieu des images brisées,
Console
Console-toi :
L'endurance
Est la réponse à la vie.

ce court poème de sandra kanzié, écrit à ouagadougou, c'est tout ce que je trouve à envoyer à calixthe béyala – parce que je ne sais pas moi-même où j'en suis dans cet univers de décimation qui atteint désormais toute chose, s'il faudrait, s'il ne faudrait pas, et ce qu'il faudrait et ce qu'il ne faudrait pas, pour que la désespérance se fasse mutante et s'élève au-dessus de tout ce bruit qu'on exploite et amplifie juste pour que rien ne puisse plus être vraiment écoutable : ce sont les oreilles qu'on tue en premier, puis ce sont les yeux qu'on crève en les bombardant de tant d'images que tout devient aveuglement ! –

ces voix que j'entends, ces vrombissements de moteurs, ces bruits de marteaux, de scies à chaîne, de visseuses électriques ! – le matin déjà, qui secoue ses mains chaudes entre les nuages, ocrant de filets de lumière les cimes des épinettes noires ! – une autre nuit passée, dépassée, trépassée ! – et toujours vivant, incertain, équivoque, mais vivant ! –

les ouvriers sont déjà là, à refaire la grange-étable : on dirait une bande de témoins de jéhovah quand ils se font corvéables et bâtissent en quarante-huit heures un temple du royaume ! – le contremaître vient à ma rencontre, mais je l'interromps dès qu'il me demande des précisions par-devers le devis que je lui ai fourni :

– On verra ça tantôt, je dis. Là, faut qu'on aille à la meson.

le contremaître me suit en bougonnant – je lui montre la Table de pommier bancale, malgré les cales que j'ai mises sous les pattes, et lui demande s'il ne connaîtrait pas un ébéniste qui pourrait radouber sans que n'y paraisse les mutilations que rhino lui a infligées – le contremaître examine la Table, flaire le bois blessé, se redresse :

– C'est tout du pommier, il dit. Un bon cent ans d'âge. Pas évident de trouver du bois pareil. Repatter en neuf et patiner le grain comme il faut, ça serait davantage d'adon.

– Pas question. Je tiens à ce que la Table soit comme elle a toujours été.

– J'en parle à mes gars. J'en ai au moins deux ou trois qui ramassent pas mal de vieilleries. Des fois, c'est étonnant ce qu'on trouve chez eux.

– J'apprécierais que ça se fasse le plus rapidement possible.

– Le plus rapidement possible, c'est toujours plus cher.

– Trouvez l'ébéniste et le bois. Je m'arrangerai avec le reste.

il sort tandis qu'entrent les chiens – se sont baignés dans l'étang, se sont roulés dans les herbes, sentent bon le printemps – vont m'aider à nettoyer le pigras laissé derrière elle par rhino, mais ne toucheront pas aux feuilles éparses du livre qu'arnold cauchon tenait tant à me donner – je vais toutes les ramasser, les étaler sur la Table de pommier, mettre à mon côté un gros rouleau de ruban adhésif, puis entreprendre la reconstitution de l'ouvrage – un labyrinthe à se perdre plusieurs fois dans ses dédales ! – surtout que je vais mettre un certain temps à comprendre que j'ai deux choses à remodeler : cet ouvrage que je ne sais pas encore de quoi ça parle et le grand calepin dans lequel j'écrivais sur mon lit de l'hôpital pasteur, quand j'ai eu la polio – ce calepin que j'avais prêté à arnold cauchon et qu'il ne m'a jamais rendu ! – sous ce blanc de tête, quelques mots de l'écriture fionesque d'arnold cauchon, toute trembleuse, mon ami, toute tremblante, te souviens-tu de ce soir-là, quand nous marchions dans paris, si amical c'était, toi si joyeux, te souviens-tu de ce soir-là, tu revenais du pays natal de victor hugo et tu m'as dit être allé à ce théâtre dont l'acoustique t'a impressionné, une représentation de hernani, te souviens-tu de ce soir-là, ça m'est resté en mémoire, ton émotion : quand la souffrance me devient insupportable comme maintenant, ma main toute trembleuse, mon ami, toute tremblante, j'y repense, et il me semble que ça chante encore et que ça danse encore en moi, je n'ai qu'à regarder les images du théâtre de besaçon, et je suis certain, te souviens-tu de ce soir-là, que j'étais assis à côté de toi, à regarder hernani, à te susurrer que l'architecte de ce fabuleux théâtre était nicolas ledoux, visionnaire, si génialement utopiste, de ta race, mon ami, celle qui s'invente, celle qui invente comme c'est écrit en ce livre que je t'offre – te souviens-tu de ce soir-là, ma main jointe à la tienne, ma main toute trembleuse, toute tremblante, mon seul ami, mon seul amour – arnold ! –

incapable du moindre geste, mon corps traversé par trop de ces particules qui font et défont les planètes, les étoiles, les galaxies ! – toute une vie de solitude parce que ça m'aimait, moi qui n'avais pas besoin de l'être, moi qui ne voulais pas d'un tel besoin, moi qui aurais préféré me couper les nerfs et les muscles plutôt que d'être assujetti à un tel besoin : seule l'idée de liberté est un besoin réel, et c'est pourquoi on la repousse, la fuit ou la contraint à disparaître, violemment s'il le faut, en versant le sang, celui des autres d'abord, le sien ensuite ! –

estis de sentiments ! – se débarrasser d'eux autres en fumant une bonne pipe d'opium ! – quand la matière grise en sera toute imprégnée, les sentiments ne seront plus que de minuscules anguilles se glissagilant sur fond vaseux de basse mer – je me concentrerai seulement sur mes doigts, comme des faisceaux laser d'une extrême précision – ce seront eux et rien d'autre de mon corps qui remettront en ordre cet ouvrage sur nicolas ledoux, les pages déchirées rassemblées, leurs morceaux liés par le ruban adhésif – il en manquera plusieurs bouts jetés par rhino dans le gros poêle à bois, mais qu'importe si j'y trouve un seul moment épiphanique ! –

il disait : la mode est un rempart à la faveur duquel l'homme médiocre couvre sa nullité ! –

il disait : ce qui convient à un état monarchique ne convient pas à un état républicain : nos mœurs, nos usages, nos spectacles sont différents –

il disait : l'homme a une si puissante tendance à sa destruction qu'en se couvrant du masque commun qui trompe l'avenir, il sacrifierait la race présente, la race future, pour assouvir sa passion des conquêtes ! –

il disait : quand l'art s'éloigne de la nature, ce n'est plus au cœur qu'il s'adresse, il travaille pour l'esprit et l'on sait combien l'esprit tout seul s'égare ! –

il disait : l'opulence rend les hommes inhumains ! –

il disait : l'espérance est le songe de l'homme éveillé ! –

il disait : les femmes renouvellent le monde, le guerrier le détruit ! –

il disait : qu'est-ce que l'art ? – c'est la perfection du métier, l'homme ordinaire est un artiste ouvrier, l'homme distingué est un ouvrier devenu artiste, le génie en est le produit commun ! –

il disait : l'imagination est au-dessus de toutes les réalités – cette puissance consolatrice à qui nous devons tant de bienfaits est la divinité même, elle comprend l'espace immense, la voûte de son temple est celle des cieux – sa demeure ne peut être construite en matière périssable, aucun temps ne la précède, aucun temps ne peut la détruire – elle est co-éternelle avec sa toute puissance, c'est une nature intelligente dont la contemplation est toute lumière ! –

il disait : ce que j'aurai oublié de dire, on le retrouvera dans le développement du chaos qui couvre la matière, dans le feu, sur les murs, sur les surfaces délaissées, dans tous les mélanges qui contiennent l'origine de tout, et dans les ressorts inépuisables de l'imagination ! –

il disait : tout est cercle dans la nature – la pierre qui tombe à l'eau propage des cercles infinis – l'air, la mer se meuvent sur des cercles permanents – c'est là, oui, là où l'homme, rendu à son état primitif, retrouve l'égalité qu'il n'aurait jamais dû perdre ! –

il disait : d'où viennent les outrages faits à l'humanité ? – des architectes : leur négligence fait naître toutes sortes de désordres ! –

il disait : un philosophe moderne, un économiste paraît : le bonheur fuit, l'inquiétude commence, chacun s'agite – la lecture d'un nouveau système social occupe les esprits, les idées se croisent, se multiplient de conceptions différentes : ils prennent l'art de raisonner pour la raison elle-même ! –

il disait : tout est sujet aux changements, même dans les cieux – on y découvre de nouveaux astres, tandis que d'autres disparaissent : un jour, le soleil se dissoudra de lui-même : l'univers est mortel, comme l'homme qui l'habite ! –

il disait : quelle est cette momie entortillée de bandelettes bigarrées ? – c'est le crédit sur lequel repose la splendeur des nations – qu'il est décharné ! – il a l'air plus vieux que le temps ! – l'emprunt le sollicite : épuisé, fatigué du poids fallacieux qui le surcharge, il est violemment soulevé par l'exigence qui prend tout ce qu'elle ne peut obtenir ! –

il disait : pénétré d'effroi, j'entre dans une pièce ténébreuse – après avoir marché longtemps entre deux écueils, j'examine, que vois-je ? – c'est l'impôt ! – ses mains sont armées de pointes d'aiguilles – la terreur s'éveille, on donne le signal : l'embrasement commence – et la stupide adulation se prosterne devant la puissance qu'elle vient de créer ! –

il disait : un nouveau monde commence, le chaos se développe ! –

ASCENSION

esti que ça fait du bien de lire ainsi ! – comme si je lévitais en ce nouveau monde en train de commencer alors que se développe le chaos ! – omniprésent dans ces villes hyperindustrialisées, recouvertes de béton et, pour la première fois en l'histoire de l'humanité, coupées totalement de l'idée de nature sans laquelle le sacré devient une profanation spéculative, d'où chez les architectes l'obsession du cube au détriment du cercle – le cube convient parfaitement aux installations pénitentiaires de l'industrie : ça s'emboîte aisément l'un dans l'autre, ça s'agrandit au besoin, on peut même construire par-dessus ! – et l'explosion démographique n'a fait qu'empirer les choses : que sont toutes les formes de gratte-ciel, sinon le symbole de ces marchandises qu'on empile les unes par-dessus les autres au nom de l'efficacité ? –

ASSOMPTION

quel génie que celui de ledoux quand il lâchait lousse sa folie inventive ! – des pyramides inversables, des mesons ovoïdes, des bains publics circulaires, des jardins d'hiver réchauffés à l'énergie solaire, des terrasses fleurifleurantes, de larges ouvertures partout pour que soient omniprésentes les beautés de la nature ! – et ce chef-d'œuvre architectural que fut la saline royale de chaux, une cité doublement circulaire : dans le premier cercle, les bâtiments principaux reliés au deuxième cercle par autant de rayons faisant triangles, comme des pointes de tarte au bout desquelles se trouvent les mesons des travailleurs disposant chacune d'une vaste cour arrière pour qu'on puisse y cultiver potagers et jardins, entretenir un boisé, y élever des animals ! – de toute beauté ! – révolutionnaire ! –

il disait : suivez l'impulsion qui vous poursuit, parcourez le dédale de la forêt, parcourez ces larges routes qui se rétrécissent et se perdent dans le vide de l'immensité, ces sentiers où la lumière et l'ombre, dans leur lutte, ménagent la clarté propice à la pensée ! – vous qui foulez aux pieds les siècles où règnent les préjugés et les vices, vous qui fondez vos jouissances sur l'espoir d'un avenir heureux, c'est là que vous trouverez le bonheur mêlé de tendresse et de douceur ! –

LIBERTÉ

je me sens pareil à paul de tarse tombant de son cheval, foudroyé par la lumière sur le chemin de damas ! – me sens comme pythagore découvrant que les ondes peuvent être mesurées ! – me sens comme james joyce emporté par ses visions épiphaniques et les écrivant de son sang sur son corps ! – me sens délivré, transhumain et plein de vouloir ! – me sens ici dans ma meson et me sens aussi là-bas, si loin, en ce gabon déchiré par les rébellions, assis aux côtés de calixthe béyala, lui disant : ne désespère pas, ne désespère plus, les eaux de ma naissance vraie viennent de crever ! –

je laisse le fauteuil roulant, je prends le trousseau de clefs, je l'agite pour que mes chiens cessent de rêvasser sur le matelas devant le poêle à bois, je fonce drette vers la porte – comme si je ne prenais plus appui sur ma canne, comme si je n'avais plus ni prothèse ni corset ni attelage ! – vite, les chiens ! – montons dans la voiture, vite, vitement ! – faisons cette large trouée en la ténèbre, fendons le fond de l'air jusque sur les hauteurs de l'arrière-pays : c'est là que se tient nicolas ledoux, au-dessus de toutes les réalités, là où le chaos, disait le rimbaud, ne demande qu'à devenir aussi simple qu'une phrase musicale ! –

10

De la musique des supercordes

LUMINESCENCE

c'est l'action qui détermine l'espace-temps – car l'action peut le courber, comme l'arc zen quand on le bande pour que la flèche s'enfonce loin dans le fond de l'air : pas aussitôt pensé que c'est déjà arrivé là où ça doit se rendre – que la lumière soit blanche ou noire, elle ne peut pas en faire autant, assujettie à la loi générale qui, depuis l'origine du cosmos, en a mesuré la vitesse – et tout ce qui se mesure se fixe ! – s'immobile ! – s'endort ! –

je regarde la grange-étable qui a été si bien radoubée que la main incendiaire de rhino est devenue toute poussiéreuse entre les cloisons – seuls mes animals ont encore en mémoire l'odeur de la fumée venue du foin et de la paille embraisés ; mes moutonnes ont mis bas difficilement, un agneau sur deux venant au monde malformé ou trop maigrichon pour survivre – les chèvres ont donné des petits par lots de trois, de quatre ou de cinq, mais des pattes, des oreilles ou des yeux manquaient – la jument a tant brouté dans un carré de queue-de-renard que pour la sauver de l'empoisonnement, il a fallu la défaire du fœtus qu'elle portait – j'ai souvent dormi dans l'étable après y avoir passé presque toute la journée – trois, quatre ou cinq nuits d'affilée, sans changer de vêtements, sans me laver, sans manger ! – assis dans la berçante, fumant de l'opium et chantonnant doucement pour que vieillissent plus rapidement les odeurs neuves de l'étable – quand les animals mettront à nouveau bas, leurs petits viendront au monde parfaitement sains et de grande joyeuseté – plus de terreur, plus d'angoisse, plus d'affolement dans les molécules ! – juste l'esprit de nature en sa plénitude ! –

je regarde la Table de pommier dont les jambes ont été remplacées par le maître-ébéniste : je ne peux pas moi-même les différencier de celles qu'il y avait avant que rhino ne les coupe ! – j'y vois les mêmes nœuds aux mêmes endroits, les mêmes blessures cicatrisées, les mêmes coups de griffe faits par les chats ! – l'esprit frappeur a toutefois déserté la Table de pommier, il ne la fait plus danser la gigue simple ni le set carré ! – j'en suis chagrin : peut-être l'esprit frappeur aurait-il pu muter comme moi-même je l'ai fait, peut-être me serait-il ainsi devenu de bon conseil ! – j'ai fait tout ce que j'ai pu pour que ça arrive : j'ai convoqué le sourcier de mon pays natal, je suis allé chercher avec lui dans les bois des branches de noisetier sauvage, je les ai mises dans un gros chaudron de fer, j'ai versé dedans deux pleins seaux d'eau de pluie, puis j'ai mis le tout à bouillir sur le gros poêle à bois – décoction au goût âcre d'amande dont, neuf nuits de suite, j'ai badigeonné les nouvelles jambes de la Table de pommier ! – ça aurait dû forcer l'esprit frappeur à revenir, mais la magie du sourcier n'a pu renverser le nouveau désordre des choses –

ma découverte épiphanique de nicolas ledoux m'a laissé fiévreux de longues heures durant, et plus long encore ! – obsédé par son œuvre, mais n'arrivant pas à savoir pourquoi elle bouillonnait autant dans ma matière grise – comme quand j'ai lu pour la première fois les misérables de victor hugo, les reconnaissances de william gaddis, au-dessous du volcan de malcolm lowry, l'enfant-bouc de john barth, la mort de virgile d'herman broch, le festin nu de william burroughs : que trouvais-je de si précieux en moi chez eux ? – ne savais presque pas lire – simple sujet, simple verbe et simple complément d'objet direct, ça me prenait toute mon énergie pour seulement en imaginer le sens possible ! – j'ai fini par apprendre, mais j'avais alors beaucoup de temps devant moi ! – tandis que maintenant ! – une fois en sa soixantième année, on ne s'enseigne plus guère, ça se désapprend parce que le monde, jadis en vastitude, rapetisse désastreusement : le cerveau se ramollit, mais la matière grise se durcit – tout raccourcit, tout se réduit, tout s'amenuise ! – ça ne se vit plus, ça ne s'envie plus ! – ça se malcherche et ça ne se maltrouve même pas ! – au travers des œils ne passe que ce qu'il y a de commun dans les jours et dans les nuits, veille sans veillée, ensommeillement sans sommeil ! –

si beau pourtant c'est dehors, tant d'odeurs printanières, vaseuses et boueuses, en train de sécher, feuilles mortes, aiguilles mortes en devenir d'humus, bourgeons à éclore sous un soleil bleutant de part en part la mer océane ! – comment rester assis dans un fauteuil roulant et derrière une Table de pommier silencieuse, quand mon corps est aspiré par la lumière tombant du ciel en forme de dorantes gerbes de blé ! – une seule idée sous le cabochon dès que s'ameutent les beautés du jour, une seule idée, toujours la même : fuir mon fauteuil roulant, siffler les chiens, monter dans ma voiture, ouvrir les fenêtres pour que s'y déversent, salines, de grandes bolées d'air frais, puis prendre la route ! – et toujours vers la même destination, sur les hauteurs de l'arrière-pays natal – pourquoi là plutôt qu'ailleurs ? – rien d'autre que des terres abandonnées, des bâtiments croulés, écroulés, vétustes instruments aratoires au métal troué par la rouille, petits lacs à truites envahis par les algues bleues, nénuphars glauques, joncs emportés par le mal du charbon, nécrosé l'arrière-pays natal ! – et pourtant, la vie y abondait quand j'y suis né, des familles par dizaines, suant eau et sang pour que soient fécondés terre, eau et ciel ! – trop simple ce vouloir conditionné, non par l'idée de nature, mais par la superstition religieuse, ce mépris du désamour, cet enfermement, cet internement forcé avant l'exode vers l'anarchie urbanisante, urbaniaisante ! –

rouler lentement en toutes sortes de chemins, un arrêt par ci, un arrêt par là, contemplation de la beauté ensauvagée d'un paysage, d'un ruisseau, d'un amas de fougères, d'un plan de groseilliers, d'une talle de framboisiers, d'une ancienne plantation de pommetiers ! – que s'y passe toute la journée en redécouverte malgré ce chaos de fin de monde : partout des piquets, partout des affiches : à vendre ! – à vendre ! – à vendre ! – cinquante kilomètres carrés de terre, d'eau et de ciel à vendre ! –

assis sur ce cran de granite, au pied du frêne centenaire, je regarde les chiens s'esbaudir, je regarde drette devant moi, je regarde, loin, la veine bleue de la mer océane, je regarde l'encolure du saguenay, je regarde l'enfance rieuse au milieu des champs d'avoine saupoudrés de sauvageonne moutarde jaune, je regarde les bœufs lents, les vaches placides, les chèvres, les moutons et les chevals sagaces – et je tourne et je tourne autour d'eux autres et je danse et je danse et je danse, sueur m'embrouillant les yeux, de formidables cornes de taureau jaillissant par centaines du soleil ! –

VISION

comprendre ! – comme c'est long ! – et comme doivent devenir nombreuses les formidables cornes de taureau jaillies du soleil ! – là, les fils se relient, je sais maintenant pourquoi je ne suis plus pareil à ce que j'étais hier, pourquoi diff, mioute et rhino ont traversé ma vie, pourquoi ils ont incendié l'étable, pourquoi les jambes de la Table de pommier ont été coupées, pourquoi arnold cauchon est venu mourir dans ma meson, pourquoi il m'a donné ses biens meubles et immeubles, pourquoi il m'a fait don de nicolas ledoux ! – je sais aussi pourquoi l'afrique noire m'a mené aux confins de la vallée de l'omo, pourquoi il y a eu cette nuit avec calixthe béyala en cette chambre d'hôtel de libreville ! – je sais maintenant, je sais ! – comme l'a écrit le michaux, je devais marcher dans la somnolence de mondes contraires, tête lacunaire, plus de lumière sur le front, l'esprit tari, cent points de mal pour un point de bien, mémoire en clapet fermé, ma jambe gauche suintante et pourrissante, mais j'ai appris à reconnaître les poteaux ennemis – les rondes de chauves-souris qui volent, m'entourent, m'enserrent, ne me font plus peur, je tends au loin mes cordes, car j'ai mon passeport pour aller demain de par les mondes ! –

MÈRE

j'ai toujours pensé que le pays de mon père était aussi le mien, en bordure de mer océane, vieux pont de fer de tobune, carrière pour pierres taillables, pour pierres gravelables, église bâtie en nostalgie du temps des cathédrales, boutique de forge, magasin de fer, fosses à creuser dans le cimetière ancien, moulins à faire madriers, planches et bran de scie, grand-père antoine spéculant à la bourse, richesse, loisirs, éducation, mais conformisme d'esprit et de corps, en cette petite cité si urbanisée qu'elle n'avait plus rien de rurale – le pays de mon père, endimanché, avatar du grand morial ! – et je suis revenu y habiter parce que le grand morial n'était pour moi qu'un exil intérieur, une autre langue qui me privait de la mienne, une autre vie qui me privait de la mienne ! – mais malgré mon vouloir, je suis resté un étranger au pays de mon père, on n'y voulait pas vraiment de moi – autre exil intérieur ! – tête lacunaire ! – plus de lumière sur le front ! – cent points de mal pour un point de bien ! – jambe gauche suintante et pourrissante ! –

je n'aimais pas ma mère, j'aguissais à mort son pays intérieur, trop semblable au mien : cette somnolence des mondes identiques, lacunaires, taris ! – ma mère y est morte parce qu'elle ne savait pas comment recommencer, elle ne savait pas reconnaître les poteaux ennemis ni faire fuir les rondes de chauves-souris ! – moi, je peux ! – à bout d'âge, ça doit naître pour la première fois, ici, icitte, au mitan de l'arrière-pays ! – cette terre, cette eau, ce ciel qui m'ont abandonné comme ma mère m'a abandonné parce que je ne m'abandonnais pas à elle, parce que je ne m'abandonnais pas à eux, je vais les ensemencer à nouveau – nous redeviendrons l'esprit de nature, cet humble balai de chiendent ! disait le rimbaud, tel un bois d'île à la canicule rougi, telle une cordelette à retresser, telles de larges bolées de lait, fécondes, si fécondes ! –

la lune fait cercle parfait autour du cran de granite sur lequel je me sauvegarde – paisible c'est, fulgurance de la blanche lumière, vitesse extrême devenant languissante lenteur, à boire, à manger, comme au temps d'enfance rieuse, cette carotte tirée de la terre, ce concombre, cette fève jaune, ce petit pois vert – mordre dans toute chose, la face brûlée par le soleil ! –

les chiens reviennent de leur course au travers de la forêt, rapportant ce lièvre que je vais dépiauter, faire cuire sur ce feu de branches sèches et manger – sacrifice propitiatoire avalé en même temps que toute cette blanche lumière, avec l'œil parfaitement rond de la lune pour accompagnement ! – puis quand viendra le matin, faisant jaillir les noires épinettes de la ténèbre blanche, mettant en feu la veine bleue de la mer océane, ce sera le temps pour moi d'acheter cette terre, cette eau et ce ciel pour que, de ma vieillesse féconde, puisse éclore l'ultime beauté de l'enfance rieuse ! – ma mère, cette réconciliation ! – ma mère, notre terre ! –

ARCHITECTURABLE

il est là, assis devant moi au bout de la Table de pommier – j'ai dû courir long après lui, le harceler, faire la moule zébrée à la porte de sa meson ! – si occupé il est, si demandé partout il est ! – un visionnaire qui est né comme moi dans l'arrière-pays, une enfance rieuse comme fut la mienne, si fortement imprégnée de l'idée de nature qu'il l'a mise au centre de sa vie d'architecte ! – ses créations, des hymnes aux saisons kebekoises, à la richesse de leurs variations, aussi brusques que tempestives, avec un soleil qui redonne vie même aux bois morts dont il se sert pour façonner l'habitable, du petit plan d'eau jaillissant de terre aux mesons faisant corps avec l'esprit de nature, ce qui chante en elle, ce qui danse en elle ! –

je lui montre le projet de la saline de chaux de nicolas ledoux, je lui montre les esquisses que j'ai dessinées sur mes grandes feuilles de notaire, ce cercle parfait contenu dans un carré parfait : je veux en faire l'assise de mes terres, de mon eau, de mon ciel, de mon arrière-pays ! –

– Ma meson aura bientôt deux cents ans, je dis. Elle a été bâtie tout en bois, elle a résisté à toutes les tempêtes, elle a su se garder debout parce que ses bâtisseurs, en l'inscrivant parfaitement dans leur temps, l'ont façonnée pour qu'elle atteigne à la pérennité. Je la ferai donc déménager dans mon arrière-pays natal, je la ferai mettre au beau milieu de mon cercle. Je ferai de même avec mes bâtiments. Tout alentour, je voudrais que se dressent, tel que c'est sur le devis de Nicolas Ledoux, cent autres mesons et bâtiments, avec jardin par devant, potager par derrière. Au-delà, des champs colorés comme courtepointes. Au trécarré, la forêt redevenue forêt. De l'énergie propre, géothermique, solaire !

– C'est un énorme projet, l'architecte dit.

– Je sais. Mais il ne s'agit quand même pas du *Château* de Kafka. Juste les premiers rayons d'une roue à fabriquer de la lumière.

– Vous êtes fou.

– Pas davantage que vous.

– Quand on l'est à ce point-là, c'est très coûteux aussi.

– J'ai de quoi assumer.

il regarde les devis de nicolas ledoux, tous ces plans étranges de mesons, certaines comme des sphères, d'autres en forme de champignons, d'autres encore toutes en losanges ; ça lui rappelle le monde d'escher qu'il connaît bien : cette application à l'architecture des lois de la relativité restreinte et générale, des lois de la mécanique quantique, et le rêve qu'elles puissent se fondre les unes dans l'autre – ce seul espoir pour que la terre ne devienne pas un charnier avant qu'on puisse essaimer vers d'autres planètes, d'autres étoiles, d'autres galaxies, délivrés enfin de l'esprit de prédation, de l'esprit de cupidité, de l'esprit d'autodestruction ! – l'avenir ! – le devenir ! –

– J'ai loué une chambre à l'hôtel, l'architecte dit. Je vais y aller, je vais examiner vos documents, puis j'irai virer dans votre arrière-pays natal. Je vous dirai après si ses odeurs m'inspirent.

je regarde l'architecte s'en aller – quelle beauté il fera de mes terres, de mon eau, de mon ciel ! – j'en suis si convaincu que je fais venir l'entrepreneur en déménagement de mesons et de bâtiments, et je lui fais visionner ce film réalisé par l'ami comédien : la description imagée de mes terres, de mon eau, de mon ciel tels qu'ils sont maintenant, puis la simulation par ordinateur de ce qu'ils pourraient devenir quand l'architecte se mettra au travail –

– Je commence quand ? l'entrepreneur dit. Déménager une meson comme la vôtre, c'est pas de la sinécure. Juste la démettre de son solage, ça va demander pas mal d'ouvrage. Pendant ce temps-là, impossible pour vous de vivre ici-dedans. Ça serait infernal.

– Vous demanderez à deux de vos hommes de transporter dans la tasserie de foin la grande Table de pommier, le fauteuil roulant et le matelas qui est devant le gros poêle à bois. Pour le reste, je me débrouillerai.

je n'aurai pas à attendre long avant que ne sortent de la meson la Table de pommier, le fauteuil roulant et le matelas : je regarde le plancher nu, je regarde les murs nus, je regarde le plafond nu ; ce bois de pin colombien patiné par le temps, on dirait une prairie qui ne demande qu'à être labourée, hersée, ensemencée – sous la couche durcie du friche, terres noires et terres jaunes se sont agglutinées, et les graines dedans sont si nombreuses, si impatientes, qu'une simple averse suffirait à leur faire prendre racines ! –

ce bruit que j'entends, qui vient du garde-guenilles dans laquelle le nietzsche a passé l'hiver en forme d'iceberg ! – ça a dégelé sans que je m'en rende compte et la machine à décrire s'est remise à clique claquer, comme si elle m'ordonnait de sortir le nietzsche de son enfermement – c'est trop tôt pour mon moi-même, c'est trop tôt pour le nietzsche – je ne peux pas l'en consoler, comme il l'a lui-même écrit : de toutes les consolations, aucune ne fait autant de bien à ceux qui ont besoin d'affirmer que, dans leur cas, il n'existe pas de consolation ! – je vais donc me contenter de calfeutrer le bas de la porte du garde-guenilles pour que la vie dedans reste dormante, puis sortir, fuir, m'enfuir de la meson ! –

PAILLASSE

le long des murs de la tasserie, j'empile les balles de paille dans l'une des encoignures, j'en dispose deux rangées sur le plancher, puis j'y mets le matelas – au centre, j'installe la longue Table de pommier et le fauteuil roulant, puis j'entrebâille la porte pour que la lumière entre par pleins seaux, dorant encore davantage les bottes de paille, faisant des amas de paillettes dans les trèfles blancs et roses – je m'assois, attendant qu'on vienne raccorder mon portable à l'internet puisque, pour préparer la meson au déménagement, il a fallu couper l'électricité – ça va prendre plus de temps que prévu et ça pourrait me rendre bougonneux parce que depuis qu'a pris forme le rêve de l'arrière-pays natal, j'aime moins la lenteur qu'avant : agir, agir, vite, toujours plus vite, esti ! – je fume de l'opium, j'ouvre la demi-porte qui sépare la tasserie de l'étable, je laisse mes animals y entrer, je pisse au milieu de la tasserie, mes chiens s'y adonnant ensuite, et les petits chevals, le bouc, le bélier, et les chiens encore, et moi-même pardessus ! – les chèvres se couchent sur le matelas, les moutons à côté – et les petits chevals défont une botte de foin en galettes agréables à manger – je reprends place dans le fauteuil roulant, mes chiens s'allongeant sous la Table de pommier pour y dormir sur le dos, leurs pattes pointant comme des flèches de cathédrale –

je me suis laissé prendre par l'endormitoire, mais je ne me souviendrai pas d'avoir rêvé ou pas – je rouvre les yeux : seuls les chiens sont dans la tasserie avec moi, mes autres animals ayant sans doute descendu la côte vers le pacage – le portable n'est plus dans son tiroir, mais sur la Table de pommier – l'ami comédien a dû venir le raccorder à internet tandis que je sommeillais – ne pas cliquer de suite, prendre de longs respirs, écouter les bruits que fait la tôle ondulée dont on débarrasse la toiture de la meson, les bruits que font les gros clous à tête carrée qu'on arrache, les bruits des chevrons qui craquent, les bruits que font les klaxons des fardiers qui passent sur la route devant la meson, les chauffeurs sans doute mécontents parce que le défaisage de la toiture intrigue les automobilistes : ça ralentit, ça s'arrête sur l'accotement de la route, ça écornifle, ça épie et ça pépie ! –

je résiste encore à la tentation de cliquer sur la souris du portable – me remémorer plutôt les échanges de courriels entre calixthe béyala et moi depuis que rhino s'en est allée de ma meson, de mes bêtes et de mes champs – comme un nœud gordien c'était les premières fois ! – pour m'en délivrer, il aurait fallu que je pense au roi de la macédoine : l'oracle lui ayant dit que le nœud gordien était à défaire plutôt qu'à dénouer, alexandre le grand le prit au mot et d'un simple coup d'épée mit fin à l'énigme ! –

esti que ça balbutiait les premières fois ! – quelques lignes que la nuit passait toute dedans à seulement les écrire sur une grande feuille de notaire, si nul c'était ! – heureusement qu'omar bongo, bien malgré lui, est venu à ma rescousse : sa mort annoncée à libreville après un règne despotique de quarante ans a rameuté chez les gabonais l'espoir en une société plus équitable – mais le fils d'omar bongo, soutenu par les anciennes puissances colonisatrices, n'a pas mis de temps à prendre la place du roi-nègre et, soi-disant pour mettre fin à la violence qu'il avait lui-même provoquée, à étouffer toute opposition : un autre esti de bain de sang au nom de la démocrature ! – le fils a bien appris de son père, m'a écrit calixthe béyala, un orphelin qui fit son service militaire, devint franc-maçon, puis entra dans les services secrets français, s'y montrant si efficace qu'à la mort du président mba en 1967, le général de gaulle lui donna sa bénédiction ! – des élections truquées, des opposants assassinés, des menaces, de l'intimidation, des violences – pendant ce temps-là, sur le balcon de l'hôtel de ville du grand morial, le général de gaulle tonitruait vive le kebek libre ! – omar bongo, l'esti ! – il s'est même converti au catholicisme, juste parce qu'il voulait être reçu par le pape de rome et se faire photographier en sa compagnie : après la bénédiction politique de de gaulle, la bénédiction apostolique ! – un si bon chrétien, omar bongo ! – il a fait imprimer à des centaines de milliers d'exemplaires sa fameuse photo avec le pape, il l'a distribuée partout en pays du gabon, pour que chaque foyer en ait au moins un exemplaire à afficher en belle et bonne place par ordre venant du très-haut ! – le divin messie, le divin sauveur, le divin despote ! – ne restera pas très longtemps catholique une fois son peuple conquis, dominé, intimidé ! – va se faire musulman parce que le gabon est un grand producteur de pétrole et que les émirats arabes vont lui verser de plus importants pots-de-vin que les anciennes puissances colonisatrices ! – une politique intérieure désastreuse, fondée sur la terreur : ceux qui s'opposent au régime d'omar bongo meurent assassinés, tel le poète ndoua-depenaud, peut-être pour avoir simplement écrit que le bonheur est un rêve inachevé et qu'un seul instant suffit pour tout confondre ! – le gabon risquant de faire banqueroute, omar bongo retourne une autre fois sa veste et quémande l'aide de la france : elle lui envoie soldats et équipements militaires ! – en échange de quoi ? – des ressources naturelles du pays, comme presque partout ailleurs en afrique ! – la france des droits de l'homme, esti ! – qui collabore avec omar bongo : viols des femmes, emprisonnement des hommes, terrorisme d'état, corruption d'état : comme le président mobutu du zaïre dont la fortune personnelle s'élevait à sa mort à six milliards de dollars, omar bongo devint immensément riche – un esti de prédateur ! – réélu à chaque élection avec des scores scandaleux : 99,97 pour cent des voix en 1986 ! – de la grosse marde, la démocratie ! – jacques chirac deviendra président de la france après avoir accepté qu'omar bongo finance sa campagne électorale ! – aux élections de 2007, ce fut au tour de nicolas sarkozy de profiter de la générosité du despote gabonais ! – cette cynique parole d'omar bongo : l'afrique sans la france c'est la voiture sans le chauffeur, et la france sans l'afrique c'est une voiture sans carburant ! – quand le journal le monde révèle qu'en france seulement, omar bongo possède une trentaine d'hôtels particuliers et de vastes appartements d'une valeur d'un quart de milliard de dollars, les gabonais comprennent enfin pourquoi ils sont aussi pauvres et sans éducation ! – un dernier scandale viendra noircir définitivement la réputation et la renommée du despote : furieux contre un chef d'entreprise français qui refuse de lui verser un pot-de-vin, omar bongo le fait arrêter, le met en prison et exige pour sa libération une rançon d'un million de dollars ! – pour ne pas avoir affaire à la justice française, omar bongo, atteint d'un cancer, ira se faire soigner en espagne plutôt qu'à paris ! – l'esti de chien sale ! – il serait fier de son fils qui lui a succédé : même esprit et même corps prédateurs, même jouissance à corrompre et à être corrompu ! –

ce n'est pas pour omar bongo, ni pour son fils, si je me suis autant intéressé à ce que m'a raconté calixthe béyala – me préoccupait davantage l'avenir de son orphelinat : abolies par le fils despote les maigres subventions qu'accordait omar bongo aux services communautaires ! – j'ai envoyé à calixthe béyala de l'argent par l'entremise d'une société soi-disant d'entraide africaine, mais les fantômes s'en emparèrent avant que ça n'arrive à destination ! – un nœud gordien pire à dénouer que celui qu'alexandre le grand eut à défaire avant de conquérir le monde ! –

je me suis contenté de faire parvenir à calixthe béyala des photos de ma meson, de mes animals, de mes champs et de mes jardins – elle m'a répondu en faisant de même : images de la librairie, de l'orphelinat, de werewere en train de sarcler un potager ; mais elle-même absente de toutes les photos, comme moi je ne figurais sur aucune de celles que je lui ai envoyées ! – quel message là-dedans ? – qu'il nous fallait tous les deux nous reconnaître dans chacun de nos paysages avant d'aller plus loin ? – j'ai fini par lui adresser cette photo de moi me tenant au milieu de mes animals en ce pacage qui longe la voie ferrée : béret basque sur la tête, chemise à carreaux, salopette et bâton de pèlerin-berger à la main ! – rien à voir avec l'image du consul d'au-dessous du volcan de malcolm lowry ! – en retour, ma joie de recevoir enfin cette photo d'elle : debout derrière une table dressée dans son potager, une montagne de légumes et de fruits empilés dessus – belle la bouche souriante, beaux les grands yeux noirs pétillant de vie, et cette peau cuivrée, cette chevelure de jais, pareille à celle des amérindiens de la côte-nord, moutonnant comme les vagues de la mer océane quand le vent fait risette dans le fond de l'air ! –

tout coule depuis comme d'une source jaillissant du plus profond du ventre de la terre ! – et moi qui n'ai jamais pris plaisir à correspondre, je peux maintenant y passer de longues heures : flopées d'images qui me viennent, chaleureuses, d'aussi loin que de mon enfance ! – ces petits pains dorés sortant du four, cette lichette de beurre à laisser fondre dessus ! – c'était plaisant comme ça devait l'être quand ma mère me portait tout en tricotant les caleçons de laine que portait mon père même en été ! – mon père était excentrique aussi, m'a écrit calixthe béyala : dans la forêt, il avait trouvé un éléphant mort auquel il ne restait plus qu'une corne ; il l'a prise pour l'échanger contre une paire de sandales dont on disait qu'elles étaient juives parce qu'elles ressemblaient à celles que certains peintres avaient mises aux pieds du christ ! –

un amas de confidences inoffensives de côté et d'autre de la mer océane, de minces lianes tressant cet arbre longiligne sous la canopée, des bribes de poèmes en guise de feuillage ! – ces mots du camerounais gaston-paul effa : le paradis perdu, je l'avais recherché à travers les ronces, les broussailles, dans les fragiles clairières assourdies de lumière, dans le brouillard crépusculaire de mon exil, au milieu des ruines, des tombes renversées : je l'avais trouvée enfin cette patrie infinie, elle était là, offerte, éventrée en moi, je ne la quitterais plus ! – ces mots du togolais kossi efoui : nous tenant par la main, debout tous les deux devant le miroir qui n'était plus qu'une trouée dans laquelle tous les manguiers du monde, les amas de sables, les ciels éclatés avec leurs brisées de soleil s'engouffraient ! – ces mots du peul amadou hampâté bâ : je ne suis pas venu auprès de toi pour acquérir un savoir car en ce monde tu ne peux rien m'apporter que je ne sache déjà : je connais le visible et l'invisible, j'ai l'oreille de la brousse, j'entends le langage des oiseaux, je lis les traces des petits animals sur le sol et les taches lumineuses que le soleil projette à travers les feuillages, je sais interpréter les bruissements des quatre grands vents secondaires ainsi que la marche des nuages à travers l'espace, car pour moi tout est signe et langage ; et ce savoir qui est en moi, je ne peux l'abandonner, mais peut-être te sera-t-il utile ? – ces mots de paul-marie lapointe : l'amour ne prononce pas les mots, l'amour mange ses mots dans le midi d'un coup de feu ! – mais je ne les ai pas envoyés à calixthe béyala, ces mots-là : je les ai tapés au moins cent fois sur l'écran de mon portable, je n'avais plus qu'à cliquer sur l'onglet envoyer et ça lui serait aussitôt parvenu : trop vite, pas encore le temps, je n'ai jamais dit je t'aime à quiconque, des mots qui me font peur parce qu'ils sont si souvent trahison, presque toujours trahison – et l'homme nouveau que je suis en train de devenir ne veut plus trahir, plus jamais trahir ! –

sept jours déjà ont passé depuis que les ouvriers se sont mis à préparer la meson pour le grand déménagement, sept jours que les paysagistes transportent plantes, arbustes et arbres de mes jardins vers l'arrière-pays natal – entre les deux lacs, les fondations sont prêtes à recevoir la meson, la grange-étable, la mesonnette de l'arrière-cour et la petite bergerie bâtie au bord de l'étang qui, l'été, sert de refuge aux mères moutonnes et à leurs petits ! – demain, ce sera le grand départ ! – juste une dernière nuit à passer dans la tasserie avec mes animals – ils sentent les odeurs qui ont changé dans le fond de l'air, ils sentent que nous sommes dans un entre-mondes, qui n'est ni du passé et pas encore de l'avenir, donc un présent inqualifiable, comme avant une formidable tempête ou un lever de soleil tout couleuré de rose, de jaune et de bleu ! – ça les excite et ça les déconcerte aussi – assis au milieu d'eux dans mon fauteuil roulant, je leur chante monsieur guindon, je leur déclame du michaux, du rimbaud, de l'éluard, du jarry, du miron ! – je me fais caresse, je me fais embrassement pour que mes animals s'imprègnent déjà de ce qu'ils trouveront de neuf et d'apaisant quand nous prendrons possession, au milieu du cercle, de l'arrière-pays natal – je leur dis : nous partirons à la sauvage, avant même que n'apparaisse l'aurore aux doigts de rosée ! – ce qu'on quitte, ce n'est jamais là rien de plus que l'exil, et l'exil vaut toujours mieux s'en libérer avant que ne s'escamote la nuit ! – c'est ainsi que le jour nouveau, c'est ainsi que la vie nouvelle ne sont plus seulement des promesses, mais l'accomplissement simple du rêve, rien d'autre que le germe de la lumière au fond de deux yeux sans secrets, comme le disait l'éluard –

dormir ! – puis se réveiller autrement et ailleurs, c'est-à-dire chez soi, pour la première fois de sa vie, vraiment ! – ce pays ! – enfin, mon seul et vrai pays ! –

ÉMERGENTE

nous voyageons sur cette longue remorque, ma Table de pommier au centre, moi assis dans le fauteuil roulant, des bottes de paille et de foin empilées sur les bords, mes animals aussi placides que lorsqu'ils pacageaient en regardant passer les gros chars sur la voie ferrée ! – la longue remorque n'ayant pas été bâchée, nous avons par myriade toutes les étoiles qui scintillent dans le ciel, pas un nuage ne venant s'interposer entre elles et nous – tout ce bleu amical ! – rien à voir avec la nuit américaine ! – c'est enfin parfaitement kebekois ! –

nous quittons la route qui traverse cantons et lots renversés, nous nous engageons sur ce chemin de tuf rouge concassé, c'est bordé de chaque côté par ces arbres que j'ai tenu à garder debout – deux rangées de gargantuesques érables comme au garde-à-vous pour nous souhaiter la bienvenue dans l'arrière-pays natal ! – notre hâte d'arriver en l'espace-temps du cercle, notre hâte d'y débarquer : cet enclos temporaire pour que je puisse y mettre Table de pommier, fauteuil roulant, animals qui sortent de l'arche de noé, curieux, excités comme quand c'est le printemps et qu'ils peuvent enfin s'arracher à l'hiver de force – jingueuses les bêtes, joyeuses les ruades, rieurs les hennissements, bonnes les premières gueulées d'herbe, toute cette sève verte coulant des mufles ! – les canards et les oies s'en sont allés droit vers les deux lacs, les oies dans celui de gauche, les canards en celui de droite : sont comme vingt-sept petits poèmes jouant dans l'eau des mots ! –

je regarde les fondations sur lesquelles on assira bientôt la meson, je regarde les fondations de la grange-étable qui ne sera séparée de la meson que par ce large corridor : mes animals pourront y venir et me zieuter par la demi-porte ajourée : je serai assis en face d'eux autres à la Table de pommier et je laisserai le nietzsche, libéré de son enfermement dans le garde-guenilles, devenir ce gai savoir qui couvrira des centaines de grandes feuilles de notaire : nul vainqueur ne croit au hasard ! – si nous aimons tant être en pleine nature, c'est parce que la nature n'a pas d'opinion sur nous ! – il y a des hommes qui refusent d'être vus autrement que comme une lueur filtrant à travers d'autres : c'est une marque de grande sagesse ! – maturité de l'homme : avoir retrouvé le sérieux qu'on mettait jadis en ses jeux d'enfant ! –

assez ! – assez ! – pas le temps de penser vraiment au nietzsche ! – regarder la grange-étable arriver et être mise sur son solage, regarder la meson sans sa toiture de tôle arriver et être mise sur son solage, regarder le large corridor les relier l'une à l'autre, regarder la porte qu'on y perce, regarder la toiture qu'on recouvre de panneaux solaires aussi minces que le sont les feuilles de papier biblique, regarder en soubassement le forage qu'on y a fait pour installer les thermopompes géothermiques qui tireront de la terre suffisamment de chaleur pour garder chaude la meson même en mitan de l'hiver de force, regarder les maçons construire ces deux hautes cheminées de pierre qui retiendront le créosote du bois qui brûlera dans les foyers, regarder le paysagiste redessiner les jardins pour que plantes, arbustes et arbres apportés de trois pistoles reprennent racines, ramages et ramures en leur terre retrouvée ! –

de toute beauté c'est déjà ! – on dirait que tout a toujours été là depuis les origines du monde, et c'est d'une telle énergie que je ne sens plus la souffrance dans ma jambe, mon bras et mon épaule – ma canne ne me sert plus d'appui, mais pour que je dessine de joyeuses figures dans l'air ! – ce plaisir de simplement marcher sur le chemin de tuf rouge, mes chiens baguenaudant à mes côtés tandis que bruissent doucement les feuilles dans les arbres ! – le vent qui vient jusqu'ici de la mer océane est aussi finement odorant sur la peau que fleur de lavande à vous chatouiller avec ! –

puis ce blues joué à l'harmonica qui déconcerte le silence ! – courent les chiens au devant de la musique, et je force ma jambe boiteuse à se faire moins traînante – ma hâte de mieux entendre la musique, ma hâte de voir le marcheur qui en joue aussi bien ! – quand je le vois qui s'avance à petits pas vers moi, je m'arrête net, éberlué, ébloui, ébranlé, ébahi ! –

– Abé Abebé, est-ce bien toi ? je dis.

– Je t'avais prévenu qu'un jour je viendrais en Amérique pour en connaître la musique ! J'y suis désormais !

nous tombons dans les bras l'un de l'autre, réconciliés sans que besoin serait de dire un seul mot, mais ceux-ci que je balbutie :

– Ne cesse pas de jouer. Tu apportes ce qui manquait à l'harmonie pour qu'elle soit parfaite. Ne cesse pas de jouer, Abé Abebé ! Ne cesse pas !

l'architecte m'a apporté les plans de ce qui doit se construire maintenant pour que le carré et le cercle inscrit dedans fassent rayonnement : la lumière blanche de la matière et la lumière noire de l'antimatière, origine du chatoiement de toutes couleurs, de toutes saveurs, de tous savoirs ! – on bâtira les mesons et les bâtiments avec le bois tombé en forêt, on fera les clôtures avec les perches de cèdre laissées là par les anciens habitants, on cultivera les terres selon ce qu'elles auront à donner, on y fera l'élevage du vaillant et noir cheval kebekois dont l'espèce est en voie d'extinction ! – de l'autre côté du lac, on construira magasin général, marché, forge et habitation, un lieu qui pourra être théâtre, cinéma, piste de danse, cabaret et n'importe quoi d'autre pour qu'on se réjouisse ensemble, pour qu'on célèbre ensemble, aussi bien ce qui naît que ce qui s'en va ! –

– Ça sera très coûteux, l'architecte dit.

– Je sais : vous me l'avez déjà annoncé.

– Cinquante familles, peut-être même une centaine : de quoi vont vivre tous ces gens en attendant les premières récoltes ?

– C'est mon problème, pas le vôtre. Ce qui m'importe, c'est qu'on mette maintenant les choses en place. Je serai satisfait si d'ici à ce que l'automne arrive, on puisse compter sur une vingtaine d'établissements prêts à accueillir autant de familles.

– Va falloir besogner vingt-quatre heures par jour !

– On besognera vingt-quatre heures par jour !

– Vous êtes fou !

– Ça aussi, vous me l'avez déjà dit. Mais la folie, c'est rien d'autre que ce qui s'invente !

on a signé contrat, j'ai fait ce premier chèque, puis s'en est allé l'architecte, me laissant un exemplaire des plans et devis – je les montre à abé abebé qui, tandis que je m'entretenais avec l'architecte, a fait le tour des êtres de la meson et rendu visite aux animals dans l'étable – il regarde les plans et les devis, me les remet :

– Désolé. Moi, je ne connais rien d'autre que la guerre.

– Tout se désapprend. Tu m'as dit que pour le peuple peul dont tu viens, le lait des vaches est sacré. T'auras qu'à en faire l'élevage.

– Je ne saurais même pas comment m'en occuper.

– Quand t'auras désappris le métier de guerrier, la mémoire de tes gènes te reviendra.

– Je ne comprends pas.

– Quoi ?

– Que tu m'offres autant quand moi, j'ai rien à donner.

– T'as quitté l'Éthiopie, t'as traversé la mer océane pour venir jusqu'ici.

– Je voulais juste te saluer avant de continuer ma route vers la musique d'Amérique.

– Cette musique-là a commencé par ici. Elle était là avant que ça devienne le Nouveau Monde, inscrite dans la terre, l'eau et le ciel. Elle ne demande qu'à se désendormir, comme nous.

– Je ne comprends toujours pas.

– Attends, je dis. Je vais t'expliquer.

je vais vers le réfrigérateur, y prends cette nourriture que m'a apportée la femme d'un ouvrier, l'étale sur la Table de pommier, apporte assiettes et ustensiles, verres et bouteille d'eau – puis abé abebé et moi, nous nous assoyons l'un devant l'autre, mais nous ne mangerons pas de suite – se regarder comme si c'était le première fois, sans que rien ne vienne faire barrage ! – les yeux violets d'abé abebé ne sont que les yeux violets d'abé abebé, il n'y a rien de ceux de judith dedans, ni fièvre ni terreur : une placidité, une sagacité rieuse, comme quand le corps est allé au bout de tout et en est revenu dépouillé de ses peurs et de ses angoisses, au-delà même de la tranquillité c'est – et mes yeux à moi ? – n'ont-ils pas triomphé de l'esseulement, cette mauvaise part de la solitude quand c'est l'égoïsme qui la détermine ? –

– Tu as dit que tu m'expliquerais, Abé Abebé dit. Je veux bien t'écouter maintenant.

je raconte ce que ma voyagerie en afrique a changé en moi – un exorcisme ! – je raconte ce que mes lectures sur l'utopie ont changé en moi – une découverte ! – celle d'une humanité trop proliférante, devenue déraisonnable parce qu'elle n'est plus l'affaire de toutes et de tous, mais l'emprise de gigantesques entreprises anonymes qui ont fait du dieu-économie leur seule idéologie – c'est en son seul nom qu'on tue l'idée de nature en la malmenant, en la maltraitant, en la ruinant ! – pour vivre, tuer la vie ! – pour l'enrichissement de quelques-uns, faire de la pauvreté le destin imposé à tous les autres ! – qu'importe pour le dieu-économie que meurent toutes les espèces, animals de terre, de mer et de ciel, arbres, plantes et fleurs, du moment que le cycle de production des marchandises ne cesse d'être en expansion ! – qu'importe la maladie, puisqu'elle contribuera à créer d'autres marchandises, parce que le dieu-économie est une science et que la science n'a plus pour fonction que d'inventer de nouvelles maladies et de les éradiquer – et plus les nouvelles maladies sont terribles, mieux se porte le dieu économie et davantage s'enrichit-il ! – qu'importe que la planète devienne un dépotoir, une carcasse dépouillée de ses nerfs, de ses muscles et de son sang ! – même quand la terre sera toute rasée, le dieu-économie trouvera bien à s'enrichir encore : je suis celui qui est, je suis celui qui hait ! – je suis celui qui fait, contrefait et défait ! –

– Plus d'espoir, Abé Abebé dit.

– Les dieux finissent tous par succomber, c'est la loi générale de l'Univers.

– Quelle consolation si l'humanité succombe avec elle ?

– L'humanité n'est pas toute la vie. C'est la nature qui est toute la vie.

– En restera-t-il quand le Dieu-Économie sera terrassé ?

– Plus grand chose, c'est certain. Comme quand les dinosaures se sont éteints, entraînant avec eux presque toutes les espèces vivant sur la Terre. Mais les bactéries ont survécu et ce sont encore les bactéries qui auront le dernier mot. Elles inventeront une vie nouvelle, et celle-là sera peut-être plus raisonnable que l'est l'humanité idolâtrant le Dieu-Économie. L'Univers est bien relatif et seules les bactéries sont quantiques, donc indépendantes de la loi du mesurable.

– À quoi bon s'insurger si tu dis vrai ?

– Parce que ce que je suis, je le dois aux bactéries. Le monde que nous connaissons est une erreur, une tragédie grecque. D'en prendre conscience n'infirme en rien la loi générale de la vie. Tant qu'elle ne sera pas recueillement, elle ne cessera pas de naître et de renaître. Moi, je veux vivre ce recueillement-là, naître et renaître. Si les bactéries peuvent le faire, pourquoi en serais-je incapable, moi qui viens d'elles ? Suffit que je me désapprenne, puis que je me réapprenne autrement. La forme que je prendrai importe peu si dedans on y trouve l'invention du recueillement. On ne peut pas savoir tant qu'on n'agit pas. Et agir, c'est inventer et s'inventer.

– Mais comment agir ?

– T'as entendu parler des supercordes de l'Univers ?

– J'étais guerrier : je protégeais les uns et je tuais les autres. Tes supercordes, ça ne faisait pas partie des ordres qu'on me donnait.

– Les astrophysiciens croient maintenant que l'Univers n'est rien d'autre qu'une ondulation, et ce qui ondule vibre, et ce qui vibre est musique. Tout ce qui vit est né de cette ondulation, de cette vibration, de cette musique. Le mot nous vient des Grecs : il a pour source la muse, celle qui s'invente et invente. Elles étaient au nombre de neuf selon la mythologie grecque, et chacune occupait un champ de la saveur et du savoir, de l'histoire à l'astronomie. C'est en musant que ça se rêve, c'est en musant que ça s'amuse. Et tout ce qui muse et s'amuse devient musique, même la mémoire. C'est par le chant que s'expriment la musique, toutes les musiques. Les Romains appelaient chant les bandes qui bordaient les roues parce qu'en tournant elles faisaient de la musique. D'où tous ces mots venus pour signifier qu'ils étaient symboles musicaux : chanteau, chantepleure, chanterelle, chanson, chantourner et chanteur. Dès l'origine des temps, l'humanité chantait : sans le chant, la danse de l'Univers est impossible.

abé abebé m'a écouté tout en mangeant, mais il est resté silencieux – doit se demander si je suis devenu fou ! – peut-être est-ce le cas, mais qu'importe puisque je vibre au rythme des ondulations du cosmos ! – le reste, je m'en crisse, esti ! –

– Sortons, je dis. Cherchons dehors l'arbre aux palabres, assoyons-nous dessous et écoutons chanter et danser le monde.

nous ne marcherons pas long, jusqu'à ce cran de tuf sous le long frêne qui le surplombe – abé abebé et moi allons nous y asseoir, les chiens se coucheront à nos pieds, les canards, les oies, les moutons, les chèvres et les petits chevals feront roue autour de nous, rieurs, chantant et dansant, tout pareil à ce soleil qui, bientôt, va effleurer le sommet des montagnes de l'autre bord de la mer océane en jetant par innombrables flopées ses étincelles de feu sur l'encolure du saguenay ! –

– Odeurs de femme, Abé Abebé dit. Le paysage en est plein. De qui s'agit-il ?

– Elle est du Gabon et se nomme Calixthe Béyala. Comme les animals qui nous entourent se nomment aussi Calixthe Béyala. Comme ce long frêne et le cran de tuf se nomment Calixthe Béyala. Comme cette eau qu'il y a devant nous, comme cet air, comme ce ciel en train de danser se nomment Calixthe Béyala. Tu sais maintenant pourquoi j'invente et pourquoi ça s'invente.

nous allons fumer un peu d'opium, attendre que la ténèbre devienne pleine comme un œuf – puis nous nous redresserons et, par petits pas, nous descendrons avec les animals vers l'étable, traverserons le large corridor qui mène à la meson – je suis épuisé, la journée a été très longue et pleine d'inattendus, je n'ai plus mes jambes ni mes bras, je titube et m'effondre sur le matelas – je voudrais chanter pourtant ! – je voudrais danser pourtant ! – en fond de nuit rougeoyante, en fond de ténèbre ocrée, cuivrée, bronze et or, comme coulée de métal, fuligineux, furigineux ! –

– Viens, je dis à Abé Abebé.

– Tu n'as jamais voulu que je dorme à tes côtés.

– C'était avant que je naisse. C'était quand la mémoire ne retenait que les idées reçues et déçues. C'était quand je ne savais pas ni me signifier ni signifier. C'était avant que ne surgisse l'Antiterre et que je puisse y atteindre en me recomposant de sa lumière noire, saveurs s'inventant, savoir m'inventant. Maintenant, je peux tout dire, je peux tout vivre, je peux tout faire. Il n'y a plus d'au-delà du miroir, ni en-deçà du miroir : je suis miroir. Réfléchi, réfléchissant.

ça titubéguait ces phrases qui m'assaillaient, peut-être ne se rendaient-elles pas jusqu'à abé abebé, peut-être rien ne sortait-il entre mes lèvres, mes mâchoires contractées, ma gorge en nœud gordien, ma matière grise figée, rigide, frigée, frigide ! – peu importe ! – je cognais simplement mes clous, entre terre et antiterre, apaisé, comme mes chiens allongés du même côté contre moi –

– Viens, je dis à Abé Abebé. Ta musique, ton chant, ta danse. Notre musique, notre chant, notre danse. Viens. C'est ton monde et c'est le mien désormais.

mes yeux se ferment, mon corps voyage en cette lumière noire, en ce trou de ver qui mène à l'antiterre, autre terre, autre mer océane, autre ciel, profondeur et durée abolies, puisque ça n'a plus à devenir, puisque ça y est, toute pensée et toute réalité ça y est, toute fraternité et toute liberté ça y est – cette immense voix qui boit, qui boit ! a dit le michaux – ces immenses voix qui boivent, qui boivent, qui boivent ! – je ris, je ris dans une autre, dans une autre, dans une autre barbe ! – je danse, je danse dans une autre, dans une autre, dans une autre barbe ! –

– Je suis bien, je dis à Abé Abebé. Ta main est toute chaude, ta main est toute chantante, ta main est toute dansante sur ma poitrine.

– Je suis bien, Abé Abebé dit. Avant, il n'y avait pas de chaleur dans ton corps. Le voilà maintenant qui chante, le voilà maintenant qui danse.

– Jusqu'à l'aurore aux doigts de rose ! Restons ainsi ! Découvrons l'Antiterre, que ça éjouisse, que ça réjouisse, que ça jouisse !

– Woué, que ça invente ! Que ça s'invente !

ma portion d'antiterre, en forme de pointe de tarte aux fruits ensauvagés, a été arpentée et enclose – neuf autres l'ont été aussi, qui forment les premiers rayons de cette roue qui en comptera un jour une centaine – ma meson et mes bâtiments ont déjà toutes leurs racines et tout autour fleuriront bientôt les jardins – les charpentes des neuf autres mesons et bâtiments sont déjà montées : on pourra y pendre la crémaillère avant même que l'automne ne soit dans son plein – tout noirs, dix petits chevals kebekois sont arrivés et pacagent derrière la meson et les bâtiments en train d'être bâtis – ce sera la meson, les bâtiments et les chevals d'abé abebé – dix vaches kebekoises, toutes noires aussi, seront là dans quelques jours – elles seront les vaches d'abé abebé, comme du temps que ses ancêtres en élevaient de grands troupeaux du nord de l'afrique jusqu'à l'équateur : nous boirons ensemble, sous l'arbre aux palabres, le premier lait qu'on tirera des vaches noires, puis nous en donnerons à boire aussi à l'antiterre sur laquelle nous nous tiendrons assis –

dans cette pièce donnant sur le large corridor qui jouxte l'étable, j'ai fait transporter dans le garde-guenilles le nietzsche toujours en train de se lire sans que personne n'ait besoin d'en tourner les pages – le nietzsche ne chiale plus, ni ne se lamente : il sait que bientôt il pourra s'asseoir à l'indienne sur la Table de pommier, son corps tout illuminé par l'antiterre, son esprit tout glorieux de l'antiterre – de par la demi-porte ajourée, il verra comme moi le large corridor menant à la grange-étable, et parfois l'un de mes animals y passera la tête juste pour le plaisir de bêler, juste pour le plaisir de hennir joyeusement –

quand abé abebé entre dans la meson, mes chiens à ses côtés, je n'ai pas besoin de lui dire quoi que ce soit – il comprend que c'est ce matin que je dois partir –

– Lela gize ene gànagnalän, il dit.

en langue amharique, ça veut dire simplement : on se revoit bientôt –

– Endeta, wädadj ! je dis.

bien sûr ! – bien sûr, mon ami ! – je ne serai pas parti bien long, quelques jours, le temps qu'il faut pour que je me rende là où c'est que je dois aller et en revenir ! – me suivent abé abebé et les chiens, jusqu'à ma voiture, et les clés que je tiens dans ma main fermée ne tinteront pas – vite ! – faire démarrer la voiture pour que ça s'ébranle avant que ça ne change d'idée, avant que ça ne me désembarque ! – une fois sorti du cercle et du carré de l'antiterre, ça ira sans encombre : j'entrerai en ce pays équivoque et incertain sans fâcherie contre lui, pour la première fois depuis ma vraie naissance ! – avant de filer vers kebek, je m'arrêterai en bordure de route, là où il y avait avant ma meson, mes bâtiments, mes animals, ma terre, mon eau et mon ciel : j'ai fait labourer la terre jusqu'à la voie ferrée, j'ai fait herser la terre jusqu'à la voie ferrée, j'ai fait ensemencer la terre de blé jusqu'à la voie ferrée – ce sera tout doré en fin d'automne, poème d'adieu au pays qui m'a gardé orphelin par peur d'avoir à changer, qui m'a vu comme étranger par-devers lui-même, un exilé qui lui aurait mis une verrue au beau milieu du visage – trente ans, pourtant ! – à ne parler que pour lui, à ne blasphémer que pour lui, à ne chanter que pour lui, à ne danser que pour lui ! – ce n'est pas ce pays-là qui s'est trompé, mais mon moi-même : je n'y étais pas chez moi, mes rêves étaient au-delà de ce pays-là, au-delà de cette terre, de cette eau et de ce ciel-là, juste un extérieur des choses, une superficialité, une commune résignation et morosité : ce qui ne peut jamais s'intérioriser, donc changer parce que trop de mémoire ancienne abolit le champ des saveurs et du savoir, le champ de ce qui invente et s'invente ! –

me remettre en route vers kebek, vers l'aéroport, vers cet avion dans lequel je traverserai la mer océane, jusqu'au gabon, jusqu'à libreville, jusqu'à calixthe béyala – pour lui dire quoi ? – ce poème de l'éluard qui ne cesse de faire voyagerie dans mon corps : dans les parages de ton lit rampe la terre et les animals de la terre et les hommes de la terre ! – dans les parages de ton lit, il n'y a que champs de blé, champs de vignes et champs de pensée ! – ma route est tracée sans outils, tes mains, tes yeux mènent à ton lit ! – où es-tu, me vois-tu, m'entends-tu, me reconnaîtras-tu ? – tu tiens tous les échos de mon enfance, tu tiens tous mes trésors, avec plein de rires dans ton cou cuivré ! –

cette soif qui me vient, cette envie qui me brûle d'une pipée d'opium ! – entre ciel et terre, cette angoisse, comme le nœud gordien se tressant serré dans mon ventre ! – jeter là-dedans un verre de whisky, ça le déferait peut-être mieux encore que l'épée du grand alexandre ! – en commande un à l'hôtesse de bord, le mets sur la planchette devant moi, je ferme les mains dessus, si fortement que le sang n'arrive plus à mes doigts, ce blanc tout salopé ! – me fait penser à ce jour-là que mon père est mort – ne voulait pas s'en aller, disait : ne m'auront pas ! – ne m'auront pas, les estis ! – ses mains fermées sur les barreaux du lit, impossible de les lui enlever de là : pa, donne-les moi, tes mains ! – recouvertes par les miennes, ça sera plus facile pour toi ! – pour moi aussi, ça sera plus facile ! – mais il n'avait plus l'oreille, mon père – il disait : ne m'auront pas, les estis ! – ne m'auront pas, les estis ! –

ma jambe gauche a tressailli violemment, mon genou a frappé la planchette, le nœud gordien s'est dénoué si brusquement que mes mains se sont déliées et que le verre de whisky s'est mis à rouler dans l'allée – et l'hôtesse qui insiste pour m'en apporter un autre ! – je n'en veux pas, je n'en voudrai plus jamais ! – cette vie-là, antérieure à l'exil, a traversé l'espace-temps et s'est fait avaler par l'esprit chantant et dansant de l'antiterre ! – sur le seuil veille le rimbaud, cette musique des supercordes du cosmos : je rêve croisades, je rêve voyages de découvertes dont on n'a pas de relations, je rêve républiques sans histoires, je rêve guerres de religion étouffées, je rêve révolutions de mœurs, je rêve déplacements de races et de continents, je rêve à tous les enchantements, je rêve d'inventer la couleur des voyelles, le noir, le blanc, le rouge, le bleu, le vert ! – je rêve de régler la forme et le mouvement de chaque consonne et, avec des rythmes instinctifs, je rêve d'inventer le verbe accessible à tous les sens, je rêve d'exprimer des silences et des nuits, je rêve de noter l'inexprimable, je rêve de fixer des vertiges ! – on a cru à tort que c'était le poète adolescent qui parlait ainsi : il s'agissait plutôt de la musique d'un homme qui l'avait toujours été, qui l'était déjà dans le ventre de sa mère et qui, après s'en être libéré, ne chercha plus désespérément qu'à dénaître, qu'à ne plus vivre de l'intérieur de soi, ni des choses toutes proches – ce suicide, parmi les hommes noirs qu'il méprisait, ce commerce des armes meurtrières, ce corps couvert d'or, cet isolement, cette régression fœtale, cette jambe gangreneuse ! – une vie se perdant dans le mouvement de la vie ! – ce suicide pour ne plus avoir à inventer, pour ne plus avoir à s'inventer ! –

penser ainsi au rimbaud me fait du bien, comme si l'esprit ancien de la Table de pommier me visitait pour que soit chassée l'angoisse qui, sinon, me cannibaliserait avant que l'avion ne se pose à libreville ! – chante, l'esprit frappeur : ne t'inquiète pas, tu n'auras même pas besoin de chercher tes mots une fois que libreville traversée tu atteindras ce faubourg et cette bâtisse décrépite à côté de laquelle, autour d'une table, se trouveront calixthe béyala, werewere et cette flopée d'orphelins qu'elle a adoptés – il y aura sur la table des légumes et des fruits, tu t'approcheras, tu parleras du nouvel homme que tu es devenu, changé par l'esprit retrouvé de ton arrière-pays natal, par sa terre, son eau, son ciel, ses mesons, ses bâtiments, ses animals ! – sera joyeuse l'habitation des quatre saisons – puis tu parleras de ta meson que tu as délibérément laissé vide pour que calixthe béyala puisse en faire son monde, couleuré comme les vêtements gabonais, couleuré comme la cuisine gabonaise, couleurée comme l'esprit gabonais ! – toutes ces couleurs qui deviendront les tiennes aussi ! – de la beauté voyageant d'un corps à l'autre – rieuse, comme l'est la musique quand vibrent sans défaillir les supercordes du cosmos – l'harmonie ! – le nouveau monde tel qu'il aurait dû se fonder quand les grecs ajoutèrent cette dixième planète aux neuf autres tournant autour du soleil, cette antiterre qui se mouvait dans la lumière noire de l'antimatière ! – ils savaient que là était la promesse, mais il aurait fallu qu'ils se gréent de nouvelles lunettes pour voir comme dans le plein du jour cette antimatière si noire – les grecs n'eurent pas le courage de cette invention-là, trop de choses extérieures restant encore à être gaspillées sur la terre, trop de guerres restant à venir, trop de superstitions et de croyances s'obstinant à pervertir, trop de barbarie meurtrière exigeant que coule le sang, car audelà des mots de sagesse et d'harmonie, les actes ne peuvent que rester les mêmes, les vouloirs ne peuvent que rester les mêmes : conquérir l'univers, non pour lui redonner sa beauté, mais pour en détruire l'idée même : dévaster, massacrer, exterminer l'esprit de nature et l'esprit d'intelligence, l'esprit de solidarité et l'esprit de bonheur ! – ce naufrage, cette négation, ce déni ! – ce monde des consonnes, celui de l'homme à la pensée aussi graveleuse que les cris externués de sa gorge – alors que c'est le monde des voyelles qui aurait dû devenir souverain comme le rimbaud en a eu la vision : ce noir comme l'antiterre dans son antimatière ; ce blanc comme l'est toute matière à rendre dans ses grosseurs ; ce rouge, qui est l'action et le mouvement flamboyant dont il est la source ; ce bleu, la mer océane de toutes les veillées, telles que les seins d'amélie ; ce vert, quand la luxuriance protégée fait de la terre un jardin énamouré ! – aurore, immanence, idée, odeur, saveur, utopie ! – assez vu ! – la vision s'est rencontrée à tous les airs ! – assez eu ! – rumeurs des villes, le soir, et au soleil, et toujours ! – assez connu ! – les arrêts de la vie ! – ô rumeurs et visions ! – départ en l'affection, l'eldorado, l'illumination, l'ondulation, l'unité ! –

j'ai demandé au chauffeur de taxi de s'arrêter devant l'hôtel où j'ai loué cette chambre quand, la première fois, je suis venu au gabon – je ne serai pas long ! – j'entre, je me trouve face au pygmée-propriétaire tenant par leurs poignées deux caisses de bière qui lui serviront sans doute de jouquoir quand il sera derrière le comptoir du bar – me paraît fort triste, le pygmée ! – me serre la main, esquisse un sourire, puis se renfrogne de suite : sa femme qu'un chauffard a heurtée alors qu'elle s'en allait au marché, ses enfants placés en orphelinat, cette peur qu'on lui enlève aussi son commerce – il voudrait que je prenne un verre avec lui et paraît encore plus triste quand je lui dis que je ne bois plus et que si je suis entré à son hôtel, c'est simplement pour revoir cette chambre où, paisible, la jument de la nuit s'est endormie en même temps que calixthe béyala et moi – il m'accompagne tandis que je monte l'escalier, la cage d'ascenseur immobilisée entre deux paliers, comme c'était déjà quand j'ai séjourné ici-dedans ! – avant d'ouvrir la porte de la chambre, je dis au pygmée que j'aimerais y entrer seul – me répond qu'il sera derrière le comptoir du bar quand j'en ressortirai et que ce sera un grand plaisir pour lui de m'offrir à boire, ne serait-ce qu'un jus de mangue –

ne restent plus que le lit, la table et la commode dans la chambre : le ventilateur a été enlevé du plafond, y faisant ce trou béant qu'on n'a pas replâtré – sur les murs, les vieux encadrements des rois-nègres de jadis ont disparu, seuls restent de grands rectangles comme encastrés dans le bois – le lit a été épargné, bien que les oreillers et la courtepointe le recouvrant, mal arrangés, font un amas de guenilles au milieu – je m'assois quand même au bord du lit, je ferme les yeux, je respire profond pour que les odeurs de calixthe béyala, son corps collé au mien, se fassent à nouveau saveurs cuivrées, ocrantes, bronze et or – rien d'autre que ce fond de l'air poussiéreux, ranci, moisissant ! – cette angoisse qui fond sur moi pue le whisky : j'en ai tellement bu dans cette chambre que j'ai peut-être halluciné par-devers calixthe béyala comme j'ai halluciné par-devers les encadrements des rois-nègres de jadis – peut-être n'est-elle jamais venue dans cette chambre, peut-être ne s'est-elle jamais allongée à mes côtés, peut-être sa longue chevelure ne s'est-elle jamais déployée en étoile de mer sur l'oreiller, peut-être ses grands yeux noirs pareils à la profondeur du lac victoria ne m'ont-ils jamais regardé, peut-être son corps, comme soudé au mien, peau cuivrée sur peau olivâtre, n'a-t-il jamais chanté ni dansé ! –

je me dresse et vivement, comme un ressort, je sors de la chambre, je descends l'escalier ! – et, vivement, comme un fugitif, je m'engouffre dans ce taxi, vite, vite, vers l'aéroport ! –

sur les chapeaux de roues ça démarre ! – et le nœud gordien dans mon corps devient si lourd que les haut-le-cœur me prennent ! – je demande au chauffeur de garer la voiture en bordure de la route, j'en descends et je vomis comme si j'avais bu des litres et des litres de mauvais whisky, comme le consul dans au-dessous du volcan, écrasé par le popocatepetl en éruption : quelque chose comme tronçon d'arbre garrotté, pied coupé dans une chaussure de l'armée, choses sans tête, assises en fond de tranchées proéminentes, scalps flottant dans le fond de l'air, enfants écrasés, par centaines, choses hurlantes et brûlantes ! – telles sont les horreurs que je vomis en bordure de route gabonaise ! – tel est le nœud gordien dont mon corps devait se défaire ! – le chauffeur de taxi ose à peine regarder cet immonde nœud gordien qui gît dans la gravelle ! –

– Vous voulez que je vous emmène à l'hôpital ? il dit.

– Non. C'est une ancienne blessure que j'avais là, au corps. Elle s'en est toute allée maintenant. Reprenons la route.

– L'aéroport ?

– Non. Juste là-bas, au-delà des faubourgs.

il m'offre une branche de persil pour que je me la mette en bouche, la broie et la mastique, il ne veut pas que les mauvaises odeurs du nœud gordien vomi, dénoué, défait, prennent possession de sa voiture – nous remontons à bord, nous passons au travers de l'enfantôme libreville malgré les couleurs flamboyantes de ses vêtements, les couleurs embrasées de ses mesonnettes – odeurs fauves de viande, de légumes, de fruits tapissant les étals – presque mon pays, car je sais voir désormais plus profond que le fond de l'air, au creux de la matière, au creux de l'antimatière, là où naissent odeurs, saveurs et couleurs, là où le savoir de toutes les odeurs, saveurs et couleurs forment les supercordes du cosmos, cette musique et ce chant dont est né le monde ! –

je vois, bordée de lanternes chinoises, cette allée de bananiers qui mène à la cabane au toit de tôle ocré, je vois ce refuge pauvre des orphelins pauvres de calixthe béyala – je demande au chauffeur de me laisser descendre, je veux marcher jusqu'à la mesonnette, pieds nus pour que la terre rouge et chaude comme le corps de calixthe béyala m'embrûle nerfs, muscles et sang ! – je vois le potager décoré aussi de lanternes chinoises, je vois la table dressée, les enfants de calixthe béyala assis autour, werewere qui a pris place au milieu, couleurs vives de son vêtement, doré des motifs qui embrase de soleil l'espace-temps bien au-delà des limites du potager – son anniversaire ! – ses frères et sœurs qui chantent, calixthe béyala derrière lui, cette main aux longs doigts cuivrés qui glissagilent dans la chevelure de werewere – je m'avance, je m'avance, je m'avance, si fébrile, vers calixthe béyala, je la touche presque, je la regarde, grands yeux si noirs qu'ils ne me voient pas encore vraiment – je mets la main sur la sienne qui glissagile toujours dans les cheveux de werewere, je dis, je dis ce que je n'ai encore jamais dit de ma vie, je dis ce que je n'ai encore jamais chanté de ma vie, je dis ce que je n'ai encore jamais dansé de ma vie, je dis :

– Je t'aime, Calixthe. Veux-tu de moi ?

TABLE

Ma Corriveau suivi de *La sorcellerie en finale sexuée*, théâtre, Montréal, VLB éditeur, 1976 ; *Ma Corriveau* suivi du *Théâtre de la folie*, Trois-Pistoles, Éditions Trois-Pistoles, 1998.

N'évoque plus que le désenchantement de ta ténèbre, mon si pauvre Abel, roman, Montréal, VLB éditeur, 1976 ; Trois-Pistoles, Éditions Trois-Pistoles, 1996.

Monsieur Zéro, théâtre, Montréal, VLB éditeur, 1977 ; *Monsieur Zéro* suivi de *La route de Miami*, Trois-Pistoles, Éditions Trois-Pistoles, 1998.

Sagamo Job J, cantique, Montréal, VLB éditeur, 1977 ; Trois-Pistoles, Éditions Trois-Pistoles, 1997.

Un rêve québécois, roman, Montréal, VLB éditeur, 1977 ; Trois-Pistoles, Éditions Trois-Pistoles, 1996.

Cérémonial pour l'assassinat d'un ministre, oratorio, Montréal, VLB éditeur, 1978 ; *Cérémonial pour l'assassinat d'un ministre* suivi de *L'écrivain et le pays équivoque*, Trois-Pistoles, Éditions Trois-Pistoles, 1998.

Monsieur Melville, essai en trois tomes illustrés, tome I : *Dans les aveilles de Moby Dick* ; tome II : *Lorsque souffle Moby Dick* ; tome III : *L'Après Moby Dick ou La Souveraine Poésie*, Montréal, VLB éditeur, 1978, prix France-Canada ; Paris, Flammarion, 1980 ; Trois-Pistoles, Éditions Trois-Pistoles, 1997.

La tête de Monsieur Ferron ou les Chians, épopée drolatique, Montréal, VLB éditeur, 1979 ; Trois-Pistoles, Éditions Trois-Pistoles, 1998.

Una, roman, Montréal, VLB éditeur, 1980 ; Trois-Pistoles, Éditions Trois-Pistoles, 1997.

Satan Belhumeur, roman, Montréal, VLB éditeur, 1981, prix Molson ; Trois-Pistoles, Éditions Trois-Pistoles, 1999.

Moi Pierre Leroy, prophète, martyr et un peu fêlé du chaudron, roman-plagiaire, Montréal, VLB éditeur, 1982 ; Trois-Pistoles, Éditions Trois-Pistoles, 1999.

Discours de Samm, roman-comédie, Montréal, VLB éditeur, 1983 ; Trois-Pistoles, Éditions Trois-Pistoles, 1997.

Entre la sainteté et le terrorisme, essai, Montréal, VLB éditeur, 1984 ; Trois-Pistoles, Éditions Trois-Pistoles, 2001.

Steven le Hérault, roman, Montréal, Alain Stanké, 1985 ; Trois-Pistoles, Éditions Trois-Pistoles, 1999.

Chroniques polissonnes d'un téléphage enragé, recueil de chroniques, Montréal, Alain Stanké, 1986 ; Trois-Pistoles, Éditions Trois-Pistoles, 2000.

L'héritage, tome I : *L'automne*, roman, Montréal, Alain Stanké, 1987 ; Montréal, Alain Stanké, 1991 ; tome II : *L'hiver* et *Le printemps*, roman, Montréal, Alain Stanké, 1991.

Votre fille Peuplesse par inadvertance, théâtre, Montréal, Alain Stanké, 1990.

Docteur Ferron, essai, Montréal, Alain Stanké, 1991 ; Trois-Pistoles, Éditions Trois-Pistoles, 2001.

La maison cassée, théâtre, Montréal, Alain Stanké, 1991 ; Trois-Pistoles, Éditions Trois-Pistoles, 2002.

Pour faire une longue histoire courte, entretiens avec Roger Lemelin, Montréal, Alain Stanké, 1991 ; Trois-Pistoles, Éditions Trois-Pistoles, 2002.

Sophie et Léon, théâtre, suivi de l'essai-journal *Seigneur Léon Tolstoï*, Montréal, Alain Stanké, 1992 ; Trois-Pistoles, Éditions Trois-Pistoles, 2003.

Gratien, Tit-Coq, Fridolin, Bousille et les autres, entretiens avec Gratien Gélinas, Montréal, Alain Stanké, 1993.

La nuit de la grande citrouille, théâtre, Montréal, Alain Stanké, 1993 ; Trois-Pistoles, Éditions Trois-Pistoles, 2000.

Monsieur de Voltaire, essai, Montréal, Alain Stanké, 1994 ; Trois-Pistoles, Éditions Trois-Pistoles, 2003.

Les carnets de l'écrivain Faust, essai, édition de luxe, Montréal, Alain Stanké, 1995 ; Trois-Pistoles, Éditions Trois-Pistoles, 2003.

Le bonheur total, vaudecampagne, Montréal, Alain Stanké, 1995 ; Trois-Pistoles, Éditions Trois-Pistoles, 2003.

La jument de la nuit, tome I : *Les oncles jumeaux*, roman, Montréal, Alain Stanké, 1995.

Chroniques du pays malaisé 1970-1979, essai, Trois-Pistoles, Éditions Trois-Pistoles, 1996.

Deux sollicitudes, entretiens avec Margaret Atwood, Trois-Pistoles, Éditions Trois-Pistoles, 1996.

Écrits de jeunesse 1964-1969, essai, Trois-Pistoles, Éditions Trois-Pistoles, 1996.

L'héritage, théâtre, Trois-Pistoles, Éditions Trois-Pistoles, 1996.

La guerre des clochers, théâtre, Trois-Pistoles, Éditions Trois-Pistoles, 1997.

Pièces de résistance en quatre services, théâtre, avec Sylvain Rivière, Denys Leblond et Madeleine Gagnon, Trois-Pistoles, Éditions Trois-Pistoles, 1997.

Beauté féroce, théâtre, Trois-Pistoles, Éditions Trois-Pistoles, 1998.

Les contes québécois du grand-père forgeron à son petit-fils Bouscotte, Trois-Pistoles, Éditions Trois-Pistoles, 1998.

Québec ostinato, essai, Trois-Pistoles, Éditions Trois-Pistoles, coll. « Alternatives », 1998.

Un loup nommé Yves Thériault, essai, Trois-Pistoles, Éditions Trois-Pistoles, 1999.

Bouscotte. Le goût du beau risque, roman, Trois-Pistoles, Éditions Trois-Pistoles, 2001.

Bouscotte. Les conditions gagnantes, roman, Trois-Pistoles, Éditions Trois-Pistoles, 2001.

27 petits poèmes pour jouer dans l'eau des mots, poésie, Trois-Pistoles, Éditions Trois-Pistoles, 2001.

Les mots des autres. La passion d'éditer, Montréal, VLB éditeur, 2001.

Bouscotte. L'amnésie globale transitoire, roman, Trois-Pistoles, Éditions Trois-Pistoles, 2002.

Contes, légendes et récits du Bas-du-Fleuve – Tome 1 : Les Temps sauvages, Trois-Pistoles. Éditions Trois-Pistoles, 2003.

Arthur Buies. Petites chroniques du Bas-du-Fleuve, Trois-Pistoles. Éditions Trois-Pistoles, 2003.

Trois-Pistoles et les Basques. Le pays de mon père, album illustré, Trois-Pistoles, Éditions Trois-Pistoles, 1997 ; Trois-Pistoles, Éditions Trois-Pistoles, 2004.

Le Bas-Saint-Laurent. Les racines de Bouscotte, album illustré, Trois-Pistoles, Éditions Trois-Pistoles, 1998 ; Trois-Pistoles, Éditions Trois-Pistoles, 2004.

De Race de monde *au* Bleu du ciel, Trois-Pistoles, Éditions Trois-Pistoles, collection «Écrire», 2004.

je m'ennuie de michèle viroly, roman, Trois-Pistoles, Éditions Trois-Pistoles, 2005.

Correspondances (avec Jacques Ferron), Trois-Pistoles, Éditions Trois-Pistoles, 2005.

Petit Monsieur, conte, Québec, Musée national des beaux-arts du Québec, 2005.

Le Bleu du ciel (avec André Morin), roman, Trois-Pistoles, Éditions Trois-Pistoles, 2005.

aBsalon-mOn-gArçon, roman, Trois-Pistoles, Éditions Trois-Pistoles, 2006.

James Joyce, l'Irlande, le Québec, les mots, essai hilare, Trois-Pistoles, Éditions Trois-Pistoles, 2006, prix *Spirale-Eva-Le-Grand* ; Montréal, Boréal Compact, 2010

Neigenoire et les sept chiens, conte, illustré par Mylène Henry, Trois-Pistoles, Éditions Trois-Pistoles, 2007.

La Grande tribu, roman, Trois-Pistoles, Éditions Trois-Pistoles, 2008.

Contes, légendes et récits du Bas-du-Fleuve – Tome 2 : Les Temps apprivoisés, Trois-Pistoles. Éditions Trois-Pistoles, 2008.

L'Héritage, roman, Trois-Pistoles, Éditions Trois-Pistoles, 2009.

Bibi, roman, Trois-Pistoles, Éditions Trois-Pistoles, 2009 ; Paris, Éditions Grasset, 2010.

La Reine-Nègre et autres textes vaguement polémiques, essai, Trois-Pistoles, Éditions Trois-Pistoles, 2010.

Ma vie avec ces animaux qui guérissent, essai, Trois-Pistoles, Éditions Trois-Pistoles, 2010.

Les menteries d'un conteux de basse-cour, théâtre, Trois-Pistoles, Éditions Trois-Pistoles, 2011.

Cet ouvrage,
composé en Garamond Premier 13,
a été achevé d'imprimer à Cap-Saint-Ignace,
sur les presses de Marquis Imprimeur,
en février deux mille onze.